VIDA DE CRISTO

VIDA DE

Fulton J. Sheen

CRISTO

Volume

· I ·

TRADUÇÃO
*Márcia Xavier de Brito
William Campos
da Cruz*

2ª EDIÇÃO

Título original: *Life of Christ*
Copyright © Espólio de Fulton J. Sheen/The Society for the Propagation of the Faith/www.missio.org

Direitos de edição da obra em língua portuguesa no Brasil adquiridos pela Petra Editorial Ltda. Todos os direitos reservados. Nenhuma parte desta obra pode ser apropriada e estocada em sistema de banco de dados ou processo similar, em qualquer forma ou meio, seja eletrônico, de fotocópia, gravação etc., sem a permissão do detentor do copirraite.

Petra Editorial
Av. Rio Branco, 115 – Salas 1201 a 1205 – Centro
20040-004 – Rio de Janeiro – RJ – Brasil
Tel.: (21) 3882-8200

Imagem de capa: NAYPONG/THINKSTOCK

CIP-Brasil. Catalogação na publicação
Sindicato Nacional dos Editores de Livros, RJ

S545v   Sheen, Fulton J., 1895-1979
           Vida de Cristo, volume 1 / Fulton J. Sheen ; tradução Márcia Xavier de Brito, William Campos da Cruz. - 2. ed. - Rio de Janeiro : Petra, 2021.
           296 p.

           Tradução de: Life of Christ
           ISBN 9786588444214

           1. Jesus Cristo - Biografia. I. Brito, Márcia Xavier de. II. Cruz, William Campos da. III. Título.

           18-49086   CDD: 232.9
                                                                          CDU: 27-312

Sumário

Prefácio à nova edição | 7
Introdução à nova edição | 9
Prefácio | 15

1. A única pessoa já preanunciada | 19
2. O início da vida de Cristo | 24
3. Três caminhos alternativos à Cruz | 70
4. O Cordeiro de Deus | 82
5. O início da "hora" | 87
6. O templo do Seu corpo | 95
7. Nicodemos, a serpente e a cruz | 102
8. Salvador do mundo | 111
9. O primeiro anúncio público de Sua morte | 122
10. A escolha dos 12 | 127
11. As bem-aventuranças | 138
12. O intruso que era uma mulher | 146
13. O homem que perdeu a cabeça | 153
14. O pão da vida | 161
15. A recusa a ser um rei de pão | 171
16. Pureza e propriedade | 175
17. O testemunho do Senhor acerca de Si mesmo | 184
18. Transfiguração | 192
19. As três discussões | 197
20. A tentativa de prisão durante a Festa dos Tabernáculos | 213

21. Somente o inocente pode condenar | 221
22. O bom pastor | 230
23. O Filho do Homem | 236
24. César ou Deus | 243
25. Ainda não é chegada a hora | 255
26. A flecha mais poderosa na aljava divina | 268
27. Mais que um Mestre | 275
28. Os pagãos e a Cruz | 282

Prefácio à nova edição

A reedição da obra clássica *Vida de Cristo*, do Arcebispo Sheen, traz de volta lembranças de sessenta anos atrás, quando as ruas de qualquer cidade ou vila católica ficavam absolutamente vazias aos domingos às duas da tarde. Quando criança, eu costumava olhar para fora a fim de ver se encontrava alguém, porque um silêncio sinistro caía sobre toda a comunidade. Todos estavam ouvindo o Arcebispo Sheen no rádio. Mais tarde, quando passou também para a televisão, tornou-se com certeza o pregador católico mais popular na história da Igreja americana. Ele também atacava implacavelmente o comunismo bolchevique e a psicanálise freudiana. Muitas pessoas na comunidade intelectual consideravam isso algo divertido, mas ambos os movimentos, poderosos desde então, foram para a lata de lixo da história.

As lindas meditações do Arcebispo Sheen a respeito da vida de Cristo, no entanto, estão recebendo uma nova edição. Por quê? Porque, embora não ignorasse a erudição bíblica contemporânea e, de fato, contasse com a orientação do conhecido acadêmico biblicista Monsenhor Myles Bourke, ainda assim não fez crítica bíblica. Ele deu vida à narrativa do Evangelho para o leitor individual. Eis a teologia bíblica popular em sua melhor forma.

Em seu livro recente, *Jesus de Nazaré*, o Papa Bento XVI proclamou um retorno à teologia bíblica e deu um exemplo poderoso disso em seus próprios escritos. A reedição de *Vida de Cristo* do Arcebispo Sheen é, portanto, extremamente oportuna. Parece-me precisamente este o tipo de escrito que o papa espera, a fim de restaurar a devoção a Cristo. O Santo Padre tem dito que, como resultado do uso exclusivo de certas formas de crítica bíblica, a figura de Jesus tem se tornado para muitas pessoas cada vez mais remota. Isso é uma tragédia. Ele identifica a "amizade íntima com Jesus" como o fundamento "do qual tudo depende" no cristianismo.

Pouquíssimas pessoas nos tempos modernos deram maior contribuição à vida católica ou incentivaram e lideraram o caminho rumo à amizade íntima com Jesus Cristo do que o Arcebispo Sheen.

Vida de Cristo, do Arcebispo Sheen, podia ser um volume para acompanhar *Jesus de Nazaré*, do Papa Bento XVI.

Padre Benedict J. Groeschel, C.F.R.

Introdução à nova edição

Sem dúvida, Jesus Cristo é a pessoa mais impressionante da história humana. Tão impressionante que o mundo ocidental tradicionalmente divide os séculos em dois períodos, tomando como base o ano de Seu nascimento: a.C. (antes de Cristo) e A.D. (*Anno Domini*, do latim "ano do Senhor").

Por séculos, muitos escreveram biografias maravilhosas de Jesus, mas apenas algumas podem ser comparadas à do Arcebispo Fulton J. Sheen. Muitos abordam os escritos acerca de Jesus de maneira intelectual, tentando captar o conteúdo teológico e o significado de sua vida, e isso é bom. Outros a têm abordado com o desejo adicional de propagar esses ensinamentos, e isso é ainda melhor. Por fim, alguns têm abordado a vida de Cristo a fim de viver plenamente sua mensagem de salvação, e isso, sim, é o que há de melhor. Sem dúvida, o Arcebispo Sheen pertencia a este último grupo. Talvez não se possa dar melhor recomendação para defender o valor de um livro religioso do que mencionar aqueles que o leriam. O Missionário das Irmãs da Caridade me contou que Madre Teresa de Calcutá sempre tinha consigo uma cópia de *Vida de Cristo*!

Como o Arcebispo Sheen veio a escrever um livro tão maravilhoso que inspirou e enriqueceu a vida de tantos? Ele sem dúvida era um indivíduo muito talentoso. Sua capacidade intelectual era extraordinária, embora jamais tenha feito nenhuma tentativa de parecer erudito. Além disso, tendo doutorado em Teologia, foi o primeiro americano a obter o prestigioso grau de *agrégé* da Universidade de Louvain, na Bélgica. Saiu-se tão bem nos exaustivos exames que ofereceram um jantar em sua homenagem — nessa ocasião, algo digno de nota aconteceu. Se alguém tão somente passasse no exame de *agrégé*, servia-se água na refeição; se fosse um pouco melhor, servia-se cerveja; se a pessoa fosse muito bem, bebia-se vinho. A bebida escolhida na ceia de celebração do jovem Padre Sheen foi champanhe! Ele continuou a receber muitos outros prêmios notáveis e títulos honoríficos ao longo de toda a vida, incluindo o importante prêmio Cardinal Mercier Prize for International Philosophy.

O arcebispo também tinha o dom para se comunicar com as pessoas. Outro grande evangelista americano, Billy Graham, chamou-o certa vez de "o grande comunicador". Ele não só manteve por aproximadamente vinte anos uma atenta audiência de cerca de quatro milhões de pessoas com seu programa de rádio semanal, *The Catholic Hour* [A hora católica], mas alcançou um sucesso notável com sua série televisiva *Life is Worth Living* [A vida vale a pena]. Seu programa ao vivo durava meia hora e era intencionalmente colocado no mesmo horário do programa daquele que era chamado "Mr. Television", Milton Berle. Aqueles que haviam convidado o Arcebispo Sheen para apresentar seu programa de televisão não podiam imaginar que ele se sairia tão bem contra Milton Berle. Todavia, em seis meses, naquela primeira meia hora, mais pessoas estavam assistindo ao programa do arcebispo do que ao de Milton Berle. O arcebispo enfim atingiu um público estimado de cerca de trinta milhões de espectadores. Ele chegou até mesmo a ganhar um Emmy, em 1952, como "a personalidade mais marcante da televisão". Na cerimônia de premiação, muitos antes dele agradeciam a seus produtores, diretores e roteiristas. Quando recebeu o Emmy, o arcebispo observou espirituosamente: "Gostaria de agradecer aos meus roteiristas: Mateus, Marcos, Lucas e João!".

Talvez a qualidade que torna *Vida de Cristo* do Arcebispo Sheen tão excepcional seja o fato de que ele era um homem com reputação de grande santidade. Uma coisa é compreender a vida e a mensagem de uma pessoa, outra é ser capaz de transmiti-la aos demais; porém, é extremamente significativo alguém conseguir viver essa mensagem, sobretudo com tanta notoriedade. Este é precisamente o motivo por que se tem promovido a ideia de uma possível santificação da vida do Arcebispo Sheen na Igreja Católica Romana. Os santos são homens e mulheres que imitaram Jesus Cristo e viveram a mensagem de Seu Evangelho em grau heroico. Os santos conseguiram conhecer o Evangelho desde dentro, por assim dizer, e não meramente como observadores externos.

Pessoas que leram *Vida de Cristo* ao longo dos anos com frequência comentam que há algo poderoso em suas palavras! Como uma semente enterrada no solo, as palavras acerca da vida e da mensagem de Jesus lançaram raízes em muitas mentes e corações, além de darem muitos frutos. Certa vez, o arcebispo disse às pessoas que o proclamavam um orador e escritor muito talentoso que o verdadeiro poder de suas palavras e de sua atratividade vinha das horas de oração, especialmente diante de Jesus no Santíssimo Sacramento. Não há dúvida de que muitas pessoas ainda se inspiram quando leem e meditam os grandes *insights* que o arcebispo teve a respeito de quem é a pessoa de Jesus e de como Ele afeta nossas vidas.

Para concluir, gostaria de compartilhar um incidente que aconteceu já no fim da vida do Arcebispo Sheen. Em 3 de outubro de 1979, o Papa João Paulo II estava fazendo sua primeira visita aos Estados Unidos. Ele chegou a Nova York e foi recebido pelo Cardeal Terence Cooke, arcebispo de Nova York, que acompanhou o papa até a Catedral de St. Patrick. Quando o Santo Padre chegou ao santuário, parou e olhou ao redor. Então, voltou-se para o Cardeal Cooke e perguntou: "Onde está o Arcebispo Sheen?". O cardeal teve de enviar seu secretário para encontrar o arcebispo, que estava voltando da *Mary Chapel*, nos fundos da catedral. O Santo Padre esperava imóvel. As pessoas se perguntavam o que estava acontecendo para causar o aparente atraso. Por fim, o Arcebispo Sheen surgiu. Quando as pessoas perceberam que o papa estivera esperando o arcebispo, levantaram-se e ovacionaram o Arcebispo Sheen por sete minutos. Afinal de contas, aqui estava o homem que tinha sido a voz da Igreja Católica nos Estados Unidos por cerca de trinta anos. O Papa João Paulo II se aproximou e abraçou o arcebispo, já bem debilitado pela idade e pela doença. O Santo Padre disse-lhe: "Você escreveu e falou bem do Senhor Jesus! Você tem sido um filho leal da Igreja". Essas palavras poderosas certamente se aplicam ao livro *Vida de Cristo*, do Arcebispo Sheen.

Regozijo-me em ver que este verdadeiro clássico cristão, escrito por alguém que pode um dia vir a ser proclamado santo da Igreja Católica, seja reimpresso. Tenho certeza de que este livro trará recompensas a cada um que o ler. Como diria o arcebispo, DEUS AMA VOCÊ.

Padre Andrew Apostoli, C.F.R.
Vice-postulador, Causa da Canonização do Arcebispo Fulton J. Sheen.

*Dedicado
em afeição filial
a Maria,
três vezes autora.*

*Primeiro como a mãe que deu ao Filho
do Deus Vivo
um corpo com o qual Ele tomou a culpa humana
e retribuiu a morte com a vida.*

*Depois, como autora dessas palavras acerca do Verbo,
pois somente nas horas sombrias, quando o sofrimento se misturou à tinta,
ela fez o escritor ver o Cristo e o crucifixo.*

*E, por fim, como autora com o Espírito de Cristo
no coração de cada leitor,
atuando em cada página como a doce incendiária
daquele amor que nos é insuficiente em
Todo o Amor.*

Prefácio

Satanás pode se apresentar sob muitos disfarces, até semelhante a Cristo, e no fim do mundo aparecerá como benfeitor e filantropo — mas Satanás nunca apareceu nem nunca aparecerá com cicatrizes. Somente o amor celestial pode mostrar as marcas da maior dádiva de amor numa noite para sempre no passado. Na verdade, há apenas duas filosofias de vida: uma é primeiro o banquete, depois a dor de cabeça; a outra é primeiro o jejum, depois o banquete. Prazeres adiados embalados pelo sacrifício sempre são mais doces e duradouros. Os antigos ensinavam que qualquer prosperidade ou sucesso desfrutado sem sofrimento desagrada aos deuses. Lucrécio fala de um rei egípcio que abdicou da relação com o amigo Polícrates, o tirano de Samos, porque sua prosperidade não tinha defeito algum, "algo de amargo que brota em meio a uma fonte de doçura".

O cristianismo, diferentemente de todas as demais religiões do mundo, começa com catástrofe e derrota. Religiões alegres e inspirações psicológicas entram em colapso e definham na adversidade. A vida do fundador do cristianismo, no entanto, tendo começado com a cruz, termina com o sepulcro vazio e a vitória.

A vida de Cristo difere de todas as outras vidas em muitos aspectos, três dos quais podem ser mencionados:

1. A cruz estava no fim de sua vida no tempo, mas no início, na intenção e no propósito de sua vinda. Assim, Seus biógrafos, que foram martirizados no testemunho da verdade que escreveram, dedicaram um terço dos três primeiros Evangelhos e um quarto do quarto Evangelho aos eventos de Sua Paixão e Ressurreição.
2. Assim como o homem não provém inteiramente da natureza, pois o homem com sua mente tem um quê misterioso que não está contido em seus antecedentes químicos e biológicos, assim também Cristo não provém inteiramente da humanidade.

3. Seu legado não foi uma ética ou uma coleção de preceitos morais, nem tampouco um despertar para o pecado social porque os homens não ouviriam sobre o pecado pessoal; foi o confronto da culpa humana com o amor perdoador de Deus. E, para Deus, custou algo.

Odiar o pecado, amar pecadores; condenar o comunismo, amar os comunistas; rejeitar a heresia e amar os heréticos; receber os errados de volta no tesouro de Seu coração, mas jamais o erro no tesouro de Sua sabedoria; perdoar pecadores a quem a sociedade já condenou, mas ser intolerante com aqueles que pecaram e não foram descobertos; Ele reservou suas explosões mais acerbas para aqueles que eram pecadores e negavam o pecado, que eram culpados e diziam ter apenas um complexo. Então, aquele que chora em silêncio na presença do pranto humano e de um sepulcro aberto deu passagem a explosões irrestritas de luto, conforme Ele contemplava a morte e a derrocada daqueles que têm um câncer moral e se recusam a usar o remédio que Ele comprou com um preço mais alto do que o sangue de touros e bodes.

O mundo moderno nega a culpa pessoal e admite apenas crimes sociais, não há lugar para o arrependimento pessoal, mas apenas para reformas públicas, Cristo foi separado de Sua cruz; o noivo e a noiva foram apartados. O que Deus uniu, os homens separaram. Como resultado, à esquerda está a cruz; à direita, o Cristo. Cada um tem esperado novos parceiros que os tomará num tipo de segunda união adúltera. Surge o comunismo e toma a cruz sem significado; a civilização ocidental pós-cristã escolhe o Cristo incólume.

O comunismo escolheu a cruz no sentido de que trouxe de volta a um mundo egoísta um senso de disciplina, abnegação, rendição, trabalho duro, estudo e dedicação a objetivos supraindividuais. Mas a cruz sem Cristo é sacrifício sem amor. Consequentemente, o comunismo produziu uma sociedade autoritária, cruel, opressora da liberdade humana, repleta de campos de concentração, pelotões de extermínio e lavagens cerebrais.

A civilização ocidental pós-cristã tomou o Cristo sem a cruz. Mas um Cristo sem um sacrifício que reconcilia o mundo com Deus é um pregador itinerante barato, feminizado, sem cor, que merece ser popular por Seu grande Sermão da Montanha, mas também merece a impopularidade pelo que disse sobre sua divindade, de um lado, e sobre divórcio, juízo e inferno do outro. Este Cristo sentimental é um mosaico de milhares de lugares-comuns, sustentados às vezes por etimologistas acadêmicos incapazes de ver a Palavra pelas letras, ou distorcido além do reconhecimento pessoal por um princípio dogmático de que algo que é Divino deve necessariamente ser um mito. Sem cruz, Ele não se torna nada senão um precursor provocante da democracia ou um humanista que ensinava a fraternidade sem lágrimas.

O problema agora é: será que a cruz, que o comunismo tomou em suas mãos, encontrará o Cristo antes que o Cristo sentimental do mundo ocidental encontre a cruz? É nossa convicção que a Rússia encontrará o Cristo antes que o mundo ocidental reúna Cristo com sua cruz redentora.

Para aqueles que procuram uma vida de Cristo estritamente cronológica num cenário geográfico, recomendamos a de Giuseppe Ricciotti, *The Life of Christ* (Milwaukee: The Bruce Publishing Company, 1954), como a melhor. Em nossa obra não há preocupação com a crítica bíblica, em parte porque esta já foi tratada adequadamente por Ricciotti, Grandmaison, Lagrange e outros, e porque nenhuma teoria crítica perdura muito mais que uma geração. Um Bauer dá passagem a um Strauss; um Strauss a um Wellhausen; um Wellhausen a um Harnack e a um Renan; ambos a um Schweitzer e um Loisy. Quando estas últimas teorias perderam o apoio popular, vieram Schimdt, Bultmann, Albertz, Betram e outros. Os leitores que acompanharam as refutações críticas e científicas de Bultmann feitas por Leopoly Malevez, René Marlé e outros, sabem que elas já estão perdendo apoio popular entre os eruditos bíblicos. No entanto, embora o autor de uma Vida de Cristo não mencione nenhum dos escritores ou teorias acima, conhecê-los é um pré-requisito da escrita. Nenhuma forma de crítica, mesmo a de um Strauss, deixa de aprofundar o conhecimento daqueles que devem primeiro conhecer os Evangelhos técnica e criticamente antes que possam dar um tratamento adequado à Vida de Cristo.

Das muitas traduções das escrituras, escolhemos a tradução Knox como a melhor, usando a versão Rheims Douay em bem poucos trechos. Burns & Washbourne, Ltd., e Sheed e Ward, Inc., prontamente permitiram o uso da tradução Knox.

Os erros do autor multiplicar-se-iam sem a assistência editorial tão fraternalmente oferecida pelo Reverendíssimo Monsenhor Edward T. O'Meara, D.D., e pelo Reverendo Joseph Havey.

O acadêmico e erudito bíblico Reverendo Myles Bourke fez a leitura final do manuscrito, salvando o autor do constrangimento de alguns erros, e o leitor do problema de corrigi-los.

Agradecemos também ao Reverendo Herman D'Souza por sua ajuda na correção das provas.

Vida de Cristo levou muitos anos para ser escrito. Mas a compreensão profunda da unidade de Cristo e sua cruz veio quando Cristo manteve o autor bem perto de sua cruz, nas horas escuras e dolorosas. O conhecimento vem dos livros; da penetração de um mistério, do sofrimento. Espera-se que a doce intimidade com o Cristo crucificado, que trouxe o juízo, irrompa dessas páginas, dando ao leitor aquela paz que só Deus pode trazer às almas e as ilumine para ver que todo pranto é, na verdade, a "sombra de Sua mão carinhosamente estendida".

1
A ÚNICA PESSOA JÁ PREANUNCIADA

A história está repleta de homens que alegaram ter vindo de Deus, ou que eram deuses ou que portavam mensagens divinas — Buda, Maomé, Confúcio, Cristo, Lao-Tsé e milhares de outros até a pessoa que, hoje mesmo, fundou uma nova religião. Cada um deles tem o direito de ser ouvido e levado em consideração. No entanto, como é necessário um parâmetro externo e fora daquilo que está sendo mensurado, alguns testes permanentes devem estar disponíveis para todos os homens, de todas as civilizações e em todas as épocas, pelos quais se possa decidir se algum desses requerentes, ou todos eles, tem fundamento no que alegam. Esses testes são de dois tipos: *razão* e *história*. Razão porque todos a têm, mesmo os que não têm fé; história, porque todos nela vivem e devem saber algo a seu respeito.

A razão prescreve que, se algum desses homens verdadeiramente veio de Deus, o mínimo que Deus poderia fazer para amparar essa alegação seria preanunciar sua vinda. Os fabricantes de automóvel anunciam aos consumidores quando chegará um novo modelo. Se Deus enviou alguém de sua parte, ou se Ele Próprio veio com uma mensagem de importância vital para todos os homens, pareceria razoável que, primeiro, Ele deixasse os homens saber quando o seu mensageiro viria, onde nasceria e onde viveria, que doutrina ensinaria, que inimigos faria, que programa adotaria para o futuro e de que maneira morreria. À medida que o mensageiro se conformasse a esses anúncios, poderíamos julgar a validade de sua alegação.

A razão também nos assegura que, se Deus não fez isso, então, nada impediria que qualquer impostor aparecesse na história e dissesse: "Venho de Deus" ou "Um anjo apareceu para mim no deserto e deixou-me esta mensagem". Em casos como esse, não existiria um modo objetivo, histórico, de testar o mensageiro. Para isso, haveria apenas a sua palavra e, é claro, ele poderia estar errado.

Se um visitante de um país estrangeiro chegasse a Washington e dissesse ser diplomata, o governo pedir-lhe-ia o passaporte e outros documentos que atestassem que ele representava determinado governo. Os documentos precisariam ter data anterior à sua chegada. Se tais provas de identificação são pedidas a representantes de outros países, a razão certamente deverá exigi-las de mensageiros que alegam ter vindo de Deus. Para cada motivo do requerente, a razão pergunta: "Que registro havia antes de seu nascimento de que você viria?".

Com esse teste podemos avaliar os requerentes. (E, nesse estágio preliminar, Cristo não é maior que os outros.) Sócrates não teve ninguém para predizer-lhe o nascimento. Ninguém preanunciou Buda e sua mensagem ou disse o dia em que se sentaria debaixo da árvore. Confúcio não teve registrado o nome da mãe e o local de nascimento, nem isso fora dado aos homens séculos antes que ele aparecesse, de modo que, quando surgisse, os homens soubessem que era um mensageiro de Deus. Entretanto, com Cristo foi diferente. Por conta das profecias do Antigo Testamento, Sua vinda era esperada. Não existiam profecias a respeito de Buda, Confúcio, Lao-Tsé, Maomé ou qualquer outro; mas existiam profecias a respeito de Cristo. Os outros simplesmente vieram e disseram: "Eis-me aqui, acreditem em mim". Eram, portanto, apenas homens entre homens, e não o divino no humano. Só Cristo cruzou essa linha, ao dizer: "Buscai os escritos do povo judeu e a história narrada pelos babilônios, persas, gregos e romanos". (Por ora, os escritos pagãos e até o Antigo Testamento podem ser considerados apenas como documentos históricos, não como obras inspiradas.)

É verdade que as profecias do Antigo Testamento podem ser mais bem compreendidas à luz de seu cumprimento. A linguagem da profecia não tem a exatidão da matemática. Ainda assim, se examinarmos cuidadosamente as várias correntes messiânicas no Antigo Testamento e compararmos o quadro resultante com a vida e a obra de Cristo, podemos duvidar de que as antigas profecias apontam para Jesus e para o Reino que ele instituiu? A promessa de Deus aos patriarcas de que por intermédio deles as nações da terra seriam abençoadas; a profecia de que a tribo de Judá seria a maior entre as outras tribos hebraicas até a vinda daquele a quem todas as nações obedeceriam; o fato estranho, mas inegável, de que na Bíblia dos judeus de Alexandria, a Septuaginta, encontramos profetizado de maneira clara o nascimento *virginal* do Messias; a profecia de Isaías 53 a respeito do sofredor paciente, o Servo do Senhor, que entregaria sua vida como oferta expiatória pelas ofensas do povo; as perspectivas do Reino glorioso, eterno, da casa de Davi — em quem, senão em Cristo, essas profecias são cumpridas? Do ponto de vista estritamente histórico, há uma singularidade que põe o Cristo à parte dos fundadores de todas as outras religiões. E, uma vez que o cumprimento dessas profecias ocorreu historicamente na pessoa do Cristo, não só cessaram todas as profecias em Israel, mas houve a suspensão dos sacrifícios quando o verdadeiro Cordeiro Pascal foi imolado.

Voltemos ao testemunho pagão. Tácito, ao falar para os antigos romanos, disse: "As pessoas, em geral, são convencidas pela fé nas antigas profecias de que o Oriente deve triunfar e que da Judeia há de vir o Mestre e o Senhor do mundo". Suetônio, no relato sobre a vida de Vespasiano, descreve, da seguinte maneira, a tradição romana: "Era crença antiga e invariável em todo o Oriente que, por profecias indubitavelmente acertadas, os judeus fossem alcançar o poder supremo".

A China tinha a mesma expectativa, mas, por estar do outro lado do mundo, acreditava que o grande Homem Sábio nasceria no *Ocidente*. Os *Anais do Império Celestial* apresentam a seguinte afirmação:

> No vigésimo quarto ano de Zhou-Wang, da dinastia de Zhou, no oitavo dia da quarta lua, apareceu no Sudoeste uma luz que iluminou o palácio do rei. O monarca, atingido por seu esplendor, interrogou os sábios. Apresentaram-lhe livros em que esse prodígio significava o aparecimento de um grande Santo do Ocidente, cuja religião seria introduzida em seu país.

Os gregos O esperavam, pois Ésquilo, em seu *Prometeu*, seis séculos antes da Sua vinda, escreveu: "Não tentes de modo algum dissuadir-te desta maldição até que Deus surja, para aceitar sobre a própria cabeça o suplício de teus pecados".

Como os magos do Oriente sabiam a respeito de sua vinda? Provavelmente, por conta das muitas profecias que circulavam pelo mundo dos judeus, bem como pela profecia feita para os gentios por Daniel, séculos antes de Seu nascimento.

Cícero, depois de relatar os dizeres dos oráculos antigos e das sibilas sobre um "rei a quem devemos reconhecer para sermos salvos", perguntou, com esperança: "A que homem e a qual período temporal essas profecias se referem?". A quarta écloga de Virgílio relatou a mesma tradição ancestral e falava de uma mulher casta, sorrindo para seu menino infante, que poria fim à era do ferro.[1]

Suetônio citou um autor contemporâneo a fim de demonstrar que os romanos tinham grande temor do rei que governaria o mundo, de modo que ordenaram que todas as crianças nascidas naquele ano fossem mortas — uma ordem que não foi cumprida, exceto por Herodes.

Não só os judeus esperavam o nascimento de um Grande Rei, um Homem Sábio e um Salvador, mas Platão e Sócrates também falavam de um Logos e de um Sábio Universal "ainda por vir". Confúcio mencionava "o Santo"; as sibilas, "um Rei Universal"; o dramaturgo grego, um salvador e redentor para libertar o homem da "maldição primordial". Todos esses estavam no lado gentílico da expectativa. O que põe o Cristo à parte de todos os homens é que, em primeiro lugar, Ele era esperado; mesmo os gentios ansiavam por um libertador ou um redentor. Só este fato O distingue de todos os outros líderes religiosos.

Uma segunda distinção é que, uma vez surgido, Ele afetou a história com tamanho impacto que a dividiu em dois períodos: um antes e outro depois de Sua vinda. Buda não fez isso, nem tampouco nenhum outro grande filósofo indiano. Mesmo aqueles que negam Deus devem datar seus ataques a Ele com A. D. ou algo assim muitos anos após sua vinda.

Um terceiro fato que O aparta de todos os outros é este: *qualquer outra pessoa que já veio a este mundo veio para viver. Ele veio para morrer.* A morte foi a pedra de tropeço de Sócrates — interrompeu seu magistério. Entretanto, para Cristo, a morte era a meta e o cumprimento de sua vida, o ouro que buscava. Poucas de suas palavras ou ações são inteligíveis sem referência à cruz. Apresentou-Se como salvador e não simplesmente como Mestre. Não significava nada ensinar os homens a serem bons, a menos que também lhes desse o poder de serem bons, após resgatá-los da desilusão da culpa.

A história de toda vida humana começa com o nascimento e termina com a morte. Na Pessoa de Cristo, contudo, *a morte veio primeiro e a vida, por último*. A Escritura descreve-o como "o cordeiro imolado desde a fundação do mundo" (Apocalipse 13,8). Foi imolado intencionalmente pelo primeiro pecado e revolta contra Deus. Não tanto que Seu nascimento tenha lançado sombra em Sua vida e, deste modo, o levado à morte; ao contrário,

---

1 | Na tradução para o português do texto latino: "*Casta Lucina, assiste ao recém-nado,/ sob quem no mundo a férrea gente acaba*". VIRGÍLIO, *Bucólicas*, Polion, IV Écloga. Trad. Manuel Odorico Mendes. São Paulo: Ateliê Editorial/Editora Unicamp, 2008, v. 9-10, p. 87. (N. T.)

em primeiro lugar estava a cruz e, esta, de trás, lançou sombra até o nascimento. Foi a única vida no mundo vivida de trás para a frente. Como a flor na parede fendida fala do poeta da natureza, e como o átomo é a miniatura do sistema solar, da mesma maneira, Seu nascimento fala do mistério do patíbulo. Foi do sabido ao conhecido, da razão de sua vinda manifestada no nome de "Jesus" ou "Salvador" até o cumprimento de sua vinda, a saber, até a morte na cruz.

João nos dá Sua pré-história eterna; Mateus, Sua pré-história temporal por intermédio da genealogia. É muito significativo que tantos de Seus ancestrais temporais estivessem relacionados a pecadores e estrangeiros! Essas máculas no brasão de sua linhagem humana sugerem o compadecimento da Aliança para com os pecadores e para aqueles alheios a ela. Ambos esses aspectos de Sua compaixão seriam, posteriormente, lançados contra Ele como acusações: "amigo de pecadores", "é um samaritano". A sombra de um passado maculado, todavia, prediz o futuro amor pelos que trazem a mácula. Nascido de uma mulher, era um homem e podia ser um com toda a humanidade; nascido de uma virgem, que foi coberta pelo Espírito Santo e "cheia de graça", também estava fora daquela corrente de pecado que infectou todos os homens.

2
O início da vida de Cristo

Um quarto fato distintivo é que Ele não se adequa, como outros mestres mundiais, à categoria estabelecida de *homem bom*. Homens bons não mentem. Mas, se Cristo não era de maneira alguma quem disse que era, isto é, o Filho do Deus vivo, o Verbo de Deus encarnado, então não podia ser "só um homem bom"; era um patife, um mentiroso, um charlatão e o maior enganador que já viveu. Se não era quem disse que era, o Cristo, o Filho de Deus, então era o anticristo! Se era apenas um homem, então não era um homem "bom".

No entanto, ele não era só um homem. Ele nos teria feito adorá-Lo ou desprezá-Lo — desprezá-Lo como um homem comum ou adorá-Lo como verdadeiro Deus e verdadeiro homem. Esta é a alternativa que Ele apresenta. Pode acontecer de os comunistas, que são tão anticristãos, estarem mais próximos Dele do que aqueles que O veem como um sentimentalista e um vago reformador moral. Os comunistas ao menos concluíram que, se Ele ganha, eles perdem; os outros têm medo de considerá-Lo vencedor ou perdedor, porque não estão prontos para cumprir as exigências morais que esta vitória imporia a suas almas.

Se é o que alegava ser, um salvador, um redentor, temos então um Cristo viril e um líder digno de seguir nestes tempos terríveis; Aquele que entrará na brecha da morte, do pecado devastador, da tristeza e do desespero; um líder por quem podemos nos sacrificar por inteiro sem perder, mas ganhando a liberdade, a quem podemos amar até a morte. Precisamos de um Cristo hoje que crie laços e expulse compradores e vendedores de nossos novos templos; que amaldiçoe a figueira infrutífera; que fale de cruzes e sacrifícios e cuja voz seja como a de um mar tempestuoso. Ele não nos permitirá escolher entre Suas palavras, descartando as mais difíceis e aceitando as que agradam nossa imaginação. Precisamos de um Cristo que restaure a indignação moral, que nos faça odiar o mal com intensidade apaixonada e amar o bem a ponto de sorver a morte como água.

A Anunciação

Todas as civilizações têm a tradição de uma era de ouro no passado. Um registro judaico mais preciso fala da saída de um estado de inocência e felicidade por meio de uma mulher que tentou um homem. Se uma mulher desempenhou este papel na queda da humanidade, ela não deveria também desempenhar um papel importante em sua restauração? E, se havia um Paraíso perdido em que as primeiras núpcias do homem e da mulher foram celebradas, não poderia haver um novo Paraíso em que as núpcias de Deus e do homem seriam celebradas?

Na plenitude do tempo, um anjo de luz desceu do grande trono de luz a uma virgem prostrada em oração para perguntar-lhe se estava disposta a dar a Deus uma natureza humana. A resposta dela foi que "não conhecia homem algum" e que, portanto, não podia ser a mãe do "Esperado das Nações".

Jamais pode haver nascimento sem amor. Neste ponto, a virgem estava certa. A geração de uma nova vida requer o fogo do amor. Mas, além da paixão humana que gera vida, há a "paixão impassível e a tranquilidade frenética"[2] do Espírito Santo; e foi isso que cobriu a mulher e gerou nela o Emanuel ou "Deus conosco". No momento em que Maria pronuncia o *Fiat*, ou "faça-se", aconteceu algo maior que o *Fiat lux* (haja luz) da criação; pois a luz que agora se fazia não era o sol, mas o Filho de Deus em carne. Ao pronunciar o *Fiat*, Maria aceitou a plenitude da feminilidade, isto é, ser a portadora do dom de Deus para a humanidade. Há uma receptividade passiva em que a mulher diz *Fiat* ao cosmos, enquanto compartilha seu ritmo; *Fiat* ao amor de um homem, enquanto o recebe; e o *Fiat* a Deus, enquanto recebe o Espírito.

Nem sempre as crianças vêm ao mundo como resultado de um inconfundível ato de amor entre um homem e uma mulher. Embora o amor entre os dois seja desejado, o fruto do amor — a criança — não é desejado da mesma maneira que o amor de um pelo outro. Há um elemento indeterminado no amor humano. Os pais não sabem se o filho será menino ou menina, nem o momento exato de seu nascimento, pois a concepção se perde em alguma noite de amor desconhecida. Os filhos mais tarde são aceitos e amados pelos pais, mas nunca diretamente gerados pela vontade deles. Na Anunciação, contudo, o Filho não foi aceito de nenhum modo

---

2 | Alusão aos versos do poeta e místico inglês Francis Thompson (1859-1907). (N. T.)

imprevisto; o *Filho foi desejado*. Houve colaboração entre uma mulher e o Espírito do Amor Divino. O consentimento foi voluntário sob o *Fiat*; a cooperação física foi livremente oferecida pela mesma palavra. Outras mães se tornaram conscientes da maternidade por meio das mudanças físicas por que passaram; Maria se tornou consciente por meio de uma mudança espiritual realizada pelo Espírito Santo. Ela provavelmente recebeu um êxtase espiritual muito maior do que o que foi dado a qualquer homem ou mulher em seu ato de amor unificante.

Assim como a queda foi um ato livre, também a Redenção havia de ser livre. O que se chama de Anunciação era, na verdade, Deus pedindo o livre consentimento de uma criatura para ajudá-lo a se incorporar na humanidade.

Suponha que um músico de uma orquestra toque deliberadamente uma nota errada. O maestro é competente, a música tem a partitura correta e é fácil de tocar, mas o músico ainda exerce sua liberdade ao introduzir uma dissonância que de imediato se propaga no espaço. O regente tem duas opções: ordenar que a seleção seja tocada outra vez ou ignorar a dissonância. Em essência, não importa o que faça, pois aquela nota falsa está se propagando no espaço a uma frequência de mais de mil hertz; e, quanto mais durar, mais haverá dissonância no universo.

Há um modo de restaurar a harmonia no mundo? Só se pode fazer isso vindo da eternidade e parando a nota em seu voo frenético. Mas ainda será uma nota falsa? A desarmonia só pode ser destruída com uma condição. Se aquela nota tornar-se a primeira nota de uma nova melodia, então ela se tornará harmoniosa.

Foi exatamente o que aconteceu quando Cristo nasceu. Uma nota falsa de dissonância moral introduzida pelo primeiro homem infectou toda a humanidade. Deus podia tê-la ignorado, mas, para ele, fazer isso teria sido uma violação da justiça, o que, evidentemente, é impensável. O que ele fez, portanto, foi pedir que a mulher, representante da humanidade, livremente lhe desse uma natureza humana com a qual Ele começaria uma nova humanidade. Assim como houve uma velha humanidade em Adão, também haveria uma nova humanidade em Cristo, que era Deus feito homem por meio da livre ação de uma mãe humana. Quando o anjo apareceu a Maria, Deus estava anunciando seu amor por toda a nova humanidade. Era o início de uma nova terra, e Maria tornou-se um "Paraíso cercado de carne a ser cultivado pelo novo Adão". Assim como no primeiro jardim Eva trouxe a destruição, também no jardim de seu ventre Maria traria a redenção.

Nos nove meses que Ele esteve na barriga dela, todo o alimento, o trigo, as uvas que ela comia serviam como um tipo de Eucaristia natural, passando para aquele que, mais tarde, viria a declarar ser o Pão e o Vinho da vida. Ao fim dos nove meses, o lugar adequado para que nascesse era Belém, que quer dizer "Casa do Pão". Mais tarde, Ele diria:

> Porque o pão de Deus é o pão que desce do céu
> e dá vida ao mundo.
> (São João 6,33)

> Eu sou o pão da vida:
> aquele que vem a mim não terá fome.
> (São João 6,35)

Quando o Menino Deus foi concebido, a humanidade de Maria deu-lhe mãos e pés, olhos e orelhas, e um corpo com o qual viria a sofrer. Assim como as pétalas de uma rosa se fecham depois do orvalho como para absorver-lhe as energias, também Maria, como rosa mística, fechou-se sobre aquele que o Antigo Testamento descrevera como o orvalho que desce sobre a terra. Quando enfim ela deu-o à luz, era como se um grande cibório tivesse sido aberto, e ela segurava nos braços o convidado que também era o anfitrião do mundo, como que a dizer: "Vejam, este é o cordeiro de Deus; vejam, este é aquele que tira o pecado do mundo".

A VISITAÇÃO

Maria recebeu um sinal de que conceberia por obra do Espírito Santo. Sua prima Isabel já havia concebido um filho na velhice e estava então no sexto mês da gravidez. Maria, guardando em si o Segredo Divino, viajou vários dias de Nazaré até a cidade de Hebrom, que, segundo a tradição, repousava sobre as cinzas dos fundadores do povo de Deus — Abraão, Isaac e Jacó. Isabel, de algum modo misterioso, soube que Maria trazia consigo o Messias. Perguntou ela:

> Donde me vem esta honra de vir a mim
> a mãe de meu Senhor?
> (São Lucas 1,43)

Esta saudação veio da mãe do arauto à mãe do Rei cujo caminho o emissário estava destinado a preparar. João Batista, ainda no ventre materno, com base no testemunho de sua mãe Isabel, saltou de alegria com a mãe que levara Cristo à sua casa.

A resposta de Maria a esta saudação é o chamado *Magnificat*, um cântico de alegria que celebra o que Deus havia feito em seu favor. Ela rememorou toda a história, voltando até a Abraão; viu a ação de Deus preparada para este momento de geração em geração, e também olhou para um futuro indefinido quando todos os povos e todas as gerações a chamariam "Bem-aventurada". O Messias de Israel estava a caminho, e Deus estava prestes a se manifestar na terra e em carne. Ela até profetizou as qualidades do filho que estava por nascer como cheio de justiça e graça. Seu poema termina ao aclamar a revolução que ele inauguraria com a humilhação dos poderosos e a exaltação dos humildes.

A pré-história de Cristo

O Senhor que nasceria de Maria é a única pessoa no mundo que já teve uma pré-história; uma pré-história a ser estudada não no barro primordial e nas selvas, mas no seio do Pai Eterno. Embora tenha aparecido como o Homem da Caverna em Belém, pois nascera num estábulo escavado na rocha, Seu princípio no tempo como homem não teve princípio na atemporalidade da eternidade como Deus. Só aos poucos Ele revelou sua divindade; e isso não se deu porque Ele cresceu na consciência da divindade; devia-se, antes, à Sua intenção de revelar lentamente o propósito de Sua vinda.

São João, no início de seu Evangelho, narra a pré-história do Filho de Deus:

> No princípio era o Verbo,
> e o Verbo estava junto de Deus
> e o Verbo era Deus.
> Ele estava no princípio junto de Deus.
> Tudo foi feito por ele, e sem ele nada foi feito.
> (São João 1,1-3)

"No princípio era o Verbo." O que quer que haja no mundo, é feito segundo o pensamento de Deus, pois todas as coisas pressupõem pensamento. Cada pássaro, cada flor, cada árvore foi feita conforme uma ideia existente na mente divina. Os filósofos gregos defendiam que esse pensamento era abstrato. Ora, o Pensamento ou Palavra de Deus revelou-se como Pessoal. Sabedoria revestida de personalidade. Antes de sua existência terrena, Jesus Cristo é eternamente Deus, a Sabedoria, o Pensamento do Pai. Em sua existência terrena, é aquele Pensamento ou Palavra de Deus que fala aos homens. As palavras dos homens se extinguem depois de concebidas e pronunciadas, mas a Palavra de Deus é eternamente pronunciada e jamais pode cessar de ser pronunciada. Por Sua Palavra, o Pai Eterno imprime tudo que entende, tudo que sabe. À medida que a mente mantém diálogo consigo mesma por meio do pensamento, vê e conhece o mundo por intermédio deste pensamento, então o Pai vê a si mesmo, como em espelho, na Pessoa de Sua Palavra. A inteligência finita precisa de muitas palavras para expressar ideias; mas Deus fala de uma vez por todas em si mesmo — uma única Palavra que atinge o abismo de todas as coisas que são conhecidas e que se podem conhecer. Nessa Palavra de Deus estão escondidos todos os tesouros da sabedoria, todos os segredos da ciência, todos os projetos dos artistas, todo o conhecimento da humanidade. E este conhecimento, comparado à Palavra, é apenas um balbucio impotente.

Na atemporalidade da eternidade, a Palavra estava com Deus. Mas houve um momento no tempo em que Ele não apareceu da divindade, visto que houve um momento em que um pensamento na mente do homem ainda não havia sido pronunciado. Assim como o sol nunca fica sem brilho, também o Pai nunca fica sem o Filho; e assim como o pensador nunca fica sem pensamento, também, em grau infinito, a Mente Divina nunca fica sem sua Palavra. Deus não passou eras infinitas em sublime atividade solitária. Ele tinha uma Palavra consigo igual a si mesmo.

> Tudo foi feito por ele,
> e sem ele nada foi feito.
> Nele havia a vida, e a vida era a luz dos homens.
> A luz resplandece nas trevas,
> e as trevas não a compreenderam.
> (São João 1,3-5)

Tudo no espaço e no tempo existe por causa do Poder criativo de Deus. A matéria não é eterna; o universo tem por trás de si uma Personalidade inteligente, um Arquiteto, um Construtor, um Sustentador. A criação é obra de Deus. O escultor trabalha sobre o mármore, o pintor sobre a tela, o mecânico sobre a matéria, mas nenhum deles pode criar esses materiais. Eles criam novas combinações com coisas existentes — nada além disso. A criação pertence tão somente a Deus.

Deus escreve Seu nome na alma de cada homem. A razão e a consciência são Deus em nós na ordem natural. Os Pais da Igreja estavam acostumados a falar da sabedoria de Platão e Aristóteles como o Cristo inconsciente em nós. Os homens são como muitos livros publicados pela imprensa Divina, e se nada mais for escrito neles, ao menos o nome do Autor estará permanentemente gravado na capa. Deus é como a marca-d'água no papel, sobre a qual se pode escrever sem que ela seja apagada.

Belém

César Augusto, o guarda-livros do mundo, encontrava-se em seu palácio ao lado de Tibério. Diante dele estava disposto um mapa intitulado *Orbis Terrarum, Imperium Romanum*. Ele estava prestes a emitir uma ordem de recenseamento a todo o mundo, pois todas as nações do mundo civilizado estavam sujeitas a Roma. Havia uma só capital neste mundo: Roma; havia uma só língua oficial: o latim; um só senhor: César. Partiu a ordem a cada posto avançado, a cada sátrapa e governador: todo cidadão romano deve estar arrolado em sua própria cidade. Nas margens do império, na pequena vila de Nazaré, soldados fixaram nas paredes a ordem para que todos os cidadãos se registrassem na cidade de origem de sua família.

José, o carpinteiro, um obscuro descendente do grande rei Davi, foi por isso obrigado a se registrar em Belém, a cidade de Davi. De acordo com o édito, Maria e José partiram da vila de Nazaré para a vila de Belém, que ficava a mais ou menos oito quilômetros do outro lado de Jerusalém. Quinhentos anos antes o profeta Miqueias profetizara acerca dessa pequena vila:

> E tu, Belém, terra de Judá,
> não és de modo algum a menor entre as cidades de Judá,
> porque de ti sairá o chefe
> que governará Israel, meu povo.
> (São Mateus 2,6)

José estava cheio de expectativa quando entrou na cidade de sua família e estava plenamente convencido de que não teria dificuldade para encontrar hospedagem para Maria, sobretudo por causa da situação em que se encontrava. José foi de casa em casa e encontrou-as todas lotadas. Procurou em vão um lugar em que Ele, Aquele a quem pertencem a terra e o céu, pudesse nascer. Será que o criador não encontraria lugar na criação? José subiu um monte íngreme até uma luz tênue que balançava numa corda à porta. Era a hospedaria da vila. Ali, mais que em todos os outros lugares, certamente encontraria abrigo. Havia lugar na hospedaria para soldados de Roma que tinham brutalmente subjugado o povo judeu; havia lugar para as filhas de ricos mercadores do Oriente; havia lugar para aqueles vestidos com trajes finos que viviam nas casas do rei; na verdade, havia lugar para qualquer um que tivesse dinheiro para dar ao estalajadeiro; mas não havia lugar para Aquele que veio ser a Hospedaria de todo coração sem teto no mundo. Quando finalmente os anais da história estiverem preenchidos até as últimas palavras no tempo, a linha mais triste de todas será: "Não havia lugar na hospedaria".

Lá fora, na encosta da montanha, havia uma estrebaria numa gruta, aonde os pastores às vezes levavam seu rebanho em tempos de tempestade, José e Maria enfim encontraram abrigo. Ali, num lugar tranquilo, no desamparo solitário de uma gruta fria e castigada pelo vento; ali, num rincão do mundo, Aquele que nasceu sem mãe no céu nasce sem pai na terra.

De cada criança que nasce no mundo, os amigos dizem que se parece com a mãe. Esta foi a primeira vez na história em que alguém podia dizer que a mãe se parecia com o Filho. Este é o lindo paradoxo do Menino que fez Sua mãe; a mãe também era só uma criança. Também era a primeira vez na história deste mundo que alguém podia pensar no céu como um lugar que não fosse "ainda mais acima"; quando o Filho estava nos braços dela, Maria baixou os olhos ao céu.

No lugar mais imundo do mundo, um estábulo, nasceu a Pureza. Ele, que mais tarde seria abatido por homens agindo como animais, nasceu entre animais. Ele, que chamaria a Si mesmo de "o pão vivo que desceu do céu", foi posto numa manjedoura, literalmente, um lugar de comer. Séculos antes, os judeus tinham adorado ao bezerro de ouro; os gregos, ao asno. Os homens prostravam-se diante deles como diante de Deus. O bezerro e o asno agora estavam presentes para fazer sua reparação inocente, prostrando-se diante de seu Deus.

Não havia lugar na hospedaria, mas havia lugar no estábulo. A hospedaria é o lugar da assembleia da opinião pública, o ponto central dos humores do mundo, a reunião do mundanismo, o lugar de ajuntamento dos populares e famosos. Mas o estábulo é um lugar para os proscritos, para os ignorados, para os esquecidos. O mundo pode ter esperado que o Filho de Deus nascesse — se é que tinha de nascer — numa hospedaria. Um estábulo seria o último lugar no mundo onde alguém procuraria por ele. *A divindade sempre está onde menos se espera.*

Nenhuma mente mundana jamais teria desconfiado de que Aquele que podia fazer o sol aquecer a terra um dia precisaria de um boi e um asno para aquecê-lo com seu hálito; que Aquele que, na linguagem das Escrituras, podia atar os laços das Plêiades, teria seu lugar de nascimento ditado por um recenseamento imperial; que Aquele de cujas mãos vieram planetas e mundos um dia teria bracinhos minúsculos incapazes de tocar na cabeça dos animais ao seu redor; que os pés que pisaram os montes eternos um dia seriam frágeis demais para andar; que a Palavra Eterna seria muda; que a Onipotência estaria envolta em faixas; que a Salvação repousaria numa manjedoura; que o pássaro que construiu o ninho seria chocado nele — ninguém jamais teria sequer suspeitado que a vinda de Deus a esta terra seria assim tão desamparada. E que é justamente por isso que tantos O deixam passar. *A divindade sempre está onde menos se espera.*

Se o artista está à vontade em seu estúdio porque as pinturas são a criação de sua própria mente; se o escultor está à vontade entre suas estátuas porque elas são a obra de suas mãos; se o lavrador está à vontade entre suas vinhas porque ele as plantou; e se o pai está à vontade entre os filhos porque são seus, então, certamente, argumenta o mundo, Aquele que fez o mundo também estaria à vontade nele. Ele haveria de vir ao mundo como o artista vai ao seu estúdio, e o pai à sua casa; mas, para o Criador vir às suas criaturas e ser ignorado por elas, para Deus vir entre os seus e não ser recebido por eles; para Deus ser um desabrigado mesmo em casa — isso só podia significar uma coisa à mente mundana: que o bebê não era Deus de maneira alguma. E é exatamente por isso que o deixam passar. *A divindade sempre está onde menos se espera.*

O Filho de Deus feito homem foi convidado a entrar em seu próprio mundo pela porta dos fundos. Exilado desta terra, nasceu sob a terra, em certo sentido, o primeiro homem das cavernas na história registrada. Lá, ele sacudiu a terra até aos seus fundamentos. Porque nasceu numa gruta, todos que desejassem vê-lo haveriam de inclinar-se. Inclinar-se é a marca da humildade. O orgulho se recusa a dobrar-se e, portanto, deixaram passar a Divindade. Aqueles, entretanto, que dobraram o ego e entraram descobriram que não estão de modo algum numa caverna, mas num universo novo onde está um bebê no colo da mãe, equilibrando o mundo em Seus dedos.

A manjedoura e a Cruz, portanto, são as duas extremidades da vida do Salvador! Ele aceitou a manjedoura porque não havia lugar na hospedaria; aceitou a Cruz porque os homens disseram: "Não teremos este Homem como nosso rei". Repudiado na entrada, rejeitado na saída, foi posto num estábulo de estranhos no princípio, e num túmulo de estranhos ao final. Um boi e um asno rodeavam seu berço em Belém; dois ladrões ladeavam sua Cruz no Calvário. Ele foi envolto por faixas no sepulcro — faixas que simbolizavam as limitações impostas à Sua Divindade quando assumiu a forma humana.

Os pastores que cuidavam do rebanho nas redondezas ouviram dos anjos:

> Isto vos servirá de sinal:
> achareis um recém-nascido envolto em faixas
> e posto numa manjedoura.
> (São Lucas 2,12)

Ele já estava carregando a Cruz — a única que um bebê podia carregar, a cruz da pobreza, do exílio e da limitação. Seu intento sacrificial já brilhava na mensagem que os anjos cantavam nos montes de Belém:

> Hoje vos nasceu na Cidade de Davi
> um Salvador,
> que é o Cristo Senhor.
> (São Lucas 2,11)

A avareza já estava sendo desafiada pela pobreza, enquanto o orgulho era confrontado com a humilhação de um estábulo. As ataduras do poder divino, que não precisa aceitar limites, geralmente são um tributo grande demais para mentes que pensam apenas em poder. Não podem entender a ideia de condescendência divina, ou do "homem rico que se torna pobre para que, por sua pobreza, sejamos ricos". Os homens não terão maior sinal da Divindade do que a ausência do poder como o esperam — o espetáculo do bebê que disse que viria sobre as nuvens do céu, agora envolto em faixas na terra.

Ele, a Quem os anjos chamam "o Filho do Altíssimo", desceu sobre o pó da terra da qual todos nasceram, para ser um com o homem fraco e caído em todas as coisas, exceto o pecado. E são as faixas que constituem seu "sinal". Se Aquele que é a Onipotência tivesse vindo com trovões, não teria havido nenhum sinal. Não há sinal a menos que aconteça algo contrário à natureza. O brilho do sol não é um sinal, mas um eclipse o é. Ele disse que, no último dia, sua vinda seria proclamada por "sinais do sol", talvez a extinção da luz. Em Belém, o Menino Deus entrou num eclipse, de modo que só a humildade de espírito podia reconhecê-lo.

Só dois tipos de pessoas encontraram o bebê: os pastores e os sábios; os simples e os instruídos; aqueles que sabiam que nada sabiam e aqueles que sabiam que não sabiam tudo. Ele nunca é visto pelo homem de um livro só; tampouco pelo homem que pensa que sabe. Nem mesmo Deus pode dizer algo ao orgulhoso! Só o humilde pode encontrar Deus!

Como diz Caryll Houselander: "Belém é a representação do Calvário assim como o floco de neve é a representação do universo". Essa mesma ideia é expressa pelo poeta que disse que, se conhecesse em todos os detalhes a flor numa parede rachada, ele saberia "o que é Deus e o que é o homem". Os cientistas dizem-nos que o átomo contém em si o mistério do sistema solar.

Não era o nascimento que projetava sombra sobre sua Vida e assim o levava à morte; era, antes, a Cruz que estava lá desde o início, e esta lançava sua sombra retroativamente ao nascimento. Mortais comuns vão do conhecido ao desconhecido submetendo-se a forças além do controle; desse modo, podemos falar de suas "tragédias". Ele, no entanto, saiu do conhecido para o conhecido, da razão de sua vinda, a saber, ser "Jesus" ou "Salvador", para o cumprimento de sua vinda, a saber, a morte na Cruz. Portanto, não houve tragédia em sua vida; pois tragédia supõe o imprevisível, o imponderável, o fatalístico. A vida moderna é trágica quando há trevas espirituais e culpa irredimível. Contudo, para o Menino Cristo não havia forças incontroláveis; nenhuma submissão a correntes fatalísticas das quais não houvesse escape; mas havia um "inscape" — a manjedoura microcósmica que resumia, como um átomo, a Cruz macrocósmica do Gólgota.

No primeiro advento, tomou o nome de Jesus, ou "Salvador"; somente no segundo advento tomará o nome de "Juiz". Jesus não era um nome que Ele tinha antes de assumir a natureza humana; refere-se, propriamente, àquele que estava unido à Sua Divindade, não àquele que existia desde toda a eternidade. Alguns dizem "Jesus ensinou" como diriam "Platão ensinou", sem pensar nem uma única vez que Seu nome quer dizer "Salvador do pecado". Uma vez que recebeu este nome, o Calvário se tornou inteiramente parte dele. A sombra da cruz que recaiu sobre o berço foi coberta pelo nome. Esta era "a obra de meu Pai"; tudo o mais lhe seria secundário.

A pré-história agora é história

"O Verbo se fez carne." A Natureza Divina, que era pura e santa, entrou como princípio renovador na linha corrompida da raça de Adão, sem ser afetada pela corrupção. Pelo nascimento virginal, Jesus Cristo se tornou atuante na história humana sem se sujeitar ao mal que nela há.

> E o Verbo se fez carne
> e habitou entre nós,
> e vimos sua glória,
> a glória que o Filho único
> recebe do seu Pai,
> cheio de graça e de verdade.
> (São João 1,14)

Belém se tornou uma ponte entre o céu e a terra; Deus e o homem encontram-se aqui e olham um ao outro face a face. Para tomar a carne humana, o Pai preparou-a, o Espírito formou-a, e o Filho assumiu-a. Aquele que tinha a geração eterna no seio do Pai agora tinha uma geração no tempo. Aquele que teve o nascimento em Belém veio a nascer no coração dos homens. Pois que proveito teria se nascesse mil vezes em Belém a menos que nascesse novamente no homem?

> Mas a todos aqueles que o receberam,
> aos que creem no seu nome,
> deu-lhes o poder de se tornarem filhos de Deus.
> (São João 1,12)

Agora o homem não precisa esconder-se de Deus como o fez Adão; pois Ele pode ser visto por intermédio da natureza humana de Cristo. Cristo não obtém perfeição alguma ao tornar-se homem, nem tampouco perde algo do que tinha como Deus. Havia a onipotência de Deus no mover de seu braço, o amor infinito de Deus nas batidas de seu coração humano, e a compaixão imensurável de Deus pelos pecadores em seus olhos. Deus está agora manifesto em carne; é isso que chamamos Encarnação. Toda a gama de atributos divinos de poder, bondade, justiça, amor e beleza estavam nele. E, quando Nosso Divino Senhor agia e falava, Deus em sua perfeita natureza se fazia manifesto àqueles que O viam, ouviam e tocavam. Como mais tarde disse a Filipe:

> Aquele que me viu, viu também o Pai.
> (São João 14,9)

Nenhum homem pode amar algo a menos que o possa abraçar, e o cosmos é grande e volumoso demais. Entretanto, uma vez que Deus se fez bebê e foi envolto em faixas e deitado numa manjedoura, os homens podem dizer: "Este é Emanuel, este é Deus conosco". Quando desceu à fragilidade da natureza humana e ergueu-a à prerrogativa incomparável da união consigo mesmo, a natureza humana foi dignificada. Essa união era tão real que todos os Seus atos e palavras, todas as Suas agonias e lágrimas, todos os Seus pensamentos e raciocínios, decisões e emoções, embora propriamente humanas, eram ao mesmo tempo atos e palavras, agonias e lágrimas, pensamentos e raciocínios, decisões e emoções do Eterno Filho de Deus.

O que os homens chamam de Encarnação é a união de duas naturezas, a Divina e a humana, em uma única Pessoa que governa a ambas. Isso não é difícil de entender, pois o que é o homem senão uma amostra, em nível imensuravelmente baixo, de uma união de duas substâncias totalmente diferentes, uma material e outra imaterial; uma o corpo, a outra, a alma, sob a regência de uma única personalidade humana? O que mais dista entre si do que os poderes e capacidades da carne e do espírito? Antes desta união, como seria difícil até mesmo conceber um momento em que corpo e alma estariam unidos numa única personalidade. Que estejam tão unidos é uma experiência evidente a qualquer mortal, e ainda assim é uma experiência da qual o homem não se admira por causa de sua familiaridade.

Deus, que une corpo e alma numa personalidade humana, não obstante a diferença de natureza, decerto podia viabilizar a união de um corpo humano e uma alma humana com Sua Divindade sob o controle de Sua Pessoa Eterna. É isso que se quer dizer com:

> E o Verbo se fez carne
> e habitou entre nós.
> (São João 1,14)

A Pessoa que assumiu a natureza humana não foi criada, como é o caso de todas as demais pessoas. Sua Pessoa era a Palavra preexistente, ou *Lógos*. Sua natureza humana, por outro lado, derivava da conceição miraculosa por Maria, em que a sombra divina do Espírito e o *Fiat* humano, ou o consentimento da mulher, misturaram-se tão lindamente. Este é o início da nova humanidade a partir do material da raça decaída. Quando o Verbo se fez carne, isso não queria dizer que ocorreu alguma mudança na Palavra Divina. O que aconteceu não foi tanto a conversão da divindade em carne, mas a incorporação da humanidade em Deus.

Havia continuidade com a raça decaída do homem por meio da humanidade tomada a partir de Maria; havia descontinuidade porque a Pessoa de Cristo é o *Lógos* preexistente. Cristo, desse modo, literalmente se torna o segundo Adão, o Homem por quem a raça humana começa de novo. Seu ensino centrava-se na incorporação da natureza humana em Si, segundo o modo como a natureza humana que Ele tomou de Maria estava unida à Palavra Eterna.

É difícil para um ser humano compreender a humildade que estava envolvida no ato de o Verbo fazer-se carne. Imaginemos que fosse possível uma pessoa despir-se do próprio corpo, e então enviar sua alma ao corpo de uma serpente. Seguir-se-ia uma dupla humilhação: primeiro, aceitar as limitações de um organismo serpentino, sabendo o tempo todo que sua mente era superior, e que as presas não podiam articular de maneira adequada pensamentos que nenhuma serpente jamais teve. A segunda humilhação seria, como resultado desse "esvaziamento de si", ser forçada a viver na companhia de serpentes. Tudo isso, no entanto, é nada em comparação ao esvaziamento de Deus, pelo qual Ele assumiu a forma de homem e aceitou as limitações da humanidade, como fome e perseguição; tampouco foi trivial para a Sabedoria de Deus condenar-se à associação com pobres pescadores que sabiam tão pouco. Mas esta humilhação que começou em Belém quando Ele foi concebido pela Virgem Maria era só a primeira de muitas, para contrabalançar o orgulho do homem, até a humilhação final da morte na Cruz. Não houvesse Cruz, não haveria manjedoura; não houvesse cravos, não haveria feno. Ele, todavia, não podia *ensinar* a lição da Cruz como salário do pecado; Ele tinha de *tomá-la*. Deus Pai não poupou Seu Filho — pois Ele amava a humanidade. Era este o segredo envolto em faixas.

O nome "Jesus"

O nome "Jesus" era bem comum entre os Judeus. No original hebraico, era "Josué". O anjo contou a José a respeito de Maria:

> Ela dará à luz um filho, a quem porás o nome de Jesus, porque ele salvará o seu povo de seus pecados.
> (São Mateus 1,21)

A primeira indicação da natureza de sua missão na terra não menciona seu magistério; pois o ensino seria ineficaz, a menos que primeiro houvesse salvação.

Ao mesmo tempo, foi-Lhe dado outro nome, a saber, "Emanuel".

> Eis que a Virgem conceberá
> e dará à luz um filho,
> que se chamará Emanuel,
> que significa: Deus conosco.
> (São Mateus 1,23)

Esse nome foi tirado da profecia de Isaías e afirmava algo além da presença divina; junto com o nome "Jesus", significava a presença divina que liberta e salva. O anjo também disse a Maria:

> Eis que conceberás e darás à luz um filho,
> e lhe porás o nome de Jesus.
> Ele será grande e chamar-se-á Filho do Altíssimo,
> e o Senhor Deus lhe dará o trono de seu pai Davi;
> e reinará eternamente na casa de Jacó,
> o seu reino não terá fim.
> (São Lucas 1,31-33)

O título "Filho do Altíssimo" era exatamente o mesmo que fora dado ao Redentor pelo espírito maligno que possuía o jovem gadareno. Deste modo, o anjo caído confessava que Ele era aquilo que o anjo não caído dissera dele:

> Que queres de mim, Jesus,
> Filho do Deus Altíssimo?
> (São Marcos 5,7)

A salvação prometida pelo nome "Jesus" não é salvação social, mas espiritual. Ele não salvaria as pessoas necessariamente da pobreza, mas as salvaria dos pecados. Destruir o pecado é extirpar as primeiras causas da pobreza. O nome "Jesus" trouxe de volta a memória de seu grande líder, que conduzira Israel a descansar na terra prometida. O fato de ter sido prefigurado por Josué indica que ele tinha as qualidades marciais necessárias à vitória final contra o mal, que viria da aceitação alegre do sofrimento, da coragem resoluta, da determinação da vontade e da devoção inabalável à ordem do Pai.

O povo escravizado sob jugo romano estava buscando libertação; assim, sentiram que qualquer cumprimento profético do antigo Josué teria algo que ver com política. Mais tarde, o povo lhe perguntaria quando viria a libertá-los do poder de César. Mas aqui, bem no início de sua vida, o Soldado Divino afirmava por intermédio de um anjo que tinha vindo para vencer um inimigo maior que César. Ainda tinham de dar a César o que era de César; sua missão era libertá-los de uma servidão ainda maior, isto é, a servidão do pecado. Em toda a Sua vida, as pessoas continuavam a materializar a concepção de salvação, pensando que libertação deveria ser interpretada em termos políticos. O nome "Jesus", ou Salvador, não lhe foi dado após ter realizado a salvação, mas no momento mesmo em que foi concebido no ventre da mãe. O fundamento da salvação estava na eternidade, não no tempo.

"Primogênito"

> E deu à luz seu filho primogênito.
> (São Lucas 2,7)

O termo "primogênito" não significava que Nossa Senhora havia de ter outros filhos segundo a carne. Sempre houve uma posição de honra atribuída na lei ao primogênito, mesmo se não houvesse outros filhos. Aqui, Lucas pode muito bem ter empregado o termo tendo em vista o relato que faria mais tarde da Mãe Bendita, apresentando o Filho no templo como "filho primogênito". Os outros irmãos de Nosso Senhor mencionados por Lucas não eram filhos de Maria; eram ou meios-irmãos, filhos de José de um possível casamento anterior, ou ainda primos dele. Maria não teve outros filhos. "Primogênito", no entanto, podia significar a relação de Nossa Senhora com os demais filhos que ela teria segundo o Espírito. Nesse sentido, o Filho Divino chamou João de "filho" dela aos pés da Cruz (São João 19,26). Espiritualmente, João era "o segundo filho". São Paulo mais tarde usou o termo "primogênito" para fazer um paralelo entre a Geração Eterna de Nosso Senhor como o Único Primogênito do Pai. Foi só a Seu Filho Divino que Deus disse:

> Tu és meu Filho;
> eu hoje te gerei.
> [E também]: Eu serei seu Pai
> e ele será meu Filho.
> E novamente, ao introduzir o seu Primogênito na terra, diz:
> Todos os anjos de Deus o adorem.
> (Hebreus 1,5-6)

A genealogia de Cristo

Embora sua natureza divina fosse desde a eternidade, Sua natureza humana tinha um pano de fundo judaico. O sangue que corria em Suas veias era da casa real de Davi por meio de Sua mãe, que, embora pobre, pertencia à linhagem do grande rei. Seus contemporâneos chamavam-no "filho de Davi". O povo jamais teria consentido em considerar como Messias nenhum pretendente que não cumprisse esta condição indispensável. Tampouco Nosso Bendito Senhor jamais negou Sua origem davídica. Ele só afirmou que sua afiliação davídica não explicava as relações que tinha com o Pai em Sua Personalidade Divina.

As palavras que abrem o Evangelho de Mateus sugerem a gênese de Nosso Senhor. O Antigo Testamento começa com a gênese do céu e da terra, quando Deus criou todas as coisas. A genealogia que é apresentada sugere que Cristo era "um Segundo Homem", e não meramente um dos muitos descendentes de Adão. Lucas, que dirigia seu Evangelho aos gentios, remontou a genealogia de Nosso Senhor até o primeiro homem, mas Mateus, que dirigia seu Evangelho aos judeus, o apresenta como "Filho de Davi e Filho de Abraão". A diferença na genealogia de Lucas e de Mateus se deve ao fato de que Lucas, escrevendo aos gentios, teve o cuidado de mostrar uma descendência natural; enquanto Mateus, que escrevia aos judeus, toca o natural depois do tempo de Davi, a fim de deixar claro aos judeus que Nosso Senhor era herdeiro do Reino de Davi.

Lucas está preocupado com o Filho do Homem; Mateus, com o Rei de Israel. Assim, Mateus abre seu Evangelho:

> Genealogia de Jesus Cristo,
> filho de Davi, filho de Abraão.
> (São Mateus 1,1)

Mateus retrata a genealogia de Abraão até Nosso Senhor passando por três ciclos de 14 gerações. Isso, contudo, não representa uma genealogia completa. São mencionados 14 de Abraão a Davi, 14 de Davi ao cativeiro babilônico, e 14 do cativeiro babilônico até Nosso Bendito Senhor. A genealogia vai além do pano de fundo hebraico para incluir alguns não judeus. Pode ter havido uma boa razão para isso, bem como para a inclusão de outros que não tinham as melhores reputações do mundo. Uma destas foi Raabe, que era estrangeira e pecadora; outra foi Rute, uma estrangeira acolhida na nação; uma terceira era a pecadora Betsabé, cujo pecado com Davi cobriu de vergonha a linhagem real. Por que haveria manchas no brasão real, tais como Betsabé, cuja pureza feminina estava maculada; e Rute, que, embora moralmente boa, representava a introdução de sangue estrangeiro no grupo? Possivelmente, a fim de indicar o relacionamento de Cristo com o maculado e com o pecaminoso, com prostitutas e pecadores, e até mesmo com gentios que foram incluídos em sua mensagem e redenção.

Em algumas traduções das Escrituras, a palavra usada para descrever a genealogia é "geração": por exemplo, "Abraão gerou Isaac, Isaac gerou Jacó"; em outras traduções, há a expressão "foi o pai de", como, por exemplo, "Jeconias foi o pai de Salatiel". A tradução não é sem importância; o que ela mostra é que essa expressão monótona é usada ao longo de 41 gerações. Mas é omitida quando se atinge a 42ª geração. Por quê? Por causa do nascimento virginal de Jesus.

> Jacó gerou José, esposo de Maria,
> da qual nasceu Jesus,
> que é chamado Cristo.
> (São Mateus 1,16)

Mateus, ao desenhar a genealogia, sabia que Nosso Senhor não era Filho de José. Assim, já nas primeiras páginas do Evangelho, Nosso Senhor é apresentado como ligado ao povo que, no entanto, não o gerou totalmente. Que ingressou no povo era óbvio; contudo, dele se distinguia.

Se havia uma sugestão do nascimento virginal na genealogia de Mateus, então dele havia uma sugestão na genealogia de Lucas. Em Mateus, José não é descrito como tendo gerado Nosso Senhor, e, em Lucas, diz-se de Nosso Senhor:

> Era tido por filho de José.
> (São Lucas 3,23)

Ele queria dizer que Nosso Senhor era popularmente reconhecido como Filho de José. Combinando as duas genealogias: em Mateus, Nosso Senhor é o Filho de Davi e Abraão; em Lucas, Ele é o Filho de Adão e a semente da mulher que Deus prometera que esmagaria a cabeça da serpente. Homens imorais, por Providência Divina, tornam-se instrumentos de Sua ação; Davi, que assassinou Urias, é, no entanto, o canal pelo qual o sangue de Abraão flui até o sangue de Maria. Havia pecadores na árvore genealógica, e Ele pareceria o maior pecador de todos quando fosse levado à árvore genealógica da Cruz, fazendo dos homens filhos adotivos do Pai Celestial.

Circuncisão

> Completados que foram os oito dias
> para ser circuncidado o menino,
> foi-lhe posto o nome de Jesus,
> como lhe tinha chamado o anjo,
> antes de ser concebido no seio materno.
> (São Lucas 2,21)

A circuncisão, que se deu no oitavo dia, era o símbolo da aliança entre Deus, Abraão e sua semente. A circuncisão pressupunha que a pessoa circuncidada era um pecador. O bebê estava agora assumindo o lugar do pecador — algo que teria de fazer por toda a sua vida. A circuncisão era um sinal e uma marca do pertencimento ao povo de Israel. O mero nascimento humano não introduzia a criança no corpo do povo escolhido de Deus. Outro rito era requerido, conforme registrado no livro de Gênesis:

> Deus disse ainda a Abraão:
> "Tu, porém, guardarás a minha aliança,
> tu e tua posteridade nas gerações futuras.
> Eis o pacto que faço entre mim e vós,
> e teus descendentes,
> e que tereis de guardar:
> Todo homem, entre vós, será circuncidado.
> (Gênesis 17,9-11)

A circuncisão no Antigo Testamento era uma prefiguração do batismo no Novo Testamento. Ambos simbolizam uma renúncia da carne e seus pecados. A primeira era feita por uma ferida no corpo; o segundo, por uma limpeza da alma. A primeira incorporava a criança ao povo de Israel; o segundo incorporava a criança ao povo da nova Israel ou a Igreja. O termo "circuncisão" foi usado posteriormente nas Escrituras para revelar o significado espiritual de aplicar a Cruz à carne por meio da autodisciplina. Moisés, no livro de Deuteronômio, claramente falou da circuncisão do coração. Jeremias também empregou a mesma expressão. Santo Estêvão, em seu último discurso antes de ser morto, disse aos ouvintes que eram incircuncisos de coração e ouvidos. Ao submeter-se a esse rito, pelo qual não precisava ter passado, pois não tinha pecado, o Filho de Deus cumpriu as exigências de sua nação, assim como estava guardando todas as outras regras hebraicas. Ele guardava a Páscoa; guardava o sábado; ia às celebrações; obedeceu à lei, até que chegou o momento em que a cumpriria ao realizar e espiritualizar suas prefigurações obscuras da dispensação de Deus.

Na circuncisão do Menino Deus havia uma sugestão obscura e uma alusão ao Calvário, no derramamento precoce do sangue. A sombra da Cruz já estava pairando sobre um menino de oito dias de idade. Ele teria sete derramamentos de sangue dos quais este foi o primeiro; os seguintes foram: a agonia no jardim, a flagelação, a coroa de espinhos, o caminho da Cruz, a crucifixão e a perfuração da lateral de Seu corpo. Mas, onde quer que houvesse uma indicação do Calvário, haveria também algum sinal da glória; e foi no momento em que participava do Calvário ao derramar Seu sangue que Lhe foi concedido o nome de Jesus.

Um menino de apenas oito dias já estava começando o derramamento de sangue que cumpriria Sua perfeita humanidade. O berço estava tingido de carmesim, uma marca do Calvário. O Precioso Sangue estava começando sua longa peregrinação. Na oitava de Seu nascimento, Cristo obedeceu à lei de que Ele Mesmo era o autor, uma lei que havia de encontrar sua aplicação última Nele. Houve pecado no sangue humano, e agora o sangue já estava sendo derramado para eliminar o pecado. Assim como o Oriente contempla no pôr do sol as cores do Ocidente, também a circuncisão reflete o Calvário.

Ele havia de começar a redimir tudo de uma vez? A Cruz não podia esperar? Haverá muito tempo para ela. Vindo diretamente dos braços do Pai para os de Sua mãe terrena, ele é carregado nos braços dela até seu primeiro calvário. Muitos anos depois, ele será tomado dos braços dela mais uma vez, depois das lesões da carne na Cruz, quando a obra do Pai é consumada.

Apresentação no Templo

Em Belém, Ele foi um exílio; na circuncisão, um salvador antecipado; agora, na apresentação, tornou-se um sinal a ser contraditado. Assim como Jesus foi circuncidado, Maria foi purificada, embora Ele não precisasse de circuncisão porque era Deus, e ela não precisasse de purificação porque concebeu sem pecado.

> Concluídos os dias da sua purificação
> segundo a Lei de Moisés,
> levaram-no a Jerusalém
> para o apresentar ao Senhor.
> (São Lucas 2,22)

O fato do pecado na natureza humana é ressaltado não apenas pela necessidade de dor permanente para expiá-lo na circuncisão, mas também na necessidade de purificação. Desde que Israel fora liberto da servidão no Egito, depois que os primogênitos dos egípcios foram mortos, os primogênitos dos judeus sempre foram considerados como dedicados a Deus. Quarenta dias depois de Seu nascimento, que era o momento indicado para um menino, segundo a lei, Jesus foi levado ao templo. O êxodo decretou que o primogênito pertencia a Deus. No livro de Números, a tribo de Levi foi reservada para a função sacerdotal, e esta dedicação sacerdotal era compreendida como um substituto do sacrifício do primogênito, um rito que jamais foi praticado. Entretanto, quando o Menino Deus foi levado ao templo por Maria, a lei da consagração do primogênito foi observada em sua plenitude, pois a dedicação da criança ao Pai foi absoluta, e O levaria à Cruz.

Há aqui outro exemplo de como Deus em forma humana partilhava a pobreza da humanidade. As tradicionais ofertas de purificação eram um cordeiro e uma rola se os pais fossem ricos; e um par de rolas ou dois pombinhos, se fossem pobres. A mãe que trouxe o Cordeiro de Deus ao mundo não tinha um cordeiro para oferecer — exceto o próprio Cordeiro de Deus. Deus foi apresentado no templo com quarenta dias de idade. Cerca de trinta anos mais tarde, Ele reivindicaria o templo e o usaria como símbolo de Seu corpo em que habitava a plenitude da divindade. Aqui não era só o primogênito de Maria que era apresentado, mas o do Pai Eterno. Como o único gerado do Pai, era agora apresentado como o primogênito de uma humanidade restaurada. Uma nova raça começou nele.

O caráter do homem no templo, cujo nome era Simeão e que recebeu o menino, é descrito simplesmente assim:

> Ora, havia em Jerusalém um homem chamado Simeão.
> Este homem, justo e piedoso,
> esperava a consolação de Israel.
> (São Lucas 2,25)

Foi-lhe revelado pelo Espírito Santo:

> Que não morreria sem
> primeiro ver o Cristo do Senhor.
> (São Lucas 2,26)

Suas palavras parecem sugerir que, tão logo visse o Cristo, o aguilhão da morte o tocaria. O ancião, tomando o Menino nos braços, exclamou com alegria:

> Agora, Senhor, deixai o vosso servo ir em paz,
> segundo a vossa palavra. Porque os meus olhos
> viram a vossa salvação que preparastes
> diante de todos os povos,
> como luz para iluminar as nações,
> e para a glória de vosso povo de Israel.
> (São Lucas 2,29-32)

Simeão era como uma sentinela a quem Deus tinha enviado para vigiar a Luz. Quando a Luz finalmente apareceu, ele já estava pronto para cantar seu *Nunc Dimittis*. Em um menino pobre levado por um povo pobre a fazer uma oferta pobre, Simeão descobriu as riquezas do mundo. Enquanto segurava o menino nos braços, esse ancião não era como o idoso de que Horácio fala. Ele não olha para trás, mas para a frente, e não só para o futuro de seu próprio povo, mas para o futuro de todos os gentios de todas as tribos e nações da terra. Um ancião no crepúsculo da vida falava da aurora do mundo; no entardecer da vida, falava da promessa de um novo dia. Ele tinha visto o messias antes, pela fé; agora seus olhos podiam fechar-se, pois não havia nada mais lindo que contemplar com reverência. Algumas flores só se abrem à noite. O que ele tinha visto agora era "Salvação" — não salvação da pobreza, mas salvação do pecado.

O hino de Simeão foi um ato de adoração. Há três atos de adoração descritos no início da vida do Menino Deus. Os pastores O adoraram; Simeão e Ana, a profetisa, O adoraram; e os magos pagãos também O adoraram. O cântico de Simeão foi como o ocaso em que uma sombra anuncia uma substância. Foi o primeiro hino dos homens na vida de Cristo. Simeão, enquanto se dirigia a Maria e José, não se dirigiu ao Menino. Não teria sido adequado dar sua bênção ao Filho do Altíssimo. O Menino os abençoou; mas ele não abençoou o menino.

Depois do hino de louvor, dirigiu-se apenas à mãe; Simeão sabia que ela, e não José, era parente do bebê em seus braços. Viu, além disso, que tristezas estavam reservadas a ela, e não a José. Simeão disse:

> Eis que este menino está destinado a ser uma causa de queda
> e de soerguimento para muitos homens em Israel,
> e a ser um sinal que provocará contradições.
> (São Lucas 2,34)

Foi como se toda a história do Menino Deus tivesse passando diante dos olhos do ancião. Cada detalhe da profecia tinha de cumprir-se na vida do bebê. Aqui estava um fato da Cruz, afirmado mesmo antes que os bracinhos do bebê pudessem esticar-se o bastante para formar uma cruz. A Menino criaria um conflito terrível entre bem e mal, tirando as máscaras de um e outro, provocando assim um terrível ódio. Ele seria uma pedra de tropeço, uma espada que separaria o mal do bem, e uma pedra angular que revelaria as motivações e as intenções dos corações humanos. Os homens já não seriam os mesmos, uma vez que tivessem ouvido Seu nome e aprendido de Sua vida. Seriam impelidos ou a aceitá-Lo ou a rejeitá-Lo. Quanto a Ele, não haveria algo como meio-termo: só aceitação ou rejeição, ressurreição ou morte. Ele faria, por Sua própria natureza, os homens revelarem suas atitudes secretas diante de Deus. Sua missão não seria levar as almas ao juízo, mas redimi-las; e, ainda assim, porque suas almas eram pecaminosas, alguns homens detestariam sua vinda.

Daí em diante Seu destino seria encontrar oposição fanática da humanidade, mesmo até a própria morte, e isso envolveria Maria em sofrimentos terríveis. O anjo lhe tinha dito: "Bendita sois vós entre as mulheres", e Simeão estava agora lhe dizendo que em sua bem-aventurança ela seria a *Mater Dolorosa*. Uma das penas do pecado original era que a mulher com dores daria à luz; Simeão agora estava dizendo que ela continuaria a viver em dores por causa do Menino. Se Ele havia de ser o Homem das Dores, ela seria a Mãe das Dores. Uma madona sem sofrimento de um Cristo sofredor seria uma madona sem amor. Uma vez que Cristo amou a humanidade de tal maneira que quis morrer para expiar-lhe a culpa, então Ele também quis que Sua mãe estivesse envolta com as faixas da própria aflição.

A partir do momento em que ouviu as palavras de Simeão, ela jamais voltou a erguer as mãos do menino sem ver nelas a sombra dos cravos; cada pôr do sol seria uma imagem vermelho-sangue de Sua Paixão. Simeão estava jogando fora a bainha que escondia o futuro dos olhos humanos, e deixando a lâmina do sofrimento do mundo reluzir diante dos olhos de Maria. Cada pulsação que ela sentia nos punhos da criança seria como um eco das marteladas que estavam por vir. Se Ele estava dedicado à salvação pelo sofrimento, ela também estava. Mal esta jovem vida lançou-se ao mar, Simeão, como um velho marinheiro, falou de naufrágio. O cálice de amargor do Pai ainda não tinha chegado aos lábios do bebê, e, no entanto, a espada foi mostrada à sua mãe.

Quanto mais Cristo se aproxima de um coração, mais este se torna consciente de sua culpa; então pedirá misericórdia e encontrará paz, ou se voltará contra Cristo porque ainda não está pronto a renunciar ao pecado. Assim, ele separará o bom do mau, o joio do trigo. A reação do homem à presença divina será o teste: ou desafiará toda a oposição da natureza egoísta ou a estimulará numa regeneração e ressurreição.

Simeão estava praticamente chamando-O de "Perturbador Divino", que incitaria os corações humanos ao bem ou ao mal. Uma vez confrontado com Ele, subscreveriam ou à luz ou às trevas. Diante de todos os outros, podiam ser "tolerantes"; mas Sua Presença revela que seu coração há de ser ou solo fértil ou terreno rochoso. Ele não pode chegar aos corações sem esclarecê-los e dividi-los; uma vez em Sua Presença, um coração descobre tanto os pensamentos sobre a bondade quanto sobre Deus.

Isso jamais seria assim se Ele fosse só um mestre humanitário. Simeão sabia disso muito bem, e disse à mãe de Nosso Senhor que o Filho haveria de sofrer porque Sua vida seria muito oposta às máximas complacentes pelas quais a maioria dos homens leva a vida. Ele agiria em uma alma de uma forma, e noutra de forma diversa, como o sol brilha sobre a cera e a amolece, e brilha sobre o barro e o endurece. Como a Luz do Mundo, Ele seria uma alegria para os bons e amantes da luz, mas seria como um holofote penetrante para aqueles que eram maus e preferiam viver nas trevas. A semente é a mesma, mas o solo é diferente, e cada solo será julgado pelo modo como reage à semente. A vontade de salvar de Cristo está limitada pela reação livre de cada alma a aceitar ou rejeitar. Era isso que Simeão queria dizer com as seguintes palavras:

> A fim de serem revelados
> os pensamentos de muitos corações.
> (São Lucas 2,35)

Uma fábula oriental fala de um espelho mágico que continuava claro quando o bom olhava para ele, e ficava embaçado quando o impuro o olhava. Assim, o proprietário sempre podia contar o caráter daqueles que o usavam. Simeão estava contando à mãe do Menino que o Filho seria como esse espelho: os homens o amariam ou o odiariam, conforme o próprio reflexo. Uma luz que cai numa chapa fotográfica sensível registra uma mudança química que não pode ser obliterada. Simeão estava falando que a Luz desse bebê incidindo sobre judeu e gentio estamparia em cada um o vestígio indelével de Sua Presença.

Simeão também disse que o bebê revelaria as verdadeiras intenções dos homens. Ele colocaria à prova os pensamentos de todos que havia de encontrar. Pilatos contemporizaria e então esmoreceria; Herodes dissimularia; Judas estaria inclinado a um tipo de segurança social avara; Nicodemos esgueirar-se-ia na escuridão para encontrar a luz; cobradores de impostos tornar-se-iam honestos; prostitutas, puras; jovens ricos rejeitariam Sua pobreza; pródigos voltariam para casa; Pedro arrepender-se-ia; um apóstolo enforcar-se-ia. Desde aquele dia, Ele continua a ser um sinal a ser contraditado. Era natural, portanto, que morresse num pedaço de madeira em que uma viga contradizia a outra. A haste vertical da vontade de Deus é negada pela trave horizontal da vontade humana que se opõe. Assim como a circuncisão apontava para o derramamento de sangue, a purificação prenunciava a crucifixão.

Depois de dizer que Ele era um sinal a ser contraditado, Simeão voltou-se à mãe, acrescentando:

> E uma espada transpassará a tua alma.
> (São Lucas 2,35)

Foi-lhe dito que Jesus seria rejeitado pelo mundo e que, com a crucifixão do Filho, se daria a própria transfixação. Como o Menino queria para

Si a cruz, também queria para ela a espada de dor. Se Ele escolheu ser o Homem das Dores, também escolheu que ela fosse uma Mãe das Dores! Nem sempre Deus poupa os bons da aflição. O Pai não poupou o Filho, e o Filho não poupou a mãe. Com sua Paixão, deve haver a compaixão dela. Um Cristo sem sofrimento que não pagasse livremente a dívida da culpa humana seria reduzido ao nível de um guia ético; e uma mãe que não compartilhasse dos sofrimentos do Filho seria indigna de seu grande papel.

Simeão não só desembainhou a espada; também contou a ela aonde a Providência haveria de conduzi-la. Mais tarde, o Menino diria: "Vim trazer a espada". Simeão disse que ela a sentiria no coração quando o Filho fosse erguido no sinal de contradição e ela ficaria aos pés da Cruz transfixada pela dor. A lança que perfuraria fisicamente a lateral do corpo do Filho misticamente lhe perfuraria o coração. O bebê veio para morrer, não para viver, pois seu nome era "Salvador".

Os magos e a matança dos inocentes

Simeão tinha previsto que o Menino Deus seria uma Luz para os gentios. Eles já estavam em marcha. Em Seu nascimento, estariam os magos, ou os cientistas do Oriente; em Sua morte, estariam os gregos, ou os filósofos do Ocidente. O salmista tinha predito que os reis do Oriente viriam adorar Emanuel. Seguindo uma estrela, vieram a Jerusalém e perguntaram a Herodes onde nascera o Rei.

> Eis que magos vieram do oriente a Jerusalém.
> Perguntaram eles:
> Onde está o rei dos judeus que acaba de nascer?
> Vimos a sua estrela no oriente e viemos adorá-lo.
> (São Mateus 2,1-2)

Foi uma estrela que os conduziu. Deus falou aos gentios por meio da natureza e dos filósofos; aos judeus, por meio das profecias. Era chegado o momento oportuno para a vinda do Messias, e todo o mundo sabia disso. Embora fossem astrólogos, o pequeno traço de verdade em seu conhecimento das estrelas conduziu-os até a Estrela de Jacó, assim como o "Deus desconhecido" dos atenienses mais tarde seria o pretexto para que Paulo pregasse a eles o Deus que não conheciam, mas vagamente desejavam. Embora vindos de uma terra que adorava as estrelas, abandonaram aquela religião quando se prostraram e adoraram Aquele que fez as estrelas. Os gentios, no cumprimento das profecias de Isaías e Jeremias, "vieram a Ele dos confins da terra". A Estrela, que desaparecera durante o interrogatório de Herodes, reapareceu e finalmente permaneceu onde o Menino nasceu.

> A aparição daquela estrela
> os encheu de profunda alegria.
> Entrando na casa,
> acharam o menino com Maria, sua mãe.
> Prostrando-se diante dele, o adoraram.
> Depois, abrindo seus tesouros,
> ofereceram-lhe como presentes: ouro, incenso e mirra.
> (São Mateus 2,10-11)

Isaías tinha profetizado:

> Serás invadida por uma multidão de camelos,
> pelos dromedários de Madiã e de Efá;
> virão todos de Sabá, trazendo ouro e incenso,
> e publicando os louvores do Senhor.
> (Isaías 60,6)

Trouxeram três presentes: ouro, para honrar-Lhe a realeza; incenso, para honrar-Lhe a divindade; e mirra, para honrar-Lhe a humanidade que estava destinada à morte. A mirra foi usada em Seu sepultamento. A manjedoura e a cruz estão relacionadas novamente, pois há mirra em ambas.

Quando os magos vieram do Oriente trazendo os presentes para o bebê, Herodes, o Grande, soube que tinha chegado o tempo do nascimento do Rei anunciado claramente aos judeus e vagamente percebido nas aspirações dos gentios. Contudo, como todo homem de mente carnal, ele carecia de senso espiritual, e, portanto, entendeu que decerto o Rei seria um político. Ele perguntou onde o Cristo havia de nascer. Os principais sacerdotes e sábios disseram-lhe: "Em Belém da Judeia, pois assim foi escrito pelo profeta". Herodes disse que queria adorar o bebê. Suas ações, no entanto, provaram o que realmente pretendia: "Se este é o Messias, tenho de matá-Lo".

> Vendo, então, Herodes que tinha sido enganado pelos magos,
> ficou muito irado e mandou massacrar em Belém e nos seus arredores
> todos os meninos de dois anos para baixo,
> conforme o tempo exato que havia indagado dos magos.
> (São Mateus 2,16)

Herodes será eternamente o modelo daqueles que fazem perguntas acerca da religião, mas que nunca agem corretamente com base no conhecimento adquirido. Como o locutor dos trens, conhecem todas as estações, mas nunca viajam. O conhecimento meramente intelectual é sem valor, a menos que seja acompanhado pela submissão da vontade e pela ação correta.

Totalitários gostam de dizer que o cristianismo é o inimigo do Estado — uma forma eufemística de dizer: um inimigo deles mesmos. Herodes foi o primeiro totalitário nesse sentido; achava que Cristo seria seu inimigo antes que tivesse completado dois anos. Podia um bebê nascido sob a terra numa gruta abalar potentados e reis? Podia Ele, que ainda não tinha *demos* ou pessoas seguindo-O, ser um inimigo perigoso dos *demos-cratos* ou da democracia, o governo do povo? Nenhum bebê meramente humano podia provocar tal violência do Estado. O czar não temia Stálin, o filho de um sapateiro, quando este tinha dois anos; não mandou o filho do sapateiro e sua mãe para o exílio por temer que um dia viesse a ser uma ameaça para o mundo. Da mesma maneira, nenhuma espada foi erguida sobre a cabeça do menino Hitler, nem o governo se moveu contra Mao Tsé-Tung enquanto este ainda estava nas fraldas por temer que ele um dia levaria a China à foice assassina. Por que, então, os soldados foram chamados contra o bebê? Certamente há de ter sido porque aqueles que têm o espírito do mundo escondem ódio instintivo e inveja do Deus que reina sobre corações humanos. O ódio que o segundo Herodes mostraria por Cristo em Sua morte teve prólogo no ódio de seu pai, Herodes, o Grande, pelo Cristo ainda bebê.

Herodes temia que Aquele que veio trazer uma coroa celestial iria roubar-lhe a coroa fajuta. Fingiu que queria levar presentes, mas o único presente que queria levar era a morte. Homens maus, às vezes, escondem os maus desígnios sob a aparência de religião: "Sou religioso, mas…". Homens podem fazer perguntas acerca de Jesus por duas razões — para adorar ou para causar dano. Alguns até mesmo fazem uso da religião para os maus desígnios, como Herodes fez uso dos Sábios. Perguntas sobre religião não produzem os mesmos resultados em todos os corações. *O que* os homens perguntam sobre a divindade nunca é tão importante quanto *por que* perguntam.

Antes que Cristo tivesse dois anos, houve um derramamento de sangue por Sua causa. Foi o primeiro atentado à Sua vida. Uma espada para o bebê; pedras para o homem; a cruz no final. Foi assim que os dele O receberam. Belém era a aurora do Calvário. A lei do sacrifício que sopraria em torno Dele e dos apóstolos e em torno de tantos de seus seguidores nos séculos por vir começou a obra ao arrebatar jovens vidas que são efusivamente comemoradas na Festividade dos Santos Inocentes. Uma cruz invertida para Pedro, um empurrão de um campanário para Tiago, uma punhalada para Bartolomeu, um caldeirão de óleo seguido de uma longa espera para João, uma espada para Paulo, e muitas espadas para os bebês inocentes de Belém. "O mundo vos odiará", prometeu Cristo a todos que receberam o Seu selo. Esses inocentes morreram pelo Rei que nunca conheceram. Como cordeirinhos, morreram por causa do Cordeiro, os protótipos de uma longa procissão de mártires — essas crianças que nunca lutaram, mas foram coroadas. Na circuncisão, Ele derramou o próprio sangue; agora, Sua vinda anunciava o derramamento de sangue de outros por causa Dele. Assim como a circuncisão foi a marca da Antiga Lei, também a perseguição seria a marca da Nova Lei. "Por minha causa sereis odiados", disse Ele aos apóstolos. Tudo em torno Dele falava de sua morte, pois este era o propósito de Sua vinda. A própria entrada do estábulo onde nasceu estava marcada com sangue, como nos umbrais dos judeus no Egito. Cordeiros inocentes na Páscoa sangraram por Ele durante séculos; agora crianças inocentes sem mácula, cordeirinhos humanos, por Ele sangram.

Mas Deus advertiu os sábios a não voltar a Herodes e eles

> voltaram para sua terra por outro caminho.
> (São Mateus 2,12)

Ninguém que encontra Cristo de boa vontade volta pelo mesmo caminho que veio. Confundido no propósito de matar o Divino, o tirano enfurecido ordenou a matança indiscriminada de todos os meninos com menos de dois anos. Há mais de uma forma de praticar o controle de natalidade.

Maria já estava preparada para a Cruz na vida do bebê, mas José, movendo-se num nível mais baixo de consciência, precisou da revelação de um anjo, que lhe disse para levar o menino e a mãe para o Egito.

> Levanta-te, toma o menino e sua mãe
> e foge para o Egito;
> fica lá até que eu te avise,
> porque Herodes vai procurar o menino para o matar.
> José levantou-se durante a noite,
> tomou o menino e sua mãe e partiu para o Egito.
> Ali permaneceu até a morte de Herodes.
> (São Mateus 2,13-15)

O exílio tinha de ser a sina do Salvador, de outro modo milhões de exílios de terras perseguidas estariam sem um Deus que compreendesse a agonia da falta de abrigo e da fuga desesperada. Por Sua presença no Egito, o Bebê Salvador consagrou uma terra que tinha sido o inimigo tradicional de seu próprio povo, e assim deu esperança a outras terras que mais tarde o rejeitariam. O êxodo foi revertido, visto que o Menino Deus fez do Egito morada temporária. Maria agora cantava como Miriã o fizera (Êxodo 15,20), enquanto um segundo José guardava o Pão Vivo para os corações humanos famintos. O assassinato dos inocentes promovido por Herodes relembra a matança das crianças judias levada a cabo pelo Faraó; e o que aconteceu quando Herodes morreu relembrou o Êxodo original. Quando Herodes, o Grande, morreu, um anjo mapeou o caminho de José, fazendo-o voltar à Galileia. Ele foi e se estabeleceu ali em cumprimento do que havia sido dito pelos profetas: "Ele será chamado Nazareno".

> Após terem observado tudo
> segundo a lei do Senhor,
> voltaram para a Galileia,
> à sua cidade de Nazaré.
> (São Lucas 2,39)

O termo "Nazareno" tinha significado pejorativo. O vilarejo estava à margem das principais estradas ao pé das montanhas; abrigada entre colinas, estava fora do alcance dos mercadores da Grécia, das legiões de Roma e das viagens dos sofisticados. Não é mencionado na geografia antiga. Merecia seu nome, pois era só um "*netzer*", um ramo que cresce no tronco da árvore. Séculos antes, Isaías tinha predito que um "ramo", ou um "broto", ou um "netzer", cresceria das raízes do país; pareceria de pequeno valor e muitos o desprezariam, mas enfim teria domínio sobre toda a terra. O fato de Cristo ter fixado residência num vilarejo menosprezado prefigurava a obscuridade e ignomínia que cairiam sobre ele e seus seguidores. O nome "Nazaré" seria cravado em Sua cabeça como "sinal de contradição", como um repúdio sarcástico de Suas pretensões. Antes disso, quando Filipe disse a Natanael:

> Achamos aquele de quem Moisés escreveu na lei
> e que os profetas anunciaram:
> é Jesus de Nazaré, filho de José.
> (São João 1,45)

Natanael retorquiria:

> Pode, porventura, vir coisa boa de Nazaré?
> (São João 1,46)

Às vezes, pensam que as grandes cidades contêm toda a sabedoria, enquanto as cidades pequenas são vistas como retrógradas e atrasadas. Cristo escolheu a insignificante Belém para a glória de Seu nascimento; a ridícula Nazaré para Sua juventude; mas a gloriosa e cosmopolita Jerusalém para a ignomínia de Sua morte. "Pode, porventura, vir coisa boa de Nazaré?" não é senão o prelúdio de: "Pode algo remível vir de um homem que morre numa cruz?".

Nazaré seria para Ele um lugar de humilhação, um campo de treinamento para o Gólgota. Nazaré estava na Galileia, e toda a Galileia era uma região menosprezada aos olhos do povo mais refinado de Judá. O sotaque galileu era considerado rude e grosseiro, tanto que, quando Pedro negou Nosso Senhor, a criada lembrou-o de que seu sotaque o traíra; tinha estado com o Galileu. Ninguém procuraria, portanto, um mestre na Galileia; e, todavia, a Luz do Mundo era o Galileu. Deus escolheu as coisas tolas do mundo para confundir as sábias e orgulhosas. Natanael simplesmente deu vazão a um preconceito mau, provavelmente tão velho quanto a própria humanidade; as pessoas e a capacidade de ensinar são julgadas pelos lugares de onde vêm. A sabedoria mundana vem de onde esperamos, dos *best-sellers*, das "marcas-padrão" e das universidades. A sabedoria divina vem das regiões mais insuspeitas, das quais o mundo escarnece. A ignomínia de Nazaré recairia sobre Ele mais tarde. Seus ouvintes o ridicularizariam:

> Este homem não fez estudos.
> Donde lhe vem, pois,
> este conhecimento das Escrituras?
> (São João 7,15)

Embora esse fosse um reconhecimento relutante de Sua instrução, era também um desdém por sua origem "matuta"... Como Ele sabia? Nem suspeitavam da resposta verdadeira; a saber, que além do conhecimento de Seu intelecto humano, tinha a sabedoria que não se aprende na escola, nem se estuda por si mesma, e nem mesmo Deus ensina, no sentido de que os profetas eram instruídos por Deus. Ele foi educado pela mãe e aprendeu na sinagoga do vilarejo; mas os segredos de Seu conhecimento devem ser encontrados na união com o Pai Celestial.

Obediência e o Menino no templo

Na primeira Páscoa após Jesus ter completado 12 anos, Seus pais o levaram para Jerusalém com outros homens de Nazaré. A lei exigia o comparecimento de todos os homens judeus em três grandes festas: Páscoa, Pentecostes e Tabernáculos. Quando o Menino Deus subiu ao templo, provavelmente, seguiu, como de costume, todas as prescrições da lei judaica. Aos três anos, foi-lhe dada uma veste de borlas;[3] aos cinco, aprendeu, sob a direção da mãe, partes da lei que eram escritas em rolos de pergaminho; aos 12, começou a usar os filactérios[4] que os judeus sempre colocam para recitar as preces diárias. Levou vários dias para viajar nas estradas estreitas entre Nazaré e a Cidade Sagrada. Como todos os peregrinos, a sagrada família provavelmente cantou os salmos processionais durante a jornada, cantando o Salmo 122 (121) quando avistaram as muralhas do templo pela primeira vez.

José deve ter ido ao templo para matar o cordeiro pascal. Já que o menino estava na idade legal para as cerimônias do templo, deve ter assistido o sangue do cordeiro se esvair da ferida e ser aspergido aos pés do altar nas quatro direções da terra. A cruz estava, mais uma vez, diante de Seus olhos.

---

3 | Indumentária conhecida no judaísmo como *talit catan* e ornada de borlas ou franjas (*tsitsit*), segundo o prescrito no Livro dos Números 15,37-40 que tinha por objetivo fazer com que o cidadão israelita viesse a se lembrar da Lei de Moisés e guardar os seus mandamentos. (N. T.)

4 | Pequenas caixas de couro quadrangulares, contendo cédulas de pergaminho com passagens bíblicas, que os judeus trazem atadas, uma na testa e uma no braço esquerdo, durante a oração da manhã dos dias úteis. (N. T.)

O menino também viu a carcaça do cordeiro ser preparada para a ceia. Isso foi feito, segundo a lei, transpassando dois espetos de madeira pelo corpo, um através do peito e outro através das patas dianteiras, de modo que o cordeiro parecia estar em uma cruz.

Após cumprir os rituais, os homens e as mulheres partiam em caravanas separadas, para se encontrarem novamente à noite. Entretanto, o Menino Jesus, sem que os pais soubessem, ficou para trás, em Jerusalém. Eles, acreditando que o Menino estava entre os companheiros de viagem, percorreram um dia inteiro de jornada antes de dar falta dele. Foi assim que Jesus foi "perdido" por três dias. Ao longo de toda a Sua infância houve uma conversa de "contradição", "espadas", "de não ter lugar", "exílio", "matança" e nesse momento houve a "perda". Naqueles três dias, Maria veio a conhecer um dos efeitos do pecado, a saber, a perda de Deus. Embora fosse sem pecado, mesmo assim ela conheceu os temores e a solidão, as trevas e o isolamento que todo pecador experimenta quando perde Deus. Foi uma espécie de esconde-esconde glorificado. Ele era dela; por isso ela O procurou. Estava nos afazeres da redenção, por isso Ele a deixou e foi para o templo. Ela tivera sua *noite escura* do corpo no Egito; teria agora a *noite escura* da alma em Jerusalém. As mães devem ser treinadas para suportar cruzes. Não só o seu corpo, mas a sua alma, tiveram de pagar muito caro pelo privilégio de ser Sua mãe. Mais tarde, ela sofreria uma perda de outros três dias — da Sexta-Feira Santa ao Domingo de Páscoa. Essa primeira perda foi parte de sua preparação.

Cristo sempre é encontrado em lugares inesperados; em uma manjedoura pelos magos; em uma cidadezinha, desprezado até mesmo pelos apóstolos. Seus pais agora O encontraram inesperadamente no templo. Tinham se passado três dias até que O encontrassem, exatamente como seriam três dias até Maria O encontrar de novo após o Calvário. O templo exercia grande fascínio sobre Ele, já que era uma pequena ilustração ou modelo do paraíso; a casa do Pai era Seu lar e Ele se sentia em casa.

Havia uma escola no templo, em que ensinavam a uma série de rabinos; o gentil Hillel talvez ainda estivesse vivo e deve ter estado presente no templo para ingressar na conversa com o Menino Deus. O filho de Hillel, o rabino Simeão e mesmo seu bisneto, Gamaliel, futuro mestre de São Paulo, devem ter estado nesse grupo — apesar de Gamaliel, na época, ter quase a mesma idade do Menino Deus. Anás acabara de ser indicado como sumo sacerdote e, por certo, deveria ter ouvido algo a respeito do Menino Deus, se é que não estava presente.

Foi nessa escola de rabinos que Maria e José O encontraram.

> Três dias depois o acharam no templo,
> sentado no meio dos doutores,
> ouvindo-os e interrogando-os.
> Todos os que o ouviam
> estavam maravilhados da sabedoria
> de suas respostas.
> (São Lucas 2,46-47)

O fato de Ele estar sentado em meio aos doutores indicava que O receberam não só como aprendiz, mas como professor. Há uma restrição manifestada no Evangelho a respeito dessa cena que contrasta fortemente com certos escritos apócrifos. O Evangelho de São Tomé, que é do século II e não é um evangelho aceito, descreve Nosso Senhor, nessa ocasião, como professor. Um evangelho árabe de um período posterior, na verdade, faz as instruções tocarem em Metafísica e Astronomia. Os Evangelhos revelados, contudo, sempre demonstram forte restrição a ponto de atenuar o relato da vida de Nosso Senhor.

> Quando eles o viram, ficaram admirados.
> (São Lucas 2,48)

Provavelmente ficaram espantados por conta do ensinamento que apresentava. O salmista sugerira que Ele possuía mais compreensão que os Seus mestres porque os testemunhos de Deus eram o Seu estudo. O espanto também pode ter vindo do fato de que, às vezes, é difícil para uma mãe perceber que o filho rapidamente se tornou homem e assevera seu propósito individual na vida.

Em uma terra onde a autoridade do pai era suprema, não foi José, o pai adotivo, mas Maria quem falou:

> Meu filho, que nos fizeste?!
> Eis que teu pai e eu andávamos à tua procura,
> cheios de aflição.
> (São Lucas 2,48)

O nascimento virginal estava sugerido no seu questionamento. A pergunta indicava que a ênfase estava mais no fato de Ele ser o filho *dela* do que no fato de Ele também ser o Filho de Deus. Essa distinção é mais enfatizada por ela acrescentar uma nota sobre a paternidade, ao dizer "teu pai e eu".

O Menino Deus respondeu fazendo uma distinção entre aquele a quem honrava como pai na terra e o Pai Eterno. Essa resposta afirmou uma separação de vias; mas isso não diminuiu o dever filial devido a Maria e a José, pois Ele se lhes sujeitou de novo imediatamente, mas de maneira decisiva colocou-os em segundo lugar.

Essas são as primeiras palavras de Jesus registradas nos Evangelhos e aparecem em forma de pergunta:

> Por que me procuráveis?
> Não sabíeis que devo ocupar-me das coisas de meu Pai?
> (São Lucas 2,49)

Essa é uma referência evidente às palavras de Maria: "teu pai e eu". Quando disse que Sua mãe deveria saber que Ele se ocupava das coisas do Pai, estava, evidentemente, se referindo àquilo que ela aprendera na Anunciação quando o anjo lhe disse:

> O Espírito Santo descerá sobre ti,
> e a força do Altíssimo te envolverá com a sua sombra.
> Por isso o ente santo que nascer de ti será chamado Filho de Deus.
> (São Lucas 1,35)

O relacionamento com a própria mãe seria evidenciado na festa de casamento em Caná; aqui estabeleceu a natureza de Seu relacionamento com o pai adotivo. Ele rejeitou a paternidade física ao reivindicar a paternidade divina do Pai Celestial. Em Caná, diria à mãe:

> Mulher, isso compete a nós? Minha hora ainda não chegou.
> (São João 2,4)

Na ocasião, insinuava outra maternidade que não a da carne, assim como agora sugeria outra paternidade que não aquela exercida por José. Nunca mais José aparece nos Evangelhos.

No templo, Nosso Senhor se apartou do direito de Seu pai adotivo, assim como, mais tarde, em Caná, se apartaria dos direitos de Sua mãe. A missão suprema era ser um salvador; mas, naquele momento, isso incluía obedecer aos guardiões terrenos. O menino sugeria que havia algo na história que deveria ser conhecido pelo pai adotivo e pela mãe, algo que justificasse estar onde estava e tolher-lhes a aflição. Foi por isso que perguntou: "Por que me procuráveis?", e acrescentou: "Não sabíeis que devo ocupar-me das coisas de meu Pai?". Estava a dizer que deveria estar no templo do próprio Pai. Esse foi o primeiro dos muitos "deveres" que Nosso Senhor pronunciou durante a vida para indicar que estava sob um mandado, sujeito a ser um resgate. O próprio fato de Ele ter associado a expressão "devo" ao Pai Celestial significa que Sua filiação encerrava obediência. Aos 12 anos de idade se enredava em algo que seria aborrecido para Sua natureza humana, mas toda a Sua natureza estava inclinada a realizar um "dever" divino.

Se existe alguma coisa que descarta a falsa suposição de que sua consciência de uma união com o Pai se desenvolveu aos poucos, é nesse texto em que Ele, como um menino de 12 anos, alude à sua origem misteriosa e à personagem adotiva de Seu pai, bem como à unidade perfeitamente consciente com a divindade; as limitações divinas que lhe influenciaram a vida já eram percebidas por ele de modo profundo. Com frequência, usa a palavra "dever".

Devo pregar o Reino de Deus.
Devo habitar na tua casa.
Devo fazer as obras daquele que me enviou.
O Filho do Homem *deve* sofrer muitas coisas.
O Filho do Homem *deve* ser erguido.
O Filho do Homem *deve* sofrer para ingressar na sua glória.
O Filho do Homem *deve* ressuscitar.

Ele sempre falou como alguém que estava sob ordens. Livre das coações da hereditariedade, das circunstâncias e da família, esse menino de 12 anos disse estar vinculado a uma missão celestial. Por esse motivo, perguntou por que o procuravam. Surpreendeu-se que qualquer outra explicação diferente de estar obedecendo à vontade do Pai lhes tenha ocorrido. O imperativo do Amor Divino estava manifestado nesse "dever". Não existe diferença fundamental entre o Menino no templo e o Homem que disse que "deveria ser erguido" na cruz. Teria de morrer porque queria salvar. Sua obediência filial ao Pai coincidiu com Sua piedade para com os homens. Não seria uma tragédia, visto que "o Filho do Homem deveria ressuscitar depois de três dias". Seu plano era revelado aos poucos às mentes dos homens; mas não havia revelação gradual em Sua mente, nenhuma nova compreensão de por que deveria vir.

As coisas do Pai ao fim dos três dias no templo não eram diferentes das coisas do Pai ao fim de três dias na sepultura. Como todos os outros incidentes na infância, esse testemunhou a missão na Cruz. Todos os homens nascem para viver; Ele nasceu para fazer as coisas do Pai, que era morrer e, assim, salvar. Essas primeiras palavras registradas pareciam os brotos de uma flor de maracujá. No domingo de Páscoa, Maria O encontraria novamente no templo — o templo de Seu corpo glorioso.

A espada já viera a Maria antes da Cruz ter chegado ao Filho, pois ela já sentira a separação cortante. Na Cruz, iria, em Sua natureza humana, proferir o brado da Sua maior agonia, "Meu Deus, Meu Deus, por que me abandonaste?". Entretanto, Maria o proferira enquanto Ele ainda era menino, perdido no templo. As dores da alma mais penetrantes são as que Deus impõe, como Jesus impôs essa à mãe. As criaturas podem ferir umas às outras somente no exterior, mas a chama purificadora de Deus pode penetrar na alma como uma espada de dois gumes. Ambas as naturezas Dele a ensinavam a se preparar para a vida de sofrimentos: a natureza humana, ao esconder a beleza de Sua face durante aqueles três dias, melhor dizendo, três noites; a natureza divina, ao proclamar que o Pai o enviara à terra para fazer as coisas do céu, que era abrir os céus à humanidade ao pagar a dívida pelos pecados dos homens.

Nazaré

Esse é o único incidente de Sua infância contado nas Escrituras. Pelos próximos 18 anos Ele permaneceu em Nazaré.

> Em seguida, desceu com eles a Nazaré
> e lhes era submisso.
> Sua mãe guardava todas estas coisas no seu coração.
> E Jesus crescia em estatura, em sabedoria e graça,
> diante de Deus e dos homens.
> (São Lucas 2,51-52)

Se já existiu um filho de quem se poderia esperar que alegasse independência pessoal (especialmente depois da potente afirmação no templo), esse era Ele. E, ainda assim, para santificar e exemplificar a obediência humana e para compensar a desobediência dos homens, viveu sob um teto humilde, obediente aos pais. Nos 18 anos sem intercorrências, consertou os telhados planos das casas de Nazaré e as carroças dos agricultores. Todas as tarefas desprezíveis e insignificantes eram parte das coisas do Pai. A evolução humana do Deus-Homem se deu no vilarejo de maneira tão natural que nem mesmo os habitantes da cidade estavam conscientes da grandeza Daquele que habitava no meio deles. Era, de fato, um "rebaixamento", no sentido de que, para Ele, era espírito de sacrifício e abnegação submeter-se às próprias criaturas. Evidentemente, Ele seguiu o ofício de carpinteiro, pois, 18 anos depois, as pessoas da cidade perguntariam:

> Não é ele o carpinteiro, o filho de Maria [...]?
> (São Marcos 6,3)

Justino Mártir, com base na tradição, diz que, durante esse período, Nosso Senhor fez arados e jugos e ensinou a justiça aos homens pelos frutos de Seu trabalho pacífico.

O crescer em sabedoria que é dito do Menino Deus não foi, como vimos, um crescer na consciência de divindade. Visto que era homem, estava sujeito a todas as leis que regulam o crescimento humano; por ter inteligência e vontade humanas, era natural que essas faculdades se manifestassem de maneira humana. No desenvolver do conhecimento experimental, a influência do ambiente há de ser especialmente notada. Muitas das comparações que utilizava nas parábolas foram tomadas do mundo em que vivera. Foi por intermédio da influência dos pais que aprendeu a língua comum, o aramaico, e, sem dúvida, aprendeu também a língua litúrgica, o hebraico. É bastante provável que tenha aprendido grego, já que era falado, até certo ponto, na Galileia e, aparentemente, também era a língua de dois de seus parentes, Tiago Menor e Judas, que depois escreveram epístolas em grego.

Ele também aprendeu o ofício da carpintaria, que resultou em um desenvolvimento maior do intelecto humano. Mais tarde, recebeu o título de rabi por causa do profundo conhecimento das Escrituras e da lei. Com frequência iniciava discussões com as palavras "não lestes", demonstrando, assim, Seu conhecimento das Escrituras. Sua família, a sinagoga, os arredores e a própria natureza — tudo contribuía um pouco com sua inteligência e vontade humanas. Possuía tanto um intelecto humano como uma vontade humana. Sem o primeiro, não poderia ter crescido no conhecimento experimental humano; sem a segunda, não poderia ter sido obediente a uma vontade superior. Ademais, ambos eram essenciais a Ele como homem. Desenvolvera o conhecimento como homem; como Deus, foi além do conhecimento humano. Isso é o que João descreve como o "Verbo", que significa a sabedoria, o pensamento ou a inteligência de Deus.

> No princípio era o Verbo, e o Verbo estava junto de Deus
> e o Verbo era Deus.
> Tudo foi feito por ele, e sem ele nada foi feito.
> E o Verbo se fez carne e habitou entre nós.
> (São João 1,1.3.14)

As relações profundas que tinha com o Pai do Céu não eram apenas provenientes da oração e da meditação; essas, qualquer ser humano pode estabelecer. Elas provinham, antes, da identidade de natureza com a divindade.

Visto que o pecado mais comum da humanidade é o orgulho ou a exaltação do ego, era conveniente que, em expiação por esse orgulho, Cristo praticasse a obediência. Não era como quem é obediente por conta de uma recompensa ou para fortalecer o caráter futuro; ao contrário, sendo o Filho, já desfrutava da plenitude do amor do Pai. Foi dessa mesma plenitude que fluiu uma rendição infantil à vontade do Pai. Apresentou isso como causa da rendição à cruz. Mais ou menos uma hora antes de ingressar na agonia do Jardim das Oliveiras, diria:

> O mundo, porém, deve saber que amo o Pai
> e procedo como o Pai me ordenou.
> (São João 14,31)

Os únicos atos registrados da infância de Cristo são os de obediência — obediência ao Pai Celestial e aos pais terrenos. O fundamento da obediência para o homem, ensinou, é a obediência a Deus. Os anciãos que não servem a Deus descobrem que os jovens não lhes servem. Toda a vida de Cristo foi submissão. Submeteu-Se ao batismo de João, embora não necessitasse; submeteu-Se ao imposto do templo, embora, como Filho do Pai, fosse isento; e pediu aos próprios seguidores que se submetessem a César. O Calvário projetou Sua sombra sobre Belém, de modo que agora obscureceu os anos de obediência em Nazaré. Ao sujeitar-se às criaturas, conquanto fosse Deus, preparou-se para a obediência final — obediência à humilhação na cruz.

Pelos 18 anos seguintes, depois da perda de três dias, Ele, que fez o universo, exerceu o papel de carpinteiro em um vilarejo, um operário da madeira. Os pregos e as vigas transversais, tão familiares na oficina, tornaram-se, mais tarde, os instrumentos de sua tortura; e Ele mesmo seria pregado a um pedaço de madeira. Poderíamos pensar por que essa longa preparação para um ministério tão breve de três anos. O motivo pode muito bem ser que Ele esperara até que a natureza humana que assumira tivesse crescido em anos para atingir a perfeição plena, de modo que oferecesse o sacrifício perfeito ao Pai Celestial. O agricultor espera até que o trigo esteja maduro antes de ceifá-lo e submetê-lo ao moinho. Da mesma maneira, Jesus esperaria até que Sua natureza humana tivesse alcançado as mais perfeitas proporções e o auge da beleza antes de entregá-la ao martelo dos crucificadores e à foice daqueles que ceifariam o pão vivo dos céus. Um cordeiro recém-nascido nunca foi dado em sacrifício, nem o primeiro rubor da rosa colhido para homenagear um amigo. Cada coisa tem a sua hora de perfeição. Já que ele era o cordeiro que podia estabelecer a hora do próprio sacrifício, já que era a rosa que podia escolher o momento do corte, esperou pacientemente, com humildade e obediência, enquanto crescia em anos, graça e sabedoria diante de Deus e dos homens. Então, diria: "Eis a tua hora". Desse modo, o melhor trigo e o vinho mais tinto se tornariam os elementos mais dignos de sacrifício.

João Batista

O silêncio terrível de trinta anos foi interrompido somente pela breve cena no templo. Chegava o momento de sair da vida privada para a pública. Porque o acontecimento estremeceria o mundo, Lucas relaciona o aparecimento do precursor de Nosso Senhor, João Batista, com o reinado do tirano Tibério, o governante de Roma. Plínio, que posteriormente escreveria como historiador romano a respeito de Cristo, era, nesse momento, uma criança de quatro anos de idade; Vespasiano, que mais tarde conquistaria Jerusalém com seu filho Tito, tinha 19 anos. Um dos casamentos mais importantes em Roma na época foi o da filha de Germânico, que nove anos depois daria à luz o grande perseguidor dos seguidores de Cristo, Nero. Em meio a essa paz romana relativa

> veio a palavra do Senhor no deserto a João,
> filho de Zacarias.
> (São Lucas 3,2)

João vivia em solidão no deserto, vestido de pelo de camelo com um cinturão de couro na cintura. Sua alimentação consistia em gafanhotos e mel silvestre. Sua veste, provavelmente, buscava assemelhar-se com a de Elias, em cujo espírito João deveria ir diante de Cristo. Já que pregava a mortificação, também a praticava. Se tinha de preparar as veredas para Cristo, também deveria evocar uma consciência penitente do pecado. João era um asceta severo, movido por uma convicção profunda do pecado no mundo. O âmago de sua mensagem para soldados, funcionários públicos, fazendeiros e qualquer um que o ouvisse era "arrependei-vos". A primeira nota de advertência no Novo Testamento diz a todos os homens que mudem. Os saduceus deveriam abandonar as coisas mundanas; os fariseus, a hipocrisia e a dissimulação; todos que vão ao Cristo devem arrepender-se.

Com o país sob o tacão romano, um caminho mais certo para a popularidade de João seria prometer que aquele que estava por vir, aquele que anunciava, seria um libertador político. Esse teria sido o caminho humano; mas, em vez de uma convocação, João acenou para uma reparação dos pecados. E os que alegavam descender de Abraão não deveriam se gloriar disso, porque, se Deus desejasse, poderia fazer surgir filhos de Abraão das próprias pedras.

> Raça de víboras! Quem vos ensinou a fugir da ira iminente?
> Fazei, pois, uma conversão realmente frutuosa
> e não comeceis a dizer: Temos Abraão por pai.
> Pois vos digo: Deus tem poder para
> destas pedras suscitar filhos a Abraão.
> (São Lucas 3,7-8)

Muitos séculos antes, Isaías previu que o Messias seria precedido por um mensageiro.

> Eis que envio o meu anjo diante de ti:
> ele preparará o teu caminho.
> Uma voz clama no deserto:
> Traçai o caminho do Senhor,
> aplanai as suas veredas.
> (São Marcos 1,2-3)

Cerca de trezentos anos depois de Isaías, o profeta Malaquias profetizou que o arauto que Isaías prometera viria no espírito de Elias.

> Vou mandar-vos o profeta Elias.
> (Malaquias 3,23)

Agora, séculos depois, apareceu no deserto esse grande homem, levando o mesmo tipo de vida de Elias.

Em todos os países, quando o chefe de governo deseja visitar outro governo, envia mensageiros "antes dele". Do mesmo modo, João Batista foi enviado para preparar o caminho do Cristo, para anunciar as condições de seu reino e governo. João, apesar das profecias que fizeram a seu respeito, recusou-se a dizer que era o Messias, e disse ser apenas:

> Eu sou a voz que clama no deserto.
> (São João 1,23)

Mesmo antes de se encontrar com o Messias, que era seu primo, anunciou a superioridade de Cristo:

> Depois de mim vem outro mais poderoso do que eu,
> ante o qual não sou digno de me prostrar
> para desatar-lhe a correia do calçado.
> (São Marcos 1,7)

João se considerava indigno de desatar as correias das sandálias de Nosso Senhor, mas Jesus o superaria em humildade ao lavar os pés dos apóstolos. A grandiosidade de João consistia no fato de que, a ele, foi dado o privilégio de correr na frente da carruagem do rei e bradar: "Cristo veio".

João utilizou símbolos e palavras. O principal símbolo da remissão dos pecados era a purificação pela água. João fora batizado no rio Jordão, como sinal de arrependimento, mas sabia que seu batismo não regenerava nem despertava a alma morta. Foi por isso que contrastou o seu batismo com o que Cristo, mais tarde, conferiria, ao falar deste, e disse:

> Ele vos batizará no Espírito Santo e em fogo.
> (São Mateus 3,11)

No dia em que João e Jesus se encontraram no rio Jordão, algo dentro de João despertou uma humildade profunda e muitíssimo reverente. João sentiu a necessidade de um redentor, mas, quando Nosso Senhor pediu-lhe que O batizasse, João ficou relutante em fazê-lo. Imediatamente reconheceu a incongruência de submeter Nosso Senhor a um rito que professava o arrependimento e prometia expurgo:

> Eu devo ser batizado por ti e tu vens a mim!
> (São Mateus 3,14)

Como poderia batizar Aquele que não tem pecado? A recusa de batizar Jesus era o reconhecimento da ausência de pecado.

> Mas Jesus lhe respondeu: Deixa por agora,
> pois convém cumpramos a justiça completa.
> (São Mateus 3,15)

O objetivo do batismo de Jesus foi o mesmo do nascimento, a saber, identificar-se com a humanidade pecadora. Isaías não previra que Ele se deixaria "colocar entre os criminosos" (Isaías 53,12)? Com efeito, Nosso Senhor estava a dizer: "Sofro isso para que se cumpra; não vos parece apropriado, mas, em verdade, está em completa harmonia com o propósito de minha vinda". Cristo não estava como pessoa privada, mas como representante da humanidade pecadora, embora Ele mesmo não tivesse pecado.

Todo israelita que chegava a João fazia uma confissão dos pecados. É evidente que Nosso Senhor não fez confissão alguma, e o próprio João admitiu que não tinha necessidade de fazê-la. Não tinha pecados de que se arrepender e nenhum pecado a ser expiado. Entretanto, ao mesmo tempo, identificava-se com os pecadores. Quando foi até o rio Jordão para ser batizado, fez-se um com os pecadores. O inocente pode partilhar os fardos dos pecadores. Se um marido é culpado de um crime, é inútil dizer à mulher que não se preocupe com isso ou que isso não lhe diz respeito. É igualmente absurdo dizer que Nosso Senhor não deveria ser batizado porque não tinha culpa pessoal. Se tinha de se identificar com a humanidade, tanto assim que se denominou "Filho do Homem", então tinha de partilhar a culpa da humanidade. E esse foi o significado do batismo feito por João.

Muitos anos antes, Ele dissera que deveria estar prestes a realizar as coisas do Pai; agora começava a revelar quais seriam os assuntos do Pai: a salvação da humanidade. Expressava o relacionamento com seu povo, em cujo nome fora enviado. No templo, aos 12 anos, a ênfase estivera em Sua origem; agora, no Jordão, era a natureza de Sua missão. No templo, falara do mandato divino. Sob as mãos purificadoras de João, tornou clara Sua unidade com os homens.

Mais tarde, diria Nosso Senhor Santíssimo:

> A lei e os profetas duraram até João.
> (São Lucas 16,16)

Indicava que os longos séculos foram testemunha fiel da vinda do Messias, mas, naquele momento, fora virada uma nova página, fora escrito um novo capítulo. De agora em diante, Ele se amalgamaria com o povo pecador. Empenhar-se-ia, dali em diante, a viver e exercer o ministério entre as vítimas do pecado; a ser traído nas mãos dos pecadores e a ser acusado de pecado, embora soubesse não ter pecado. Assim como foi circuncidado na infância, como se Sua natureza fosse pecadora, do mesmo modo, agora, seria batizado, ainda que não precisasse de purificação.

Havia três ritos no Antigo Testamento que eram uma espécie de batismo. O primeiro era um "batismo" de água. Moisés levou Aarão e seu filho às portas do tabernáculo e os banhou com água. Isso foi seguido por um "batismo" de óleo quando Moisés derramou óleo sobre a cabeça de Aarão para santificá-lo. O "batismo" final foi de sangue. Moisés tomou o sangue do cordeiro da consagração e o derramou sobre o ouvido direito de Aarão, sobre o polegar da mão direita e sobre o dedão de seu pé direito. Esse ritual sugeria uma consagração gradual. Esses batismos teriam a contrapartida no Jordão, na Transfiguração e no Calvário.

O batismo do Jordão foi o prelúdio do batismo que mencionaria depois, o batismo da Paixão. Posteriormente, por duas vezes, viria a referir-se ao Seu batismo. A primeira vez foi quando Tiago e João perguntaram-Lhe se poderiam sentar ao lado Dele no Reino. Em resposta, perguntou-lhes se estavam prontos para ser batizados com o batismo que Ele receberia. Assim, o batismo pela água antecipava o de sangue. O rio Jordão fluiu para os rios escarlates do Calvário. A segunda vez que se referiu ao batismo foi ao dizer aos apóstolos:

> Mas devo ser batizado num batismo;
> e quanto anseio até que ele se cumpra!
> (São Lucas 12,50)

Nas águas do Jordão, identificou-se com os pecadores; no batismo de Sua morte, suportaria todo o peso dos pecados. No Antigo Testamento, o salmista fala de "entrar em águas profundas" como um símbolo do sofrimento que é, obviamente, a mesma imagem. Há conveniência em descrever a agonia e a morte como uma espécie de batismo.

A cruz deveria estar vindo ao pensamento, agora, com vivacidade cada vez maior. Não havia uma reflexão posterior em seu pensar. Esteve temporariamente imerso nas águas do Jordão apenas para emergir de novo. Da mesma maneira, seria imerso pela morte na cruz e o enterro no sepulcro apenas para emergir triunfante na ressurreição. Proclamara a missão dada pelo Pai aos 12 anos; agora, preparava-se para a oblação.

> Depois que Jesus foi batizado, saiu logo da água.
> Eis que os céus se abriram e viu descer sobre ele,
> em forma de pomba, o Espírito de Deus.
> E do céu baixou uma voz:
> Eis meu Filho muito amado em quem ponho minha afeição.
> (São Mateus 3,16)

A humanidade sagrada de Cristo era o elo entre o céu e a terra. A voz dos céus que O declarou Filho muito amado do Pai Eterno não anunciava um fato novo ou uma nova filiação de Nosso Senhor. Simplesmente, fazia uma declaração solene daquela filiação, existente desde a eternidade, mas que agora começava a se manifestar em público como mediador entre Deus e o homem. O apreço do Pai, no original em grego, é registrado no tempo verbal aoristo,[5] para denotar o ato eterno de contemplação amorosa com que o Pai olha para o Filho.

O Cristo que saiu das águas, como a terra saiu da água na criação e depois do dilúvio, como Moisés e seu povo saíram das águas do Mar Vermelho, foi agora glorificado pelo Espírito Santo aparecendo na forma de uma pomba. O Espírito de Deus nunca aparece na forma de uma pomba em nenhum outro lugar a não ser aqui. O Livro do Levítico menciona oferendas que eram feitas segundo a posição econômica e social do doador. Um homem que pudesse dispor traria um boi e um homem pobre ofereceria

---

5 | *Aoristos* em grego quer dizer "sem limite". É um tempo verbal que indica um passado indefinido, indeterminado. Nas línguas comuns modernas não existe esse tempo verbal. (N. T.)

um cordeiro; porém, o mais pobre de todos tinha o privilégio de levar pombinhas. Quando a mãe de Nosso Senhor o levou ao templo, sua oferta foi uma pomba. A pomba era o símbolo da gentileza e da paz, mas, sobretudo, era o tipo de sacrifício possível para as pessoas mais pobres. Sempre que um hebreu pensava em um cordeiro ou uma pomba, imediatamente pensava em um sacrifício pelo pecado. Assim, o Espírito descendo sobre Nosso Senhor foi para eles um símbolo de submissão ao sacrifício. Cristo já tinha se unido, simbolicamente, ao homem no batismo, em antecipação à submersão nas águas do sofrimento, mas, agora, também foi coroado, dedicado e consagrado àquele sacrifício pela vinda do Espírito. As águas do Jordão se uniram aos homens, o Espírito o coroou e o consagrou ao sacrifício, a voz atestou que o Seu sacrifício seria agradável ao Pai Eterno.

As sementes da doutrina da Santíssima Trindade que foram plantadas no Antigo Testamento começaram, nesse momento, a se desenvolver. Elas se tornariam mais claras com o passar do tempo: o Pai, o Criador; o Filho, o Redentor; e o Espírito Santo, o Santificador. Aqui, as próprias palavras ditas pelo Pai —, "Eis meu Filho" — foram endereçadas profeticamente ao Messias, milhares de anos antes, no Salmo 2.

> Tu és meu filho, eu hoje te gerei.
> (Salmos 2,7)

Nosso Senhor diria a Nicodemos, mais tarde:

> Em verdade, em verdade te digo:
> quem não renascer da água e do Espírito
> não poderá entrar no Reino de Deus.
> (São Marcos 3,5)

O batismo do Jordão encerra a vida privada de Nosso Senhor e dá início ao Seu ministério público. Imergira nas águas conhecido pela maioria dos homens somente como o filho de Maria; saiu pronto para revelar-se como era desde toda a eternidade, o Filho de Deus. Era o Filho de Deus, semelhante a todos os homens, exceto no pecado. O Espírito O ungira não só para ensinar, mas para redimir.

3
Três caminhos alternativos à Cruz

Imediatamente após o batismo, Nosso Senhor saiu em retiro. O deserto seria Sua escola, assim como o fora a escola de Moisés e de Elias. O retiro é uma preparação para a ação. Mais tarde, teria o mesmo propósito para Paulo. Toda consolação humana foi deixada para trás "em companhia dos animais selvagens". E, por quarenta dias, nada comeu.

Já que o propósito de Sua vinda era lutar contra as forças do mal, Seu primeiro encontro não foi uma contenda com um mestre humano, mas uma disputa com o próprio príncipe do mal.

>Em seguida, Jesus foi conduzido pelo Espírito
>ao deserto para ser tentado pelo demônio.
>(São Mateus 4,1)

A tentação era uma preparação negativa para o Seu ministério, assim como o batismo fora uma preparação positiva. No batismo, recebera o Espírito e a confirmação de Sua missão; nas tentações, recebeu o fortalecimento que advém diretamente da provação e do teste. Há uma lei inscrita em todo o universo segundo a qual ninguém será coroado a menos que, primeiro, tenha lutado. Nenhum resplendor de mérito se detém sobre os que não lutam. *Icebergs* que flutuam nas correntes frias do Norte não exigem nossa atenção respeitosa somente por serem *icebergs*; mas, se flutuassem nas cálidas correntes do Golfo sem se dissolver, nos causariam admiração e espanto. Poderia ser dito, se o fizessem de propósito, que tinham energia moral.

A única maneira que alguém tem de provar amor é por um ato de escolha; meras palavras não são o bastante. Por isso, a provação original dada ao homem foi, novamente, dada a todos os homens; até mesmo os anjos passaram por uma provação. O gelo não merece crédito por ser frio; nem o fogo, por ser quente. Só os que têm a possibilidade de escolha podem ser louvados por seus atos. É pela tentação e pelo esforço que são reveladas as profundezas do caráter. Diz a Escritura:

> Feliz o homem que suporta a tentação.
> Porque, depois de sofrer a provação,
> Receberá a coroa da vida que
> Deus prometeu aos que O amam.
> (São Tiago 1,12)

As defesas da alma se veem na versão mais forte quando o mal resistido também é forte. A presença da tentação não necessariamente sugere imperfeição moral da parte daquele que é tentado. Nesse caso, Nosso Senhor não poderia ter sido tentado de modo algum. Uma tendência íntima para o mal, como o homem tem, não é, necessariamente, uma condição para uma investida da tentação. A tentação de Nosso Senhor veio de fora, e não do íntimo, como a nossa muitas vezes provém. O que estava em jogo na provação de Nosso Senhor não era a perversão de apetites naturais para os quais é tentado o restante dos homens; era um apelo para Nosso Senhor desconsiderar Sua missão divina e Sua obra messiânica. A tentação que vem do exterior não necessariamente enfraquece o caráter; de fato, quando vencida, oferece oportunidade de aumentar a santidade. Se deveria ser o homem-modelo, Ele teria de nos ensinar como conquistar a santidade superando a tentação.

> De fato, por ter ele mesmo
> suportado tribulações,
> está em condição de vir em auxílio
> dos que são atribulados.
> (Hebreus 2,18)

Isso é ilustrado pela personagem de Ângelo na peça *Medida por medida*:

> Mas uma coisa, Escalo, é ser tentado,
> Outra é cair.
> (Shakespeare, *Medida por medida*, Ato II, cena I)

O tentador era pecaminoso, mas Aquele que foi tentado era inocente. Toda a história do mundo gira em torno de duas pessoas, Adão e Cristo. A Adão foi dado um posto para preservar, mas ele fracassou. Portanto, sua perda foi a perda da humanidade, pois ele era o cabeça. Quando um governante declara guerra, os cidadãos também declaram guerra, embora eles mesmos não façam uma declaração explícita. Quando Adão declarou guerra a Deus, o homem também declarou guerra.

Ora, com Cristo, tudo estava novamente em jogo. Repetiu-se a tentação de Adão. Se Deus não tivesse tomado sobre si a natureza humana, não teria sido tentado. Ainda que Suas naturezas divina e humana estivessem unidas em uma pessoa, a natureza divina não foi diminuída por Sua humanidade, nem a humanidade desproporcionalmente engolida pela união com a divindade. Porque tinha uma natureza humana, Ele podia ser tentado. Se tinha de ser semelhante a nós em todas as coisas, teria de passar pela experiência humana de resistir à tentação. É por isso que, na Epístola aos Hebreus, somos lembrados de como Ele estava intimamente ligado à humanidade em Suas provações:

> Porque não temos nele um pontífice incapaz
> de compadecer-se das nossas fraquezas.
> Ao contrário, passou pelas mesmas provações que nós,
> com exceção do pecado.
> (Hebreus 4,15)

É parte da disciplina de Deus fazer com que os amados se aperfeiçoem pela provação e pelo sofrimento. Somente ao carregar a cruz, a pessoa pode chegar à ressurreição. Foi exatamente essa parte da missão de Nosso Senhor que o demônio atacou. As tentações se destinavam a desviar Nosso Senhor de Sua obra de salvação pelo sacrifício. Em vez da cruz como meio de ganhar as almas dos homens, Satanás sugeriu três caminhos alternativos de popularização: um deles econômico, outro baseado em maravilhas e, um terceiro, político. Poucas pessoas, nos dias de hoje, acreditam no demônio, o que muito lhe convém. Ele sempre ajuda a divulgar as notícias da própria morte. A essência de Deus é ser, e Ele se define como: "Sou aquele que é". A essência do demônio é a mentira, e ele se define como: "Sou quem não sou". Satanás tem poucos problemas com os que não acreditam nele: já estão do seu lado.

As tentações do homem são bem fáceis de analisar porque sempre recaem em uma das três categorias: pertencem à carne (luxúria e gula), à mente (orgulho e inveja), ou ao amor idolátrico às coisas (cobiça). Embora o homem seja golpeado toda a vida por esses três tipos de tentação, elas variam em intensidade de época para época. É durante a juventude que o homem é mais tentado contra a pureza e inclinado aos pecados da carne; na meia idade, a carne é menos imperativa e as tentações da mente começam a predominar, por exemplo, o orgulho e o desejo de poder; no outono da vida, as tentações da avareza estão suscetíveis de afirmação. Ao ver que o fim da vida se aproxima, o homem se esforça para banir as dúvidas a respeito da segurança eterna ou salvação, ao acumular os bens da terra e redobrar a segurança econômica. É uma experiência psicológica comum que aqueles que experimentaram a luxúria na juventude sejam, muitas vezes, os que pecam por avareza na velhice.

Homens bons não são tentados da mesma maneira que homens maus, e o Filho de Deus, que se tornou homem, não foi tentado da mesma maneira que um homem bom. As tentações de um alcoólatra "que volta a seu vômito", como dizem as Escrituras, não são as mesmas que as tentações de um santo ao orgulho, embora não sejam menos reais.

Para compreender as tentações de Cristo, devemos recordar que no batismo de João, quando Ele, que não tinha pecados, identificou-se com os pecadores, os céus se abriram e o Pai Celeste declarou Cristo Seu Filho Bem-amado. Então, Nosso Senhor subiu para uma montanha e jejuou por quarenta dias, após os quais, diz o Evangelho, "Jesus teve fome" — uma afirmação representativa. Satanás o tentou fingindo ajudá-lo a encontrar uma resposta à questão: Como cumprir da melhor maneira Seu grande destino entre os homens? O problema era conquistar os homens. Mas como? Satanás tinha uma sugestão satânica, a saber, evitar o problema moral da culpa e a necessidade de expiação e concentrar-se puramente em fatores mundanos. Todas as três tentações buscavam dissuadir Nosso Senhor da cruz e, portanto, da redenção. Pedro, mais tarde, tentaria Nosso Senhor da mesma maneira e, por essa razão, foi chamado de "Satanás".

O corpo humano, que Jesus tomou para Si, não foi para a inércia, mas para a batalha. Satanás viu em Jesus um ser humano extraordinário e suspeitava que fosse o Messias, o Filho de Deus. Por isso iniciou cada uma das tentações com a condicional "se". Caso tivesse certeza de que falava com Deus, na verdade, não teria experimentado tentá-lo. No entanto, se Nosso Senhor fosse simplesmente um homem que Deus escolhera para a obra de salvação, então faria tudo o que estivesse em seu poder para levá-Lo a vias que o fizessem lidar com os pecados da humanidade diversos dos caminhos que o próprio Deus escolheria.

A primeira tentação

Ao saber que Nosso Senhor estava com fome, Satanás apontou para algumas pedrinhas negras que pareciam broas de pão e disse:

> Se és Filho de Deus,
> ordena que estas pedras se tornem pães.
> (São Mateus 4,3)

A primeira tentação de Nosso Senhor era a de se transformar em uma espécie de reformador social e, no deserto, dar pão às multidões que nada podiam encontrar senão pedras. A visão de melhoria social sem a regeneração espiritual constituiu uma tentação a que muitos homens importantes na história sucumbiram por completo. Mas, para Jesus, esse não seria um serviço adequado ao Pai; há necessidades mais profundas no homem do que de trigo sovado; e há alegrias maiores que um estômago cheio.

O espírito maligno estava a dizer: "Principia com o econômico! Esquece o pecado!". Ainda diz isso hoje com palavras diferentes: "Meu comissário vai às salas de aula e pede às crianças que rezem a Deus pelo pão. E, quando as preces não são atendidas, meu comissário as alimenta. O ditador dá o pão; Deus não, porque Deus não existe, não existe alma; existe somente o corpo, o prazer, o sexo, o animal e, quando morremos, este é o fim".

Satanás estava tentando fazer Nosso Senhor sentir o terrível contraste entre a grandeza divina que Ele afirmava e a verdadeira destituição. O Maligno O tentava a rejeitar as ignomínias da natureza humana, as provações e a fome e a usar o poder divino, se realmente o possuísse, para salvar a própria natureza humana e também conquistar as multidões. Assim, suplicava a Nosso Senhor que parasse de agir como homem e, em nome do homem, usasse Seus poderes sobrenaturais para dar alívio e conforto à Sua natureza humana e desobrigar-se da provação. O que poderia ser mais insensato para Deus que sentir fome, uma vez que já colocara uma mesa miraculosa para Moisés e seu povo no deserto? João dissera que Ele poderia fazer os filhos de Abraão brotar das próprias pedras; por que, então, Ele não as poderia transformar em pão para si mesmo? A necessidade era real; o poder, se era Deus, também era real; por que, então, estava submetendo Sua natureza humana a todos os males e sofrimentos dos quais a humanidade é herdeira? Por que Deus estava aceitando tamanha humilhação somente para redimir as próprias criaturas? "Se és o Filho de Deus, como alegas ser, e estás aqui para desfazer a destruição forjada pelo pecado, então, salva-te a ti mesmo." Esse era exatamente o mesmo tipo de tentação que os homens lhe lançariam na hora da crucifixão.

> Se és o Filho de Deus,
> desce da cruz!
> (São Mateus 27,40)

A resposta de Nosso Senhor foi que, mesmo ao aceitar a natureza humana com todas as falhas, provações e espírito de sacrifício, não obstante, não estava sem o auxílio divino.

> Está escrito: Não só de pão vive o homem,
> mas de toda palavra que sai da boca de Deus.
> (São Mateus 4,4)

As palavras que citou foram tiradas do relato do Antigo Testamento da refeição miraculosa dada aos judeus no deserto, quando o maná lhes caiu do céu. Jesus recusou-se a satisfazer a ardente curiosidade de Satanás de saber se era ou não o Filho de Deus; mas afirmou que Deus pode alimentar os homens com algo maior do que o pão. Nosso Senhor não usou poderes milagrosos para conseguir alimento para Si, como não usaria, mais tarde, poderes miraculosos para descer da cruz. Os homens de todas as épocas teriam fome, e Ele não se dissociaria do rebanho faminto. Tornara-se homem e estava disposto a se submeter a todos os males do homem até que, por fim, o momento de glória chegasse.

Nosso Senhor não negou que os homens devessem ser alimentados ou que a justiça social devesse ser pregada; mas afirmou que essas coisas não vêm em primeiro lugar. Estava, com efeito, dizendo a Satanás: "Tentaste-Me com uma religião que aliviaria a carência, queres que Eu seja um padeiro e não um salvador; que Eu seja um reformador social, e não um redentor. Estás tentando para afastar-Me da Cruz, sugerindo que Eu seja um reles líder do povo, enchendo-lhes os estômagos e não as almas. Deverias ter-Me feito começar com um esteio e não com ele findar; tu me farias levar abundância exterior e não santidade interior. Tu e teus seguidores materialistas dizem: 'Só de pão vive o homem', Eu, porém, te digo, 'Nem só de pão'. Deve haver pão, mas lembra-te: até o poder de alimentar do pão provém de mim. O pão, sem mim, pode fazer mal ao homem; e não há verdadeira segurança longe da Palavra de Deus. Se der somente pão, então o homem nada mais é que um animal, e os cães também poderiam chegar primeiro ao Meu banquete. Aqueles que creem em Mim devem permanecer firmes nessa fé, mesmo quando famintos e fracos; mesmo quando aprisionados e flagelados.

"Conheço a fome humana! Eu mesmo fiquei sem alimento por quarenta dias. No entanto, recuso-me a me tornar um mero reformador social que só serve ao estômago. Não podes dizer que não me preocupo com a justiça social, pois sinto, neste momento, a fome do mundo. Sou um com cada pobre, com cada membro faminto da raça humana. Eis porque jejuei: para que nunca possam dizer que Deus não conhece a fome. Vai-te embora, Satanás! Não sou somente um assistente social que nunca passou fome, mas Aquele que diz: 'Rejeito qualquer plano que prometa tornar os homens mais ricos sem torná-los mais santos'. Lembra-te! Eu, que digo 'Nem só de pão', não experimentei o pão por quarenta dias!".

A segunda tentação

Satanás, ao falhar em desviar Nosso Senhor da Cruz e da redenção para transformá-lo em um "comissário comunista" que nada promete a não ser pão, agora volta o ataque diretamente à alma. Vendo que Nosso Senhor se recusou a subscrever a crença de que o homem é um animal ou um simples estômago, Satanás, agora, O tentou com o orgulho e o egoísmo. Satanás exibiu seu próprio tipo de vaidade ao levá-Lo a um pináculo do templo muito alto e impressionante, dizendo:

> Se és Filho de Deus, lança-te abaixo.

Então, continuou a citar as Escrituras:

> Pois está escrito: Ele deu a seus anjos
> ordens a teu respeito;
> proteger-te-ão com as mãos, com cuidado,
> para não machucares o teu pé em alguma pedra.
> (São Mateus 4,6)

Satanás estava, neste momento, a dizer: "Por que tomar o caminho mais longo e tedioso para conquistar a humanidade ao derramar Seu sangue, ao ser elevado em uma cruz, ao ser rejeitado e desprezado, quando podes tomar um atalho, realizando um prodígio? Já afirmastes Tua confiança em Deus. Muito bem! Se realmente crês em Deus, desafio-Te a fazer algo heroico! Prova Tua fé, não a lutar no Calvário em obediência à vontade de Deus, mas ao lançar-Te daqui abaixo. Nunca conquistarás o povo para Ti ao pregar verdades sublimes do alto dos campanários, dos pináculos e dos crucifixos. As massas não Te seguirão; são muito inferiores. Em vez disso, reveste-Te de prodígios. Lança-Te do pináculo e, então, para momentos antes de alcançar o chão; isso é algo que elas conseguem apreciar. O povo quer o espetacular, não o divino. As pessoas estão sempre entediadas! Alivia a monotonia de suas vidas e estimula os espíritos cansados, mas deixa suas consciências culpadas em paz!".

A segunda tentação era esquecer a Cruz e substituí-la por uma demonstração fácil de poder, que faria com que todos acreditassem Nele de imediato. Ao ouvir Nosso Senhor citar as Escrituras, Satanás também a cita nesse momento. O Salvador dissera, em resposta à primeira tentação, que Deus poderia Lhe dar o pão, caso pedisse, mas Ele não pediria se isso significasse uma renúncia à Sua missão divina. Satanás retrucou que, se Nosso Senhor realmente acreditasse tanto assim no Pai, deveria dar provas com um feito ousado e dar ao Pai a oportunidade de protegê-lo. No deserto não havia ninguém para vê-Lo realizar o milagre de transformar pedras em pão; mas em uma grande cidade havia muitos espectadores. Se fosse um Messias, o povo deveria ser conquistado, e o que poderia conquistá-los mais depressa que uma demonstração de feitos maravilhosos?

A verdade que responderia essa tentação era que a fé em Deus nunca deve contradizer a razão. O risco irrazoável nunca foi certeza da proteção divina. Satanás queria que Deus Pai fizesse algo por Nosso Senhor que o próprio Cristo se recusasse a fazer por Si mesmo; ou seja, torná-lo um objeto de cuidados especiais isento da obediência às leis naturais, que já eram as leis de Deus. No entanto, Nosso Senhor, que veio para nos apresentar o Pai, sabia que o Pai não era apenas uma providência mecânica, impessoal, que protegeria qualquer um, mesmo alguém que se entregara à missão divinamente prescrita para conquistar a multidão. A resposta de Nosso Senhor à segunda tentação foi:

> Também está escrito:
> Não tentarás o Senhor teu Deus.
> (São Mateus 4,7)

Nosso Senhor Abençoado sofreria a mesma tentação posteriormente, na vida pública, quando a multidão o cercou exigindo um milagre, qualquer milagre, somente para provar Seus poderes e facilitar a crença.

> Afluía o povo e ele continuou:
> Esta geração é uma geração perversa;
> pede um sinal.
> (São Lucas 11,29)

Se Jesus tivesse demonstrado tais sinais, certamente teria todos os homens atrás de Si; contudo, de que adiantaria se o pecado ainda estivesse em suas almas?

Em resposta às demandas modernas por sinais e prodígios, Nosso Senhor diria: "Repetis a tentação de Satanás sempre que admirais as maravilhas da ciência e vos esqueceis de que sou o autor do universo e de sua ciência. Vós, cientistas, sois os revisores, mas não os autores do Livro da Natureza; podeis ver e examinar a obra de minhas mãos, mas vós mesmos não podeis criar um átomo. Tentareis fazer-Me provar a Minha onipotência por testes sem sentido; já me sacastes relógios e dissestes: 'desafio-Te a matar-me em cinco minutos'. Não sabeis que tenho piedade dos tolos? Vós me tentais após terdes destruído voluntariamente vossas cidades com bombas e ao bradar: 'Por que Deus não põe fim nesta guerra?' Vós me tentais ao dizer que não tenho poder, a menos que o demonstre estar à vossa disposição. Isso, caso lembrásseis, foi exatamente como Satanás Me tentou no deserto.

"Sei que nunca tive muitos seguidores nas grandiosas eminências da verdade divina; quase não tive a *intelligentsia*. Recuso-me a realizar façanhas para conquistá-los, posto que não seriam realmente conquistados dessa maneira. Só atraio realmente os homens para mim quando sou visto na Cruz; é pelo sacrifício, e não pelos prodígios que devo fazer-me atrair. Devo conquistar seguidores, não com tubos de testes, mas com meu sangue; não com o poder material, mas com amor; não com pirotecnias celestiais, mas com o direito de usar a razão e o livre arbítrio. Nenhum sinal será dado a esta geração a não ser o sinal de Jonas, ou seja, o sinal de alguém que se ergue das profundezas, não de alguém que se lança de pináculos.

"Quero que os homens creiam em Mim, mesmo quando não os protejo; não abrirei as portas da prisão onde está encarcerado Meu rebanho; não obstarei a foice vermelha ou os leões imperiais de Roma; não impedirei o martelo rubro que golpeia as portas de Meu tabernáculo; quero Meus missionários e mártires amando-Me na prisão e na morte, assim como os amei em meu próprio sofrimento. Nunca operei milagres para salvar a mim mesmo! Farei poucos milagres até mesmo para os meus santos. Retira-te, Satanás! Não tentai o Senhor, teu Deus".

A terceira tentação

A última investida aconteceu no alto da montanha. Foi a terceira tentativa de desviá-Lo da Cruz, desta vez, ao alegar a coexistência do bem e do mal. Ele viera para instituir um reino sobre a terra ao agir como o cordeiro a ser sacrificado. Por que não poderia escolher um modo mais rápido de instituir Seu reino, ao criar um tratado que Lhe daria tudo o que desejasse, isto é, o mundo, mas sem a Cruz?

> O demônio levou-o em seguida a um alto monte
> e mostrou-lhe num só momento todos os reinos da Terra,
> e disse-lhe: Dar-te-ei todo este poder e a glória desses reinos,
> porque me foram dados, e dou-os a quem quero.
> Portanto, se te prostrares diante de mim, tudo será teu.
> (São Lucas 4,5-7)

As palavras de Satanás parecem, de fato, muito atrevidas. Os reinos do mundo realmente lhe foram entregues? Nosso Senhor chamou Satanás de "príncipe do mundo", mas não foi Deus quem lhe deu nenhum dos reinos do mundo; a humanidade o fizera, pelo pecado. Entretanto, ainda que Satanás governasse, por assim dizer, os reinos da terra por consenso popular, não estava em seu poder dá-los a quem quer que lhe aprouvesse. Satanás estava mentindo para, mais uma vez, tentar Nosso Senhor a evitar a Cruz por um caminho alternativo. Oferecia a Nosso Senhor o mundo sob uma condição: que ele adorasse Satanás. A adoração, é claro, sugere serviço. O serviço seria o seguinte: já que o reino do mundo estava sob o poder do pecado, o novo reino que Nosso Senhor instituísse deveria ser somente uma continuação do antigo reino. Em suma, poderia possuir a terra, desde que prometesse não a transformar. Poderia ter a humanidade, desde que prometesse não a redimir. Era a espécie de tentação que Nosso Senhor enfrentaria mais tarde, quando o povo tentou torná-Lo rei na terra.

> Jesus, percebendo que queriam arrebatá-Lo
> e fazê-Lo rei,
> tornou a retirar-se sozinho para o monte.
> (São João 6,15)

E, diante de Pilatos, Jesus disse que instituiria outro reino, mas que não seria um dos reinos oferecidos por Satanás. Quando Pilatos lhe perguntou "És tu o rei dos judeus?",

> respondeu Jesus: O meu Reino não é deste mundo.
> Seo meu Reino fosse deste mundo,
> os meus suditos certamente teriam pelejado
> para que eu não fosse entregue aos judeus.
> Maso meu Reino não é deste mundo.
> (São Joao 18,36)

O reino que Satanás ofereceu era deste mundo, e não o do Espírito. Ainda seria um reino de maldades, e os corações dos súditos não seriam regenerados. Realmente, Satanás estava a dizer: "Vieste, Ó Cristo, para conquistar o mundo, mas o mundo já é meu; eu To darei caso Tu transijas e me adores. Esquece Tua cruz, Teu reino dos céus. Se queres este mundo, ele está a Teus pés. Serás aclamado com as hosanas mais sonoras que Jerusalém jamais cantou para seus reis; e serás poupado das dores e dos pesares da cruz da contradição".

Nosso Senhor, sabendo que esses reinos só poderiam ser conquistados por Seu sofrimento e morte, disse a Satanás:

> Para trás, Satanás, pois está escrito:
> Adorarás o Senhor teu Deus,
> e só a ele servirás.
> (São Mateus 4,10)

Podemos conjeturar como essas palavras puras, firmes, devem ter soado a Satanás: "Satanás, queres adoração, mas adorar-te é servir-te e servir-te é escravidão. Não quero o teu mundo, visto que traz o fardo terrível da culpa. Em todos os reinos que reivindicas como teus, os corações dos cidadãos ainda anseiam por algo que tu não lhes podes dar, a saber, paz na alma e um amor desinteressado. Não quero teu mundo, que tu mesmo não possuis.

"Também sou um revolucionário, como cantou Minha mãe no *Magnificat*. Revolto-me contra ti, o príncipe do mundo. No entanto, Minha revolução não é pela espada empunhada para conquistar pela força, mas pela espada apontada para dentro, contra o pecado e contra todas as coisas que geram guerras entre os homens. Primeiro vencerei o mal nos corações dos homens e, depois, conquistarei o mundo. Conquistarei teu mundo ao penetrar nos corações de teus fiscais de impostos desonestos, teus juízes falsos, teus comissários e lhes redimirei da culpa e do pecado. Eu os enviarei purificados de volta às suas profissões. Eu lhes direi que de nada adianta ganhar todo o mundo se perderem suas almas imortais. Por hora, podes manter teus reinos. Melhor perder todos os teus reinos, até mesmo todo o mundo, que perder uma única alma! Os reinos do mundo devem ser elevados ao Reino de Deus; o Reino de Deus não será arrastado ao nível dos reinos deste mundo. Tudo o que desejo desta terra é um local grande o bastante para erigir uma cruz; ali deixarei que me desfraldes diante das encruzilhadas de teu mundo! Deixarei que me crave com pregos em nome das cidades de Jerusalém, Atenas e Roma, mas ressuscitarei dos mortos, e tu descobrirás que o que parecia ter conquistado foi esmagado, enquanto Eu marchar vitorioso nas asas da alvorada! Satanás, o que pedes de mim é que me torne o Anticristo. Diante desse pedido blasfemo, a paciência deve dar lugar à justa ira. '*Vade retro*, Satanás!'".

Nosso Senhor desceu daquela montanha tão pobre quanto subira. Ao findar a vida terrena e ressuscitar dos mortos, falaria aos apóstolos em outro monte:

> Os 11 discípulos foram para a Galileia,
> para a montanha que Jesus lhes tinha designado.
> Quando o viram, adoraram-no;
> entretanto, alguns hesitavam ainda.
> Mas Jesus, aproximando-se, lhes disse:
> Toda autoridade me foi dada no Céu e na Terra.
> Ide, pois, e ensinai a todas as nações;
> batizai-as em nome do Pai, do Filho e do Espírito Santo.
> Ensinai-as a observar tudo o que vos prescrevi.
> Eis que estou convosco todos os dias, até o fim do mundo.
> (São Mateus 28,16-20)

4
O Cordeiro de Deus

Agora que dominara a tentação suprema de se tornar o rei dos homens por encher suas barrigas, por arrebatá-los com maravilhas científicas e por fazer um acordo político com o príncipe das trevas, Nosso Senhor estava pronto para pôr-Se diante do mundo como a vítima sacrificial pelo pecado. Após o longo jejum e a provação, vieram anjos e O auxiliaram. Depois disso, retornou ao rio Jordão e misturou-Se, sem ser notado por um tempo, à multidão que cercava João Batista. No dia anterior, João falara de Nosso Senhor para uma delegação de sacerdotes e levitas do templo de Jerusalém que vieram perguntar-lhe: "Quem és?". Sabiam que chegara o tempo oportuno para a vinda do Cristo ou do Messias, daí a pergunta objetiva. João disse-lhes, todavia, que "não era o Cristo". Era simplesmente uma voz a pregar a Palavra. Assim como Cristo recusou títulos exteriores de poder, João também recusou os títulos que os fariseus estavam dispostos a conferir-lhe, mesmo o maior de todos, de que era o enviado de Deus.

No dia seguinte, Nosso Senhor estava no meio da multidão e João O viu ao longe. Imediatamente, João retomou a herança simbólica e profética dos judeus, conhecida por todos os ouvintes.

> Eis o Cordeiro de Deus,
> que tira o pecado do mundo.
> (São João 1,29)

João afirmava que não devemos buscar primeiro um mestre, um doador de preceitos morais ou um operador de milagres. Devemos, em primeiro lugar, olhar para Aquele que foi nomeado como sacrifício pelos pecados do mundo. A Páscoa se aproximava e as estradas estavam repletas de pessoas conduzindo ou levando ao templo cordeiros de um ano de idade para o sacrifício. À plena visão daqueles cordeiros, João indicou o Cordeiro que, quando sacrificado, poria fim a todos os sacrifícios no templo porque tiraria os pecados do mundo.

João era a voz de despedida do Antigo Testamento, em que o cordeiro exercia um papel importante. No Gênesis encontramos Abel oferecendo um cordeiro, o primogênito do rebanho, em sacrifício de sangue para a expiação do pecado. Posteriormente, Deus pediu a Abraão que sacrificasse seu filho Isaac — um símbolo profético do Pai do Céu a sacrificar o próprio Filho. Quando Isaac perguntou "onde está a ovelha para o holocausto?", Abraão respondeu:

> Deus providenciará ele mesmo
> uma ovelha para o holocausto, meu filho.
> (Gênesis 22,8)

A resposta à pergunta "Onde está a ovelha para o holocausto?" feita no início do Gênesis era, agora, respondida por João, o Batista, ao apontar para o Cristo e dizer: "Eis o Cordeiro de Deus". Deus, por fim, providenciara um cordeiro. A cruz que fora defendida no deserto durante as tentações agora se apresentava no Jordão.

Todas as famílias procuravam ter o próprio cordeiro pascal e, aqueles que no momento levavam seus cordeiros para Jerusalém, onde o Cordeiro de Deus disse que seria sacrificado, sabiam que o cordeiro era um símbolo da libertação de Israel da escravidão política do Egito. João dizia que o cordeiro também era um símbolo de libertação da escravidão espiritual do pecado.

O cordeiro viria na forma de um homem, pois o profeta Isaías anunciara:

> Foi maltratado e resignou-se;
> não abriu a boca, como um cordeiro
> que se conduz ao matadouro,
> e uma ovelha muda nas mãos do tosquiador.
> (Ele não abriu a boca.)
> (Isaías 53,7)

Com frequência, o cordeiro era usado como sacrifício devido à sua inocência e brandura; portanto, foi o emblema mais apropriado ao caráter do Messias. O fato de João Batista chamá-Lo de Cordeiro de Deus é bastante significativo. Ele não era nem o cordeiro do povo, nem o cordeiro dos judeus, nem o cordeiro de algum dono humano, mas o Cordeiro de Deus. Quando, por fim, o Cordeiro foi sacrificado, não foi por ser a vítima daqueles que eram mais fortes do que Ele, mas, antes, porque cumpria voluntariamente Seu dever de amar os pecadores. Não foi o homem que ofereceu esse sacrifício, embora tenha sido o homem quem matou a vítima; foi Deus que deu a Si mesmo.

Pedro, que era discípulo de João e que provavelmente estava lá nesse dia, mais tarde, esclareceria o sentido de "Cordeiro", ao escrever:

> Porque vós sabeis que não é por bens perecíveis,
> como a prata e o ouro,
> que tendes sido resgatados da vossa vã maneira de viver,
> recebida por tradição de vossos pais,
> mas pelo precioso sangue de Cristo,
> o Cordeiro imaculado e sem defeito algum,
> aquele que foi predestinado antes da criação do mundo.
> (1 São Pedro 1,18-19)

Depois da Ressurreição e da Ascensão, o apóstolo Filipe encontrou um mensageiro da rainha da Etiópia. O mensageiro estivera lendo uma passagem do profeta Isaías que anunciava o Cordeiro:

> Como ovelha, foi levado ao matadouro;
> e como cordeiro mudo diante do que o tosquia,
> ele não abriu a sua boca.
> (Atos dos Apóstolos 8,32)

Filipe explicou-lhe que esse Cordeiro acabara de ser sacrificado, ressuscitara dos mortos e ascendera aos céus. São João, o Evangelista, que também estava no rio Jordão naquele dia (pois era um dos discípulos de João Batista), mais tarde esteve aos pés da Cruz quando o Cordeiro foi sacrificado. Anos depois, escreveu que o Cordeiro morto no Calvário foi, por intenção, morto desde o princípio do mundo. A Cruz não foi acrescida mais tarde.

> Desde a origem do mundo
> no livro da vida do Cordeiro imolado.
> (Apocalipse 13,8)

Isso significa que o Cordeiro foi morto, por assim dizer, por decreto divino desde toda a eternidade, ainda que a realização temporal tivesse de aguardar o Calvário. Sua morte estava de acordo com o plano eterno e a intenção determinada de Deus. O princípio do amor que se autossacrifica, contudo, era eterno. A redenção estava na mente de Deus antes de ser instituída a fundação do mundo. Aquele que estava fora do tempo viu, da eternidade, a queda dos homens no pecado e os viu ser redimidos. A própria terra seria palco de um grande acontecimento. O cordeiro era o tipo primordial eterno de todo sacrifício. Quando chegou a hora da Cruz e o centurião traspassou a lança na lateral do corpo de Nosso Senhor, então se cumpriu a profecia do Antigo Testamento.

> Farão lamentações sobre aquele que traspassaram.
> (Zacarias 12,10)

A expressão que João Batista utilizou para descrever como o Cordeiro de Deus "tiraria" os pecados do mundo encontra paralelo em hebraico e em grego; o Levítico narra que

> o bode levará, pois, sobre si,
> todas as iniquidades deles para uma terra selvagem.
> Quando o bode tiver sido mandado para o deserto.
> (Levítico 16,22)

Assim como o bode expiatório em que foram depositados os pecados foi conduzido para fora da cidade, do mesmo modo, o Cordeiro de Deus que realmente tirou os pecados do mundo seria conduzido para fora de Jerusalém.

Dessa maneira, o cordeiro que Deus prometera dar a Abraão para o sacrifício e todos os cordeiros e bodes subsequentes oferecidos por judeus e pagãos ao longo de toda a história extraem seu valor do Cordeiro de Deus que se postou diante de João. Aqui, não foi Nosso Senhor que estava profetizando a Cruz; antes, era o Antigo Testamento, por intermédio de João, que O declarava o sacrifício divinamente escolhido pelos pecados e o único a redimir a culpa humana.

Os israelitas há muito haviam percebido que o perdão dos pecados estava, de algum modo, relacionado a oferendas sacrificiais; portanto, vieram a supor que havia alguma virtude intrínseca na vítima. O pecado estava no sangue; por isso o sangue tinha de ser derramado. Não é de admirar, então, que quando a Vítima foi oferecida no Calvário e ressuscitou dos mortos, reafirmou quanto Lhe era necessário sofrer. Aplicar os méritos desse sangue redentor a nós mesmos tornou-se o tema do Novo Testamento. No Antigo Testamento, quando os cordeiros eram sacrificados, parte do sangue era aspergido sobre as pessoas. Quando o Cordeiro de Deus veio a ser sacrificado, alguns perguntaram novamente pela aspersão do sangue, de maneira horrivelmente irônica!

> Caia sobre nós o seu sangue e sobre nossos filhos!
> (São Mateus 27,25)

No entanto, milhões de outros também encontrariam a glória por causa da aspersão do sangue do Cordeiro. João Evangelista, posteriormente, O descreveu em termos de glória eterna.

> Na minha visão ouvi também, ao redor do trono,
> dos animais e dos anciãos, a voz de muitos anjos,
> em número de miríades de miríades e de milhares de milhares,
> bradando em alta voz:
> Digno é o Cordeiro imolado de receber o poder,
> a riqueza, a sabedoria, a força, a glória, a honra e o louvor.
> E todas as criaturas que estão no céu, na terra, debaixo da terra e no mar,
> e tudo que contêm, eu as ouvi clamar: Àquele que se assenta no trono e ao Cordeiro,
> louvor, honra, glória e poder pelos séculos dos séculos.
> E os quatro animais diziam:
> Amém! Os anciãos prostravam-se e adoravam.
> (Apocalipse 5,11-14)

5
O início da "hora"

Ao longo de todo o Evangelho sempre há um aviso, como um trovão, da Cruz, acompanhado de um lampejo da glória da Ressurreição. Sempre que se aproxima a sombra do sofrimento redentor, há também a luz da liberdade espiritual que virá depois. O contraponto de alegria e sofrimento na vida de Cristo é encontrado novamente no primeiro milagre que ocorreu no vilarejo de Caná. Faz parte do padrão: Ele, que veio para pregar a crucifixão da carne licenciosa, deveria começar a vida pública comparecendo a uma festa de casamento.

No Antigo Testamento, a relação entre Deus e Israel foi comparada à relação entre o noivo e a noiva. Nosso Senhor sugeriu que a mesma relação existiria, dali em diante, entre Ele e a nova Israel espiritual, que estava para fundar. Ele seria o noivo, Sua Igreja seria a noiva. E desde que veio instituir esse tipo de união entre Si e a humanidade redimida, era conveniente que começasse Seu magistério público participando de um casamento. São Paulo não introduzia uma ideia nova ao escrever, mais tarde, aos Efésios, que a união entre um homem e uma mulher era o símbolo da união de Cristo e com a Igreja.

> Maridos, amai as vossas mulheres,
> como Cristo amou a Igreja
> e se entregou por ela.
> (Efésios 5,25)

Uma festa de casamento é uma ocasião de muita alegria; o vinho é servido como símbolo dessa alegria. Na festa de Caná, que tinha tal importância simbólica, a Cruz não lançou sua sombra sobre a alegria; ao contrário, o júbilo veio em primeiro lugar e, então, a Cruz. No entanto, uma vez acabado o contentamento, a sombra da Cruz lançou-se sobre a celebração.

Nosso Senhor já havia sido confirmado como o Cordeiro de Deus no rio Jordão. Ele também escolhera cinco discípulos entre os seguidores de

João Batista: João, o Evangelista, André, Pedro, Filipe e Natanael. Estes, levou consigo para a festa de casamento, que já estava acontecendo e que ao todo, durou vários dias. Naquela época, os pais da noiva tinham encargos muito maiores que os de hoje. As comemorações e as despesas podiam perdurar por oito dias. Um dos motivos prováveis para escassear o vinho foi Nosso Senhor ter levado muitos convivas que não haviam sido convidados. Desde a grande agitação no rio Jordão, em que o céu se abriu para afirmar que Ele era o filho de Deus, Sua presença atraía centenas de seguidores dispersos, que também compareceram à festa. Foi ao casamento não só como o carpinteiro do vilarejo, mas como o Cristo ou o Messias. Antes de as comemorações chegarem ao fim, seria revelado que Ele tinha um encontro com a Cruz.

Maria, Sua mãe santíssima, estava presente na celebração. Essa foi a única ocasião na vida de Nosso Senhor em que Maria é mencionada antes de seu filho. Maria deveria ser o instrumento do primeiro milagre, ou sinal, de que Ele era quem dizia ser, o Filho de Deus. Ela já havia sido um instrumento para a santificação de João Batista no ventre de sua mãe: agora, por meio da intercessão dela, soou a trombeta para a longa sucessão de milagres — uma intercessão tão potente que inspirou espíritos em todas as épocas a invocar seu nome para outros milagres de natureza e graça.

João, o evangelista, que já fora escolhido para ser discípulo, estava presente na festa e foi testemunha ocular e auditiva daquilo que Maria fez em Caná. Também estava com ela aos pés da Cruz e registrou ambos os acontecimentos fidedignamente em seu Evangelho. No templo e no rio Jordão, Nosso Senhor recebeu a bênção de Seu Pai e a sanção para iniciar a obra de redenção. Em Caná, recebeu o assentimento da progenitora humana. Mais tarde, no terrível isolamento do Calvário, viria um momento tenebroso em que o Pai parecia tê-Lo abandonado e Ele citaria o salmo que começa da seguinte maneira:

> Meu Deus, meu Deus,
> por que me abandonastes?
> (Salmo 21,2)

Viria outro momento em que parecia afastar-se da mãe:

> Mulher, eis aí teu filho.
> (São João 19,26)

Quando o vinho acabou em Caná, é interessante notar que Maria estava mais preocupada com os convidados do que com o servente, pois foi ela, e não ele, quem reparou a necessidade de vinho. Maria voltou-se para seu Divino Filho em perfeito espírito de oração. Confiando plenamente Nele e acreditando em Sua misericórdia, ela disse:

> Eles já não têm vinho.
> (São João 2,3)

Não foi um pedido pessoal; ela já era a mediadora para todos os que buscavam a plenitude da felicidade. Nunca foi apenas uma espectadora, mas uma partícipe plena, disposta a envolver-se nas necessidades dos outros. A mãe usou o poder especial que tinha como mãe sobre o filho, um poder gerado pelo amor mútuo. Ele respondeu-lhe com aparente hesitação:

> Mulher, que tenho eu e tu com isso?
> Ainda não chegou a minha hora.
> (São João 2,4)[6]

Primeiro, consideremos as palavras: "que tenho eu e tu com isso". Essa é uma expressão hebraica de difícil tradução. São João a traduziu de maneira bem literal em grego e a Vulgata preservou essa literalidade em *Quid mihi et tibi*, que significa, "que a mim e a ti?". As palavras "com isso" não constam da expressão original, foram acrescidas à tradução para tornar a ideia mais compreensível. Ronald Knox fez uma tradução livre: "Por que me incomodas com isso?".[7]

Para compreender de maneira mais integral o que Ele queria dizer, consideremos as palavras "Ainda não chegou a minha hora". A "hora", obviamente, se refere à Cruz. Sempre que a palavra "hora" é empregada no Novo Testamento, é utilizada em relação à Sua Paixão, morte e glória. Referências a essa "hora" ocorrem sete vezes somente no Evangelho de São João, algumas das quais destacamos aqui:

---

6 | Neste trecho não utilizamos a versão da Bíblia Ave Maria, visto ser uma tradução simplificada, o que impediria traduzir o comentário do Cardeal Sheen a seguir. (N. T.)

7 | No início de 1936, o Padre Ronald Knox (1888-1957) retraduziu sozinho para o inglês a Vulgata Latina. Conhecida como *Knox Bible*, sua versão foi muito divulgada nos países de língua inglesa. No original de Knox para o inglês: *"Why dost thou trouble me with that?"*. (N. T.)

> Procuraram prendê-lo,
> mas ninguém Lhe deitou as mãos,
> porque ainda não era chegada a Sua hora.
> (São João 7,30)
>
> Estas palavras proferiu Jesus ensinando no templo,
> junto aos cofres de esmola.
> Mas ninguém O prendeu,
> porque ainda não era chegada a sua hora.
> (São João 8,20)
>
> Respondeu-lhes Jesus:
> É chegada a hora para o Filho do Homem ser glorificado.
> (São João 12,23)
>
> Presentemente, a minha alma está perturbada.
> Mas que direi?...
> Pai, salva-me desta hora...
> Mas é exatamente para isso que vim a esta hora.
> (São João 12,27)
>
> Eis que vem a hora, e ela já veio,
> em que sereis espalhados, cada um para o seu lado,
> e me deixareis sozinho.
> Mas não estou só,
> porque o Pai está comigo.
> (São João 16,32)
>
> Jesus afirmou essas coisas e depois,
> levantando os olhos ao céu, disse:
> Pai, é chegada a hora.
> Glorifica teu Filho, para que teu Filho glorifique a ti.
> (São João 17,1)

A "hora", portanto, referia-se à glorificação por meio da crucifixão, Ressurreição e Ascensão. Em Caná, Nosso Senhor se referia ao Calvário e dizia que o tempo determinado para o início de Sua obra ainda não estava próximo. Sua mãe Lhe pedia um milagre; e Ele indicava que um milagre que funcionasse como sinal da própria divindade seria o início de Sua morte. No momento em que se apresentasse diante dos homens como Filho de Deus, atrairia para Si o ódio, pois o mal pode tolerar a mediocridade, mas não a suprema bondade. O milagre que ela solicitava seria inconfundivelmente relacionado à Sua redenção.

Houve, na vida de Cristo, duas ocasiões em que Sua natureza humana pareceu demonstrar uma indisposição para assumir o destino de sofrimento. No Jardim das Oliveiras, pediu ao Pai que, se possível, afastasse o cálice de aflição. Entretanto, após, de imediato, ter aquiescido à vontade do Pai, disse: "Não se faça, todavia, a minha vontade, mas sim a tua" (São Lucas 22,42). A mesma relutância aparente também foi manifestada diante da vontade de Sua mãe. Caná foi um ensaio para o Gólgota. Não questionava a sensatez de iniciar a vida pública e de morrer naquele determinado tempo; ao contrário, era uma questão de submeter a natureza humana relutante à obediência à Cruz. Existe um paralelismo impressionante entre o apelo do Pai para a morte pública e o apelo da mãe para a vida pública. A obediência triunfou em ambos os casos. Em Caná, a água foi transformada em vinho; no Calvário, o vinho foi transformado em sangue.

Dizia à mãe que o que ela pedia, praticamente, era pronunciar Sua sentença de morte. Poucas são as mães que mandam os filhos para os campos de batalha, mas eis aqui uma que estava, na verdade, apressando o momento do conflito mortal do filho com as forças do mal. Caso concordasse com o pedido, daria início à hora de Sua morte e glorificação. Iria para a cruz com uma dupla incumbência: uma do Pai dos Céus e outra, de Sua mãe na terra.

Tão logo consentiu em dar início à Sua "hora", começou a dizer, de imediato, que dali em diante as relações com a mãe mudariam. Até então, durante a vida oculta, ela fora conhecida como a mãe de Jesus. No entanto, no momento em que Ele dava início à obra de redenção, ela não seria mais tão somente Sua mãe, mas também a mãe de toda a irmandade dos homens que Ele redimiria. Para indicar esse novo relacionamento, dirigia-Se a ela, agora, não como "mãe", mas como a "mãe universal" ou "mulher". Que tom teriam essas palavras para as pessoas que viviam à luz do Antigo Testamento? Quando Adão pecou, Deus falou a Satanás e predisse que poria inimizade entre sua semente e "a mulher", pois o bem teria uma descendência assim como o mal. O mundo não teria apenas a Cidade do Homem que Satanás reivindicava ser sua, mas teria também a Cidade de Deus. A "mulher" trazia uma semente e era o seu princípio que estava presente naquele momento no casamento de Caná, a semente que cairia no solo e morreria, e então faria brotar uma vida nova.

No momento em que a "hora" começou, ela tornou-se "a mulher"; também teria outros filhos, não segundo a carne, mas segundo o Espírito. Ele deveria ser o novo Adão, o fundador de uma humanidade redimida, ela seria a nova Eva e a mãe da nova humanidade. Como Nosso Senhor era um homem, ela era Sua mãe; e como era um salvador, ela também era a mãe de todos aqueles que Ele salvaria. João, que estava presente no casamento, também esteve presente no clímax da "hora" no Calvário. Ouviu Nosso Senhor, do alto da Cruz, chamá-la de "mulher" e depois dizer-lhe: "Eis aí teu filho" (São João 19,26). Era como se ele, João, fosse agora o símbolo da nova família de Maria. Quando trouxe dos mortos o filho da viúva de Naim (São Lucas 7,11-17), Nosso Senhor disse: "entregue-o à sua mãe". Na Cruz, consolou a própria mãe ao dar-lhe outro filho, João, e com ele, toda a humanidade redimida.

Na Ressurreição, entregou-se a Si próprio novamente para ela, a fim de demonstrar que, embora tivesse ganhado novos filhos, ela não O perdera. Em Caná, a profecia que Simeão fizera a Maria no templo foi confirmada: doravante, o que quer que envolvesse seu Filho, também a envolveria; o que quer que acontecesse a Ele, aconteceria a ela. Se Ele estava destinado a ir para a cruz, ela também iria; e se, naquele momento, Ele começaria a vida pública, então ela começaria uma nova vida também, não mais somente como mãe de Jesus, mas como mãe de todos aqueles que Jesus, o Salvador, redimiria. Ele chamava a Si mesmo de "o Filho do Homem", um título que abarcava toda a humanidade; ela, dali em diante, seria a "Mãe dos Homens". Assim como ela estava ao lado do Filho ao dar início à Sua "hora", igualmente estaria ao lado dele no fim. Ao retirá-Lo do templo, quando era um menino de 12 anos, o fez porque percebia que Sua "hora" ainda não havia chegado; Ele a obedeceu na ocasião e retornou com ela para Nazaré. Agora, disse-lhe que ainda não era chegada a Sua "hora", mas ela suplicou-Lhe que a começasse, e Ele obedeceu. Em Caná, ela O deu aos pecadores como Salvador; na Cruz, Ele a entregou como refúgio para os pecadores.

Quando Jesus sugeriu que Seu primeiro milagre o levaria, infalivelmente, à Cruz e à morte e que ela se tornaria, dali em diante a mãe das dores, Maria voltou-se no mesmo instante aos serventes e disse:

Fazei o que ele vos disser.
(São João 2,5)

Que discurso maravilhoso! Maria nunca volta a falar novamente nas Escrituras. Ela falou por sete vezes, mas agora Cristo se apresentara, como o Sol, no auge do esplendor de Sua divindade. Nossa Senhora foi, voluntariamente, eclipsada como a Lua, assim como, mais tarde, João a descreveu.

As seis talhas de pedra foram cheias, perfazendo um total aproximado de 455 litros, e, no belo linguajar de Richard Crashaw,[8] "as águas inconscientes viram seu Deus e coraram". O primeiro milagre foi algo como a própria criação; realizado pelo poder da "Palavra". O vinho que Jesus criou era tão bom que o noivo foi repreendido pelo chefe dos serventes com as seguintes palavras:

> É costume servir primeiro o vinho bom e,
> depois, quando os convidados já estão quase embriagados,
> servir o menos bom.
> Mas tu guardaste o vinho melhor até agora.
> (São João 2,10)

É verdade que o melhor vinho estava guardado. Até o momento da revelação, o pior vinho foram os profetas, os juízes e os reis, Abraão, Isaac, Jacó, Moisés, Josué — todos eram como a água aguardando o milagre do Esperado das Nações. O mundo, em geral, oferece primeiro os prazeres; depois, chegam as escórias e as amarguras. Cristo, contudo, reverteu a ordem e nos deu o banquete após o jejum. A Ressurreição após a crucifixão, a alegria do Domingo de Páscoa após o pesar da Sexta-Feira Santa.

> Este foi o primeiro milagre de Jesus;
> realizou-o em Caná da Galileia.
> Manifestou a sua glória,
> e os seus discípulos creram nele.
> (São João 2,11)

A cruz está em todo lugar. Quando um homem abre seus braços em descanso, inconscientemente, forma a imagem da razão da vinda do Filho do Homem. Da mesma maneira, também em Caná, a sombra da Cruz foi lançada através de uma "mulher" e o primeiro soar da "hora" pareceu um

---

8 | Richard Crashaw (1613-1649) foi um poeta inglês convertido do anglicanismo ao catolicismo e um dos principais nomes da poesia metafísica inglesa do século XVII. (N. T.)

sino de execução. Em todos os outros incidentes de Sua vida, a Cruz veio em primeiro lugar, depois a alegria. Em Caná, contudo, foi a alegria das núpcias que veio em primeiro lugar — as núpcias do noivo e da noiva da humanidade redimida; só depois disso somos recordados de que a Cruz é a condição de tal enlevo.

Assim, aquilo que Jesus fez na festa de casamento não o fez no deserto. Realizou, com o olhar plenamente fixado no homem, o que recusara realizar diante de Satanás. Satanás pediu-Lhe que transformasse pedras em pão, para que se tornasse um Messias econômico; sua mãe pediu-Lhe que transformasse água em vinho para que se tornasse um Salvador. Satanás O tentou para que se *livrasse da* morte; Maria O "tentou" para a morte e ressurreição. Satanás tentou *desviá-Lo da* Cruz; Maria enviou-Lhe *na direção* dela. Mais tarde, Ele tomaria o pão que Satanás disse ser necessário ao homem e o vinho que Sua mãe disse ser necessário aos convivas do casamento e os transformaria no memorial de Sua Paixão e morte. Então, pediria que os homens renovassem esse memorial até "a consumação do mundo". A antífona de Sua vinda continua a soar: *Todos os outros vieram ao mundo para viver, Ele veio ao mundo para morrer.*

6

O TEMPLO DO SEU CORPO

O templo é um local em que Deus habita. Onde, então, estava o verdadeiro templo de Deus? Era o grande templo de Jerusalém, com toda a grandiosidade material, o verdadeiro templo? A resposta a essa pergunta deveria parecer óbvia aos judeus; mas Nosso Senhor estava prestes a sugerir que havia outro templo. Os peregrinos encaminhavam-se a Jerusalém para a festa da Páscoa e, entre eles, estava Nosso Senhor e os primeiros discípulos, após uma breve estada em Cafarnaum. O templo era realmente um lugar magnífico, em especial desde que Herodes quase completara sua reconstrução e o adornara. Um ano depois, os próprios apóstolos, no Monte das Oliveiras, ficariam tão chocados com a aparência reluzente do templo, ao brilhar no sol da manhã, que pediram a Nosso Senhor que olhasse para ele e admirasse sua beleza.

Naturalmente, era um problema de todos que chegavam para oferecer sacrifício conseguir os materiais e depois, também, as vítimas sacrificiais, que tinham de ser testadas e julgadas segundo os padrões levíticos. Consequentemente, havia um mercado próspero de animais sacrificiais de todos os níveis. Aos poucos, os vendedores de ovelhas e pombas foram se aproximando cada vez mais do templo, sufocando as alamedas que levavam até ali, até que alguns deles, em particular os filhos de Anás, na verdade, acabaram ganhando acesso para a entrada do pórtico de Salomão, onde vendiam pombas, gado e faziam câmbio de dinheiro. Cada visitante das celebrações era obrigado a dar meio *shekel* para ajudar a pagar os gastos do templo; já que nenhuma moeda estrangeira era aceita, os filhos de Anás, como nos diz Flávio Josefo, negociavam o câmbio das moedas, provavelmente a taxas mais altas. Um par de rolas era vendido, à época, por uma moeda de ouro, que em moeda americana estaria valendo cerca de $2.50.[9] Esse abuso, no

---

9 | Em valores atualizados, $2.50 dólares no ano em que foi escrito o livro (1958) equivalem hoje (2017) a $8.50. (N. T.)

entanto, foi corrigido pelo neto do grande Hillel, que reduziu o preço em um quinto do descrito acima. Todos os tipos de moedas de Tiro, da Síria, do Egito, da Grécia e de Roma circulavam no templo, o que levava a fomentar um mercado negro entre os cambistas. A situação era ruim o bastante para Cristo chamar o templo de "covil de ladrões" (São Mateus 21,13): de fato, o próprio Talmud recriminava firmemente os que corrompiam esse local sagrado.

Houve um interesse considerável entre os peregrinos quando Nosso Senhor ingressou pela primeira vez no recinto sagrado. Essa foi tanto Sua primeira aparição pública diante da nação como Sua primeira visita ao templo como Messias. Já operara o primeiro milagre em Caná; agora vinha à casa do Pai reivindicar um direito filial. Nosso Senhor Santíssimo, ao encontrar-se nesse cenário incongruente, onde as preces se misturavam às ofertas blasfemas dos mercadores e onde o tilintar das moedas harmonizava com o zurrar do gado, encheu-se de zelo pela casa do Pai. Com alguns pedaços de corda que lá estavam, provavelmente usadas como coleiras para o gado, fez um pequeno açoite. Com isso começou a remover o gado e os aproveitadores. A impopularidade dos exploradores e o medo do escândalo público, talvez, os tenha feito evitar qualquer resistência ao Salvador. Seguiu-se uma cena bárbara: o gado correndo para cima e para baixo, e os cambistas agarrando quantas moedas podiam, enquanto o Salvador virava as mesas. Ele abriu as gaiolas dos pombos e os libertou.

> Tirai isto daqui e não façais da casa de meu Pai
> uma casa de negociantes.
> (São João 2,16)

Mesmo os mais próximos devem ter se espantado ao vê-Lo com azorrague em riste e olhos faiscantes, lançando-Se ao encontro dos homens e dos animais, enquanto dizia:

> A minha casa chamar-se-á
> casa de oração para todas as nações?
> Mas vós fizestes dela
> um covil de ladrões.
> (São Marcos 11,17)

> Lembraram-se então os seus discípulos
> do que está escrito:
> O zelo da tua casa me consome.
> (São João 2,17)

A parte do templo da qual Nosso Senhor retirou os comerciantes era conhecida como Pórtico de Salomão, a lateral leste do Pátio dos Gentios. Essa parte deve ter servido como símbolo para demonstrar que todas as nações do mundo eram bem-vindas; mas os mercadores a estavam corrompendo. Agora, Nosso Senhor deixava claro que o templo era para todas as nações, não só para Jerusalém; era uma casa de oração para os homens sábios, assim como para os pastores, para as missões estrangeiras, bem como para as missões domésticas.

Chamou o templo de "a casa de meu Pai", afirmando neste mesmo momento Seu relacionamento filial com o Pai Celestial. Aqueles que foram removidos do templo não puseram as mãos Nele, nem O reprovaram como se tivesse feito algo errado. Simplesmente pediram um sinal ou uma garantia que justificasse a atitude. Ao permanecer de pé, em dignidade solitária, entre as moedas espalhadas e o gado a correr, com pombos voando para lá e para cá, eles Lhe perguntaram:

> Que sinal nos apresentas tu,
> para procederes deste modo?
> (São João 2,18)

Estavam aturdidos por Sua capacidade de justa indignação (que era o outro lado do caráter de portador da alegria manifestada em Caná) e pediram um sinal. Já lhes tinha dado um sinal de que era Deus, pois lhes disse que tinham profanado *a casa de Seu Pai*. Pedir outro sinal era como pedir luz para ver a luz. Entretanto, Ele lhes deu um segundo sinal:

> Destruí vós este templo,
> e eu o reerguerei em três dias.
> (São João 2,19)

As pessoas que ouviram essas palavras nunca mais as esqueceram. Três anos depois, no julgamento, eles as trariam de volta, de maneira um tanto distorcida, acusando-O de dizer:

> Eu destruirei este templo, feito por mãos de homens,
> e em três dias edificarei outro,
> que não será feito por mãos de homens.
> (São Marcos 14,58)

Recordaram Suas palavras, mais uma vez, enquanto Ele pendia na Cruz:

> Tu que destróis o templo
> e o reedificas em três dias,
> salva-Te a Ti mesmo!
> Desce da cruz!
> (São Marcos 15,29-30)

Ainda estavam assombrados por Suas palavras quando pediram a Pilatos para precaver-se na guarda da tumba. Entenderam, na ocasião, que Ele Se referira não só ao templo de pedra, mas ao Seu corpo.

> Senhor, nós nos lembramos de que aquele impostor disse, enquanto vivia:
> Depois de três dias ressuscitarei.
> Ordena, pois, que seu sepulcro seja guardado até o terceiro dia.
> Os seus discípulos poderiam vir roubar o corpo.
> (São Mateus 27,63-64)

O tema do templo ecoou mais uma vez no julgamento e no martírio de Estêvão, quando os perseguidores o acusaram:

> Esse homem não cessa de proferir palavras
> contra o lugar santo e contra a lei.
> (Atos dos Apóstolos 6,13)

Jesus, na verdade, estava vencendo um desafio quando lhes disse: "destruirei!". Ele não disse: "Se vós destruirdes…". Estava desafiando-os de maneira direta a testar Seu poder real e sacerdotal por uma crucifixão, e Ele lhes responderia com a Ressurreição.

É importante notar que, no original grego do Evangelho, Nosso Senhor não emprega a palavra *hieron*, que era o substantivo grego comum para templo, mas, antes, emprega *naos*, que significa o Santo dos Santos do templo. Com efeito, estava a dizer: "O templo é o lugar onde Deus habita. Vós profanastes o antigo templo; mas agora existe outro templo. Destruí esse novo templo, ao me crucificar, e, em três dias, ressuscitarei novamente. Ainda que destruais Meu corpo, que é a casa de Meu pai, pela Minha Ressurreição darei a posse do novo templo a todas as nações". É muito provável que Nosso Senhor Santíssimo tivesse apontado para o próprio corpo quando falou dessa maneira. Templos podem ser construídos de carne e osso, assim como de pedra e madeira. O corpo de Cristo era um templo porque a plenitude de Deus Nele morava. Aqueles que O desafiaram, de imediato, responderam, perguntando:

> Em 46 anos foi edificado este templo,
> e tu hás de levantá-lo em três dias?!
> (São João 2,20)

Deveriam estar se referindo ao templo de Zorobabel, que levara 46 anos para ser construído. Foi no início no primeiro ano de reinado de Ciro, em 559 a.C. e completado em 513 a.C., no nono ano do reinado de Dario. Também é possível que estivessem se referindo às alterações de Herodes, que talvez ocorressem há 46 anos naquele momento. As alterações tiveram início por volta de 20 a.C. e não foram completadas até 63 A.D. No entanto, como escreveu João:

> Mas ele falava do templo do seu corpo.
> Depois que ressurgiu dos mortos,
> os seus discípulos lembraram-se destas palavras
> e creram na Escritura e na palavra de Jesus.
> (São João 2,21-22)

O primeiro templo de Jerusalém estava associado aos grandes reis, como Davi, que o projetou, e Salomão, que o construiu. O segundo templo recordava os grandes líderes do retorno do cativeiro; esse templo restaurado com sua magnificência dispendiosa estava relacionado à casa real de Herodes. Todas essas sombras de templos deveriam ser superadas pelo verdadeiro Templo, que destruiriam na Sexta-Feira Santa. No momento em que este foi destruído, o véu que pendia diante do Santo dos Santos seria rasgado de cima a baixo; e o véu de sua carne também seria rasgado, revelando o verdadeiro Santo dos Santos, o Sagrado Coração de seu Filho.

Ele usaria a mesma figura do templo em outra ocasião, ao falar aos fariseus:

> Ora, eu vos declaro que aqui está
> quem é maior que o templo.
> (São Mateus 12,6)

Foi assim que Ele respondeu ao pedido de um sinal. O sinal havia de ser Sua morte e Ressurreição. Mais tarde, prometeria aos fariseus o mesmo sinal, sob o símbolo de Jonas. Sua autoridade não seria provada somente pela morte, seria provada pela morte e Ressurreição. A morte seria provocada pelo coração maligno do homem e pela própria disposição de Jesus; a Ressurreição, apenas pelo poder onipotente de Deus.

Nesse momento, Ele chamava o templo de casa do Pai. Quando foi deixado lá, três anos depois, não o chamava mais de casa do Pai, porque as pessoas O haviam rejeitado; ao contrário, disse:

> Pois bem, a vossa casa vos é deixada deserta.
> (São Mateus 23,38)

Não era mais a casa de seu Pai, era a casa deles. O templo terreno deixou de ser o lugar onde Deus habita ao se tornar o centro de interesses mercenários. Sem Jesus, não era, de modo algum, um templo.

Aqui como alhures, Nosso Senhor provava ser, Ele mesmo, o único que veio ao mundo para morrer. A Cruz não era algo que vinha ao fim de Sua vida; era algo que pendia sobre Ele desde o início. Disse-lhes: "Destruí"; e eles Lhe disseram: "Crucifica-o". Nenhum templo jamais foi destruído de modo tão sistemático quanto Seu corpo. A abóbada do Templo, Sua fronte, foi coroada de espinhos; as fundações, seus sagrados pés, foram perfuradas por pregos; os transeptos, suas mãos, foram estendidos em forma de cruz; o coração do Santo dos Santos foi transpassado por uma lança.

Satanás o tentou com um sacrifício aparente ao pedir-Lhe que se lançasse do pináculo do templo. Nosso Senhor rejeitou essa forma de sacrifício espetacular. Entretanto, quando aqueles que poluíram a casa de Seu Pai pediram um sinal, Ele lhes ofereceu um sinal de tipo diferente, o de Seu sacrifício na Cruz. Satanás pediu a Jesus que se humilhasse; agora, Nosso Senhor Santíssimo dizia que, de fato, seria humilhado pela infâmia da morte. Seu sacrifício, contudo, não seria uma peça de exibicionismo sem sentido, mas um ato de auto-humilhação redentora. Satanás propôs que Ele expusesse Seu Templo à possível ruína por exibicionismo, por ostentação, mas Nosso Senhor expôs o templo de Seu corpo a certa ruína pela salvação e expiação. Em Caná, disse que ia ao encontro de Sua "hora"; no templo, disse que a hora da Cruz levaria à sua Ressurreição. Sua vida pública cumpriria o padrão dessas profecias.

7

Nicodemos, a serpente e a cruz

Jesus não deu muito destaque ao fato de não ser bem recebido no templo que era a casa de Seu Pai. O templo terreno desapareceria, e Ele, o verdadeiro templo em que Deus habitava, surgiria, novamente, em glória. Naquele momento, limitou-Se a provar que era o Messias pregando e operando milagres. Durante esses poucos dias, fez muito mais milagres do que foi registrado; e o Evangelho afirma que muitos, ao ver os milagres que Ele fazia, creram Nele. Um dos membros do Sinédrio admitiu não só que os milagres eram autênticos, mas também que Deus estava com Ele e operava tais sinais.

> Havia um homem entre os fariseus,
> chamado Nicodemos, príncipe dos judeus.
> (São João 3,1)

Segundo todos os padrões do mundo, Nicodemos pode ser descrito como um homem sábio. Era versado nas Escrituras, um homem religioso, visto que pertencia a uma das facções religiosas, os fariseus, que insistiam nas minúcias dos rituais exteriores. No entanto, Nicodemos não era, ao menos no início, um homem destemido, pois escolheu falar com Nosso Senhor Santíssimo no momento em que o manto das trevas o escondia dos olhos dos homens.

Nicodemos é a "personagem noturna" do Evangelho, pois sempre que o encontramos, está escuro. Essa primeira visita é, sem dúvida, descrita como noturna. Mais tarde, à noite, como membro do Sinédrio, foi ele quem falou em defesa de Nosso Senhor, ao dizer que nenhum homem deveria ser julgado antes de uma audiência. Na Sexta-Feira Santa, na noite após a crucifixão, José de Arimateia veio e

> Acompanhou-o Nicodemos
> (aquele que anteriormente fora de noite ter com Jesus),
> levando umas cem libras de uma mistura de mirra e aloés.
> (São João 19,39)

Apesar de existirem impedimentos sociais que desencorajavam a demonstração de qualquer interesse em Nosso Senhor, ele, mesmo assim, foi vê-Lo quando Jesus estava em Jerusalém para a Páscoa. Veio fazer reverência a Cristo e aprendeu, rapidamente, que esse tipo de reverência não bastava. Nicodemos disse-Lhe:

> Rabi, sabemos que és um Mestre vindo de Deus.
> Ninguém pode fazer esses milagres que fazes,
> se Deus não estiver com ele.
> (São João 3,2)

Entretanto, embora tenha visto milagres, Nicodemos não estava pronto para confessar a divindade Daquele que os operara. Ainda estava um pouco reticente, pois disfarçou sua personalidade sob o uso de um "nós" oficial. Esse é um truque que, às vezes, os intelectuais usam para fugir da responsabilidade pessoal; quer sugerir que, se uma mudança é necessária, deve ser para a sociedade em geral, em vez de ser para os próprios corações. Mais tarde, durante essa conversa noturna, Nosso Senhor repreendeu Nicodemos como "mestre" por ainda ignorar muitas profecias. Nisso, Nosso Senhor também mostrava ser mestre. No entanto, antes do amanhecer, no curso da longa discussão, Nosso Senhor proclamou que, embora fosse um mestre, não era apenas isso; era, primeiro e antes de mais nada, um Redentor. Afirmou que, não só a verdade humana na razão, mas um renascimento da alma, adquirido por Sua morte, era essencial para alguém se tornar um com Ele. Nicodemos começou chamando-O de mestre; ao final desse encontro, Nosso Senhor Se proclamara um Salvador.

A Cruz refletia-se por sobre todos os incidentes de Sua vida; ela nunca brilhou com tamanho fulgor para quem conhecia o Antigo Testamento como naquela noite. Esse fariseu pensava que Jesus era apenas um mestre, um Rabi, mas descobriu, no final, que havia cura naquilo que sempre foi tido, até então, como maldição; a saber, a crucifixão.

Nosso Senhor, em resposta, pediu-lhe que deixasse a ordem mundana.

> Em verdade, em verdade te digo:
> quem não nascer de novo
> não poderá ver o Reino de Deus.
> (São João 3,3)

A ideia que prevalecia no início da discussão entre Nicodemos e Nosso Senhor era a da vida espiritual ser diferente da vida física ou intelectual. A diferença entre a vida espiritual e a física, Jesus lhe dizia, era maior que a existente entre um cristal e uma célula viva. A vida espiritual não é um impulso vindo de baixo; é um dom vindo do alto. Um homem não se torna realmente menos egoísta e adquire uma mentalidade mais livre até que se torne um seguidor de Cristo. Deve haver um novo nascimento gerado do alto. Toda pessoa no mundo tem um primeiro nascimento na carne, mas Jesus disse que um segundo nascimento do alto seria necessário para a vida espiritual. É tão necessário que um homem "não pode", sem isso, entrar no Reino de Deus. Ele não disse "não irá", pois, a impossibilidade é real. Assim como uma pessoa não pode levar uma vida física a menos que nasça, da mesma maneira ninguém pode levar uma vida divina a menos que nasça de Deus. O primeiro nascimento nos faz filhos de nossos pais, o segundo nos faz filhos de Deus. A ênfase não é no autodesenvolvimento, mas na regeneração; não na melhoria de nosso estado atual, mas na mudança completa de nosso estado.

Vencido pela grandeza da ideia que lhe foi sugerida, Nicodemos pediu mais esclarecimentos. Podia compreender um homem *ser* o que é, mas não podia compreender um homem *se tornar* aquilo que não é. Nicodemos compreendia redecorar o homem velho, mas não criar um homem completamente novo. Daí a pergunta:

> Como pode um homem renascer, sendo velho?
> Porventura pode tornar a entrar no seio de sua mãe
> e nascer pela segunda vez?
> (São João 3,4)

Nicodemos não negava a doutrina do renascimento. Era um literalista; duvidava da precisão do termo "nascer". Nosso Senhor respondeu a essa dificuldade:

> Em verdade, em verdade te digo:
> quem não renascer da água e do Espírito

não poderá entrar no Reino de Deus.
O que nasceu da carne é carne,
e o que nasceu do Espírito é espírito.
Não te maravilhes de que eu te tenha dito:
Necessário vos é nascer de novo.
(São João 3,5-7)

A percepção de Nicodemos era inadequada. Só se aplicava à esfera carnal. Nicodemos não podia entrar no ventre de sua mãe uma segunda vez para nascer. Entretanto, o que era impossível à carne, era possível ao espírito. Nicodemos esperava instrução e ensinamento, mas, em vez disso, foram-lhe oferecidos regeneração e renascimento. O Reino de Deus foi apresentado como uma nova criação. Quando sai do ventre da mãe, o homem é apenas uma *criatura* de Deus, como uma mesa é a criação, em grau menor, do carpinteiro. Nenhum homem na ordem natural pode chamar Deus de "Pai": para fazer isso, o homem teria de se tornar algo que não é. Deve, por dom divino, partilhar da natureza de Deus, como atualmente partilha da natureza de seus pais. O homem faz o que lhe é diferente; mas gera o que é semelhante. Um artista pinta um retrato, mas esse retrato é diferente dele em natureza; uma mãe gera uma criança, e a criança é-lhe semelhante em natureza. Nosso Senhor sugere aqui que, acima da ordem dos feitos e da criação, está a ordem da geração, regeneração e renascimento pela qual Deus se torna nosso Pai.

É evidente que Nicodemos estava alarmado com essa abordagem puramente intelectual da religião, visto que Nosso Senhor lhe disse: "Não te maravilhes de que eu te tenha dito" (São João 3,7). Nicodemos conjecturava como poderia ser produzido esse efeito de regeneração. Nosso Senhor explicou que Nicodemos não compreendia esse segundo nascimento porque ignorava a obra do Espírito Santo. Poucos instantes depois, Jesus sugeriu que Sua morte reconciliaria a humanidade com o Pai, de modo que a humanidade seria regenerada pela ação do Espírito Santo. O novo nascimento que Nosso Senhor sugeriu escaparia aos sentidos e é conhecido somente pelos efeitos na alma.

Nosso Senhor empregou uma ilustração desse mistério: "Não podes compreender o sopro do vento, mas tu obedeces sua lei e, assim, aproveita sua força; assim também acontece com o Espírito. Obedece a lei do vento e ele encherá tuas velas e te levará para a frente. Obedece a lei do Espírito e conhecerás um novo nascimento. Não proteles o relacionamento com essa lei apenas porque não podes penetrar intelectualmente nesse mistério".

> O vento sopra onde quer;
> ouves-lhe o ruído, mas não sabes de onde vem,
> nem para onde vai.
> Assim acontece com aquele que nasceu do Espírito.
> (São João 3,8)

O Espírito de Deus é livre e sempre age livremente. Seus movimentos não podem ser antecipados por nenhum cálculo humano. Não podemos dizer quando a graça está por vir ou como agirá na alma; se virá como resultado da aversão ao pecado ou do anseio por um bem maior. A voz do Espírito está dentro da alma; a paz que ela traz, a luz que derrama e a força que dá estão inegavelmente ali. A regeneração do homem não é diretamente discernível ao olho humano.

Embora fosse um erudito sofisticado, Nicodemos estava, mesmo assim, perplexo pela sublimidade da doutrina que ouvia Daquele que era chamado de Mestre. Seu interesse como fariseu não estava na santidade pessoal, mas na glória de um reino terreno. Nesse momento, faz a pergunta:

> Como se pode fazer isso?
> (São João 3,9)

Nicodemos percebeu que a vida divina no homem não é apenas uma questão de *ser*; também encerra o problema do *tornar-se*, por intermédio de um poder que não está no homem, mas somente no próprio Deus.

Nosso Senhor explicou que Seu ensinamento era algo que nenhum mero ser humano jamais poderia ter pensado. Era, portanto, uma desculpa para a ignorância do fariseu. Afinal, nenhum homem jamais subiu aos céus para aprender os segredos celestiais e, então, retornou à terra para dar-lhes a conhecer. O único que poderia conhecê-los era Aquele que descera dos céus, Aquele que, como Deus, se fizera homem e agora falava a Nicodemos. Nosso Senhor, pela primeira vez, referiu-Se a Si mesmo como o Filho do Homem. Ao mesmo tempo, sugeria que era alguma coisa mais que isso, que também era o único divino Filho unigênito do Pai Celestial. Estava, na verdade, afirmando as naturezas divina e humana.

> Ninguém subiu ao céu senão aquele que desceu do céu,
> o Filho do Homem que está no céu.
> (São João 3,13)

Essa não foi a única vez que Nosso Senhor falou de Sua nova Ascensão aos céus ou referiu-Se ao fato de que tinha vindo dos céus. Para um dos apóstolos, disse:

> Em verdade, em verdade vos digo:
> vereis o céu aberto e os anjos de Deus
> subindo e descendo sobre o Filho do Homem.
> (São João 1,51)

> Pois desci do céu não para fazer a minha vontade,
> mas a vontade daquele que me enviou.
> (São João 6,38)

> Aquele que vem de cima é superior a todos.
> Aquele que vem da terra é terreno
> e fala de coisas terrenas.
> Aquele que vem do céu é superior a todos.
> (São João 3,31)

> Porventura não é ele Jesus,
> o filho de José, cujo pai e mãe conhecemos?
> Como, pois, diz ele: Desci do céu?
> (São João 6,42)

> Que será, quando virdes subir o Filho do Homem
> para onde ele estava antes?
> (São João 6,62)

Nosso Senhor nunca falou de Sua divindade ou de Sua glória ressuscitada sem trazer à baila a ignomínia da Cruz. Às vezes, falava primeiro da glória, como fazia naquele momento com Nicodemos, mas a crucifixão tinha de ser a condição. Nosso Senhor viveu tanto a vida celestial quanto a vida terrena; uma vida celestial como Filho de Deus, uma vida terrena como Filho do Homem. Ainda que continuasse a ser um com o Pai do céu, deu-Se aos homens na terra. A Nicodemos, afirmou que a condição da qual dependia a salvação dos homens seria a própria Paixão e morte. Deixou isso claro ao se referir à prefiguração da Cruz mais famosa do Antigo Testamento.

> Como Moisés levantou a serpente no deserto,
> assim deve ser levantado o Filho do Homem,
> para que todo homem que nele crer
> tenha a vida eterna.
> (São João 3,14-15)

O Livro dos Números relata que, quando o povo murmurou, rebelde, contra Deus, foi punido com a praga de serpentes ferozes, de maneira que muitos perderam a vida. Quando se arrependeram, Moisés ouviu de Deus que fizesse uma serpente de bronze e a erguesse como sinal, e todos os picados pela serpente que olhassem para aquele sinal seriam curados. Nosso Senhor Santíssimo agora declarava que Ele seria erguido, como a serpente o fora. Do mesmo modo como a serpente de bronze tinha a aparência de uma serpente e, ainda assim, faltava-lhe o veneno, Ele também, quando fosse erguido no lenho da Cruz, teria a aparência de um pecador e, ainda assim, não teria pecado. Assim como todos os que olharam para a serpente de bronze foram curados das picadas, também todos os que olhassem para Ele com amor e fé seriam curados da picada da serpente do mal.

Não bastava que o Filho do Homem descesse dos céus e aparecesse como Filho do Homem, pois assim teria sido apenas um grande mestre e um grande exemplo, mas não um Redentor. Para Ele era mais importante cumprir o propósito de Sua vinda, redimir o homem do pecado enquanto mantivesse a semelhança com a carne humana. Os Mestres mudam os homens com suas vidas; Nosso Senhor Santíssimo mudaria os homens com Sua morte. O veneno do ódio, da sensualidade e da inveja que está no coração dos homens não pode ser curado apenas por sábias exortações e reformas sociais. O preço do pecado é a morte e, portanto, a expiação do pecado teria de ser pela morte. Assim como nos sacrifícios antigos o fogo queimava de maneira simbólica o pecado imputado juntamente com a vítima, do mesmo modo, na Cruz, os pecados do mundo seriam descartados pelo sofrimento de Cristo, pois Ele seria erguido como sacerdote e prostrado como vítima.

Os dois maiores estandartes já desfraldados foram a serpente e o Salvador. E, ainda assim, há uma diferença infinita entre eles. O teatro de um foi o deserto, e a audiência, poucos milhares de israelitas; o teatro do outro foi o universo, e a audiência, toda a humanidade. De um adveio a cura do corpo, a ser desfeita em breve, mais uma vez, pela morte; do outro jorrou a cura da alma, até a vida eterna. E, mesmo assim, um é a prefiguração do outro.

Entretanto, embora Ele tenha vindo para morrer, insistiu no fato de que a morte seria voluntária, não por ser demasiado fraco para se defender dos inimigos. A única causa de Sua morte seria o amor; como disse a Nicodemos:

> Com efeito, de tal modo Deus amou o mundo,
> que lhe deu seu Filho único,
> para que todo o que nele crer não pereça,
> mas tenha a vida eterna
> (São João 3,16)

Nessa noite, quando um ancião veio ter com o mestre divino que assombrou o mundo com milagres, Nosso Senhor contou a história de Sua vida. Foi uma vida que não começou em Belém, mas que existiu desde sempre na divindade. Ele era o Filho de Deus que se tornou Filho do Homem, porque o Pai O enviou na missão de redimir o homem por amor.

Se há algo que um bom mestre deseja, é uma vida longa para tornar conhecido seu ensinamento e adquirir sabedoria e experiência. A morte é sempre uma tragédia para um grande mestre. Quando foi dado a Sócrates o suco de cicuta, sua mensagem foi, de uma vez por todas, rompida. A morte foi uma pedra de tropeço para Buda e seu ensinamento das oito vias. O último suspiro de Lao-Tsé cerrou a cortina de sua doutrina no que se referia ao *Tao* ou ao "nada fazer" contra a autodeterminação agressiva. Sócrates ensinara que o pecado era devido à ignorância e que, portanto, o conhecimento tornaria o mundo bom e perfeito. Os mestres orientais se preocupavam com o homem ficar enredado em alguma grande roda do destino. Daí a recomendação de Buda de que o homem fosse ensinado a esmagar os desejos e, assim, encontrar a paz. Quando Buda morreu, aos oitenta anos, não apontou para si, mas para a lei que tinha deixado. A morte de Confúcio estancou seus ensinamentos morais sobre como aperfeiçoar o Estado por intermédio de relações gentis recíprocas entre o príncipe e o súdito, o pai e o filho, entre irmãos, marido e mulher, e entre amigos.

Na conversa com Nicodemos, Nosso Senhor proclamou a Si mesmo como a Luz do Mundo. No entanto, a parte mais surpreendente de Seu ensinamento era dizer que ninguém O compreenderia enquanto estivesse vivo, e que Sua morte e Ressurreição seriam essenciais para essa compreensão. Nenhum outro mestre no mundo jamais disse que sofreria uma morte violenta para esclarecer seu ensinamento. Eis um mestre que tornou Seu ensino secundário a ponto de afirmar que o único caminho possível para atrair os homens a si *não era sua doutrina, nem aquilo que disse, mas sua crucifixão.*

> Quando tiverdes levantado o Filho do Homem,
> então conhecereis quem sou.
> (São João 8,28)

Não disse que o que compreenderiam seria o ensinamento; antes, alcançariam Sua personalidade. Somente então entenderiam, após enviá-Lo à morte, que Ele falava a verdade. Sua morte, portanto, em vez de ser o final de uma série de derrotas, seria um sucesso glorioso, o auge de Sua missão na terra.

Por isso, a grande diferença das estátuas e pinturas de Buda e de Cristo. Buda está sempre sentado, de olhos fechados, mãos entrelaçando o corpo roliço. Cristo nunca está sentado; está sempre erguido e entronizado. Sua pessoa e morte estão no centro e na alma de Sua lição. A Cruz, e tudo o que ela encerra, é, mais uma vez, central em Sua vida.

8
Salvador do mundo

Depois de purificar o templo, operar milagres em Jerusalém e dizer a Nicodemos que viera para morrer por aqueles que foram picados pela serpente do pecado, Nosso Senhor saiu de Jerusalém, que O rejeitara, e foi à "Galileia dos gentios". O caminho mais comum entre a Judeia, no sul, e a Galileia, ao norte, era por Pereia. Os judeus tomavam esse caminho para evitar passar pela terra dos samaritanos. Nosso Senhor, entretanto, não o tomou. Declarou que o templo era para todas as nações e foi chamado a ministrar a todos os povos e raças.

>Ora, devia passar por Samaria.
>(São João 4,4)

O Evangelho fala de Sua morte e redenção como um "dever". O que acontecera em Samaria estava relacionado àquela ordem — de que devia oferecer Sua vida vicariamente pela humanidade.

Separando as duas províncias, Judeia e Galileia, havia uma faixa de terra habitada por uma raça mestiça meio estrangeira, os samaritanos. Entre eles e os judeus, havia uma hostilidade já antiga. Os samaritanos eram uma raça híbrida, formada séculos antes, quando os israelitas foram levados cativos. Os assírios enviaram alguns de seu próprio povo para misturar-se com eles, criando assim uma nova raça. Os primeiros colonizadores de Samaria trouxeram consigo a idolatria, mas, posteriormente, houve a introdução de um judaísmo espúrio. Os samaritanos aceitaram os cinco livros de Moisés e alguns dos profetas; mas todos os outros livros históricos foram rejeitados porque recontavam a história dos judeus, a quem eles desprezavam. A adoração deles era feita num templo no Monte Gerizim.

Nenhum judeu jamais pronunciava a palavra "samaritano", de tão abominável que era. Assim, quando perguntaram ao doutor da lei quem era o próximo, ele usou um circunlóquio.[10] Por outro lado, o termo mais ofensivo que os judeus podiam aplicar a alguém era chamá-lo "samaritano", como certa vez chamaram Nosso Senhor, que ignorou a provocação (João 8,48). Mais tarde, no entanto, na história do Bom Samaritano, o próprio Jesus representou a Si mesmo como um "certo samaritano", indicando a humilhação e o escárnio lançados sobre Ele em Sua vinda à terra.

Nosso Bendito Senhor não evitou essas pessoas. O Criador de todos os mundos precisava passar pela casa da humanidade "estrangeira" em Seu caminho ao trono celestial. Um Amor Soberano pôs esta necessidade sobre Ele. Era meio-dia, e Nosso Bendito Senhor estava "cansado de Sua jornada"; então, sentou-se próximo à fonte de Jacó. No entanto, junto com esta fraqueza, apareceu ali Sua onisciência, quando Ele leu o coração de uma mulher. Cristo estava cansado com o trabalho, não do trabalho. As duas maiores conversões que Nosso Bendito Senhor já fez, a mulher siro-fenícia e esta mulher, ambas se deram quando Ele estava cansado. Quando parecia mais inadequado para realizar os negócios do Pai, fazia-o mais efetivamente. São Paulo foi levado do trabalho para a prisão; mas converteu alguns dos carcereiros e escreveu suas epístolas. A disposição do coração sempre cria as próprias oportunidades.

> Veio uma mulher da Samaria tirar água.
> (São João 4,7)

Era incomum que uma mulher no Oriente viesse no calor do dia retirar água. A razão para esse comportamento incomum será descoberta um pouco mais tarde. Nada em sentido terreno era mais fortuito do que uma mulher levando um jarro de água a um poço; ainda assim, foi uma dessas providências cotidianas de Deus, que ajudam a desvendar o enigma de uma alma. Ela não sabia do grande favor que estava à sua espreita. Ele estava lá primeiro. Como escreveu Isaías:

> Mantive-me à disposição das pessoas que não me consultavam.
> (Isaías 65,1)

---

10 | No final parábola do "bom samaritano" (Lucas 10,29-37), a resposta à pergunta "Qual destes três parece ter sido o próximo daquele que caiu nas mãos dos ladrões?" não foi um simples "o samaritano", mas, justamente, o circunlóquio a que o autor faz referência: Aquele que usou de misericórdia para com ele". (N. T.)

Foi Nosso Senhor quem encontrou Zaqueu, não Zaqueu a Ele; Paulo também foi encontrado quando não estava procurando seu Senhor. O poder de atração do Mestre Divino foi enfatizado mais tarde:

> Ninguém pode vir a mim se o Pai, que me enviou, não o atrair.
> (São João 6,44)

Conforme enchia o jarro, ela já devia ter tentado evitar Nosso Bendito Senhor, pois reconhecera Nele a fisionomia de um judeu, com quem os samaritanos nada tinham em comum. Mas, para sua surpresa, o estrangeiro ao lado do poço dirigiu-se a ela com um pedido:

> Dá-me de beber.
> (São João 4,7)

Sempre que queria fazer um favor, Nosso Senhor começava pedindo um. Ele não começou com uma reprovação, mas com um pedido. Sua primeira palavra foi "Dá-me!". Sempre deve haver um esvaziamento do humano antes que possa haver um preenchimento com o divino, assim como o divino esvaziou-se a Si mesmo para preencher-se do humano. A água, um assunto proeminente nos pensamentos dela, tornou-se o denominador comum entre o sem pecado e a pecadora.

> Sendo tu judeu, como pedes de beber a mim, que sou samaritana!
> (São João 4,9)

Nesta longa conversa entre os dois, havia uma progressão do desenvolvimento espiritual que enfim culminou com ela vindo ao conhecimento de Cristo, o Salvador. Com a compreensão imperfeita do princípio, olhou para Ele com desdém como membro de certa raça ou povo. À primeira vista, Ele era só "um judeu". A resposta de Nosso Senhor sugeria que realmente não era o recebedor, mas o doador. Ela errara ao pensar que Ele estava precisando de ajuda, quando, na verdade, era ela que precisava Dele.

> Se conhecesses o dom de Deus,
> e quem é que te diz:

> Dá-me de beber,
> certamente lhe pedirias tu mesma
> e ele te daria uma água viva.
> (São João 4,10)

Ele apresentou a Si mesmo sob a imagem da água, como um pouco mais tarde, quando os homens pediriam pão para comer, Ele se apresentaria sob a aparência de pão. Embora falasse de Si como o dom de Deus, a mulher via Nele apenas um homem de outra raça cansado da viagem. Seus olhos não podiam ver além da aparência externa até a natureza divina santificada no interior. Ela via o judeu, mas não o Filho de Deus; o homem fatigado, mas não o descanso das almas fatigadas; o peregrino sedento, mas não Aquele que podia saciar a sede do mundo. A pena daqueles que vivem demasiado próximos da carne é jamais compreenderem o espiritual. O respeito dela por ele, todavia, só aumenta quando ela diz:

> Senhor, não tens com que tirá-la, e o poço é fundo...
> donde tens, pois, essa água viva?
> És, porventura, [um homem] maior do que o nosso pai Jacó,
> que nos deu este poço, do qual ele mesmo bebeu
> e também os seus filhos e os seus rebanhos?
> (São João 4,11-12)

Ele agora já não foi chamado "judeu", mas "homem". A mulher desconfiava, embora não compreendesse bem as palavras Dele, que Ele, sendo judeu, estava desdenhando as tradições do povo dela. Ele respondeu que era maior que Jacó:

> Todo aquele que beber desta água
> tornará a ter sede,
> mas o que beber da água que eu lhe der
> jamais terá sede.
> Mas a água que eu lhe der
> virá a ser nele fonte de água,
> que jorrará até a vida eterna.
> (São João 4,13-14)

Aqui estava Sua filosofia de vida. Toda satisfação humana dos desejos do corpo e da alma têm um defeito; não se satisfazem para sempre. Servem apenas para aplacar a necessidade presente; mas nunca a extinguem. O desejo sempre brota novamente. As águas que o mundo dá voltam à terra outra vez; mas a água da vida que Ele dá é um impulso sobrenatural e impele em direção ao próprio céu.

Nosso Bendito Senhor não tentou desapropriar as cisternas rotas do mundo sem oferecer algo melhor. Ele não condenou os rios terrenos nem os proibiu; só disse que, se ela se limitasse aos poços da felicidade humana, jamais seria plenamente satisfeita.

Ela não conseguia entender a graça ou o poder celestial sob a analogia da água para o corpo; pois havia muito ela saciara a sede nas águas turvas da gratificação sensual. Ela prossegue:

> Senhor, dá-me desta água,
> para eu já não ter sede
> nem vir aqui tirá-la!
> (São João 4,15)

Ela já não o chama "judeu" nem "homem", mas "Senhor". Ainda havia confusão na mente da mulher, pois imaginava que a promessa Dele a isentaria do enfado de ir até o poço. Nosso Senhor falou do alto do entendimento espiritual; a mulher, das profundezas do conhecimento sensível. As janelas de sua alma tinham se tornado sujas com o pecado, de modo que ela não podia ver o significado espiritual no universo material.

Nosso Bendito Senhor, vendo que ela não compreendia a lição espiritual, agora pôs em evidência o motivo por que ela não entendia o que Ele queria dizer: a vida dela era imoral. Penetrou na consciência dela com uma mudança brusca de assunto:

> Vai, chama teu marido e volta cá.
> (São João 4,16)

Ele pretendia suscitar nela o sentimento de vergonha e pecado. "Vai..., vem... *Vai* e encara a verdade da vida que vives; *vem* e recebe as águas da vida". A mulher respondeu:

> Não tenho marido.
> (São João 4,17)

Esta foi uma confissão honesta e verdadeira até então; mas não foi longe o bastante. Ela pedira água viva, mas não sabia ainda que o poço deve primeiro ser cavado. Na profundeza do espírito da mulher havia a potência para o dom Dele; mas as águas da graça não podiam fluir por causa das rochas duras do pecado, das muitas camadas de transgressão, os hábitos terríveis como solo argiloso, e os diversos depósitos de pensamentos carnais. Tudo isso tinha de ser escavado antes que se pudesse ter água viva. O pecado tinha de ser confessado antes que se pudesse obter a salvação. A consciência precisa vir à tona. Com a habilidade de mestre, Nosso Senhor estava expondo a ela toda a conduta devassa e, como o clarão de um relâmpago, despertando nela o senso de culpa na consciência.

Nosso Senhor respondeu:

> Tens razão em dizer que não tens marido.
> (São João 4,17)

Ele louvou a confissão honesta da mulher. Um médico de almas pouco habilidoso provavelmente teria repreendido a mulher com severidade por ter ocultado a verdade. Nosso Senhor, ao contrário, disse "Tens razão". Mas então prosseguiu:

> Tiveste cinco maridos,
> e o que agora tens não é teu.
> Nisto disseste a verdade.
> (São João 4,18)

O homem com quem ela estava morando não era seu marido; ela havia caído tão fundo na degradação que não passou pela sanção jurídica do casamento pela qual, em outros tempos, teria passado.

A mulher sentiu que Nosso Senhor estava "intrometendo-se". Ele estava sondando-lhe a moral e o comportamento e concluindo que não podia receber o dom que Ele tinha a dar por causa de seu modo de vida. Ela então fez o que milhões de pessoas fazem quando a religião exige uma reforma de conduta: *mudou de assunto*. Ela estava disposta a fazer da religião objeto de discussão, mas não queria fazer dela uma questão de decisão. Nosso Bendito Senhor tinha trazido à tona o assunto sobre a ordem moral, isto é, o modo como ela se conduzia pessoalmente diante de Deus e de sua consciência. Para evitar o problema moral, ela primeiro tentou a lisonja, depois incluiu um problema especulativo:

> Senhor, disse-lhe a mulher, vejo que és profeta!
> (São João 4,19)

Ela, que a princípio o tinha chamado "judeu", depois "homem" e, em seguida, "senhor", agora o chamava "profeta". Ela levou a discussão sobre religião para um plano puramente intelectual, a fim de que pudesse não ser afetada moralmente. E acrescentou:

> Nossos pais adoraram neste monte,
> mas vós dizeis que é em Jerusalém
> que se deve adorar.
> (São João 4,20)

A mulher fez uma tentativa estranha de sair daquela situação embaraçosa. Tentou colocar uma pista falsa na estrada ao trazer à pauta a velha disputa religiosa. Os judeus adoravam em Jerusalém; os samaritanos no Monte Gerizim. Ela tentou esquivar-se da flecha dirigida a sua consciência ao introduzir um assunto especulativo. Isso distrairia a alma dela de seu mal.

Mas Ele respondeu:

> Mulher, acredita-me, vem a hora
> em que não adorareis o Pai,
> nem neste monte nem em Jerusalém.
> Vós adorais o que não conheceis,
> nós adoramos o que conhecemos,
> porque a salvação vem dos judeus.
> Mas vem a hora, e já chegou,
> em que os verdadeiros adoradores
> hão de adorar o Pai em espírito e verdade,
> e são esses adoradores que o Pai deseja.
> Deus é espírito, e os seus adoradores
> devem adorá-lo em espírito e verdade.
> (São João 4,21-24)

Ele estava contando que as discussõezinhas locais extinguir-se-iam em breve. A controvérsia entre Jerusalém e Samaria seria superada; pois, como predissera Simeão, Ele seria a Luz dos Gentios. Nosso Senhor, entretanto, reconheceu os judeus ao dizer:

> Porque a salvação vem dos judeus.
> (São João 4,22)

De fato, o Messias, o Filho de Deus e Salvador, surgiria de entre eles e não dos samaritanos. "Salvação" equivale ao Salvador, pois Simeão, enquanto segurava o bebê, declarara que seus olhos tinham visto "Salvação". Israel era o canal pelo qual a salvação de Deus seria transmitida ao mundo. Era a árvore que tinha sigo regada por séculos, e que agora tinha dado uma flor perfeita: o Messias e Salvador.

As palavras de Nosso Senhor levaram a pobre pecadora a águas mais profundas do que ela podia vencer, e transportaram-na a um reino de verdades grandes demais para seu entendimento. No entanto, uma coisa que Ele disse, sobre uma hora por vir em que haveria verdadeira adoração ao Pai, ela entendeu vagamente, pois os próprios samaritanos tinham alguma crença no Messias. Ela respondeu:

> Sei que deve vir o Messias (que se chama Cristo);
> quando, pois, vier,
> ele nos fará conhecer todas as coisas.
> (São João 4,25)

Ela ainda não lhe dera o título de "Messias", mas faria o reconhecimento em um instante. Os samaritanos conheciam o Antigo Testamento o suficiente para saber que Deus enviaria seu Ungido; mas, em sua religião pervertida, Ele era meramente um profeta, assim como para os judeus, em seu entendimento pervertido, era um rei político. A declaração dela equivalia a dizer que ela esperava o Prometido de Deus. Em resposta à fé frágil, Nosso Senhor respondeu:

> Sou eu, quem fala contigo.
> (São João 4,26)

Estava resolvido agora; a adoração já não deveria centrar-se em Jerusalém nem no Monte Gerizim, mas no próprio Cristo.

Neste momento, os discípulos voltaram da cidade, depois que a mulher deixara o poço. Mas, em sua empolgação, ela esqueceu o jarro de água. A água podia ser pega em qualquer momento. Agindo impulsivamente, ela correu à cidade para contar aos homens:

> Vinde e vede um homem
> que me contou tudo o que tenho feito.
> Não seria ele, porventura, o Cristo?
> (São João 4,29)

Aqui estava o novo título dado a Nosso Senhor. Agora Ele era o "Cristo". Ela começou com um convite urgente. A mulher não dizia que Ele lhe tinha dito tudo que se relacionava à adoração a Deus; mas todas as coisas que ela tinha feito, até mesmo as próprias faltas que preferiria esconder. O sol não brilha antes de nascer; o fogo não arde antes de acender-se; assim também a graça age quando a alma coopera. Ela se tornou uma das primeiras missionárias domésticas na história do cristianismo.

Essa mulher contou o que esperariam que escondesse. Ela foi buscar água e, quando encontrou o Verdadeiro Poço, deixou para trás o jarro com água assim como os apóstolos abandonaram as redes.

Nosso Senhor, também, nessa ocasião, esqueceu Sua fome, e quando os apóstolos O instaram a comer, disse-lhes que tinham uma comida que eles não conheciam (São João 4,34).

Vale notar que a mulher samaritana contou aos homens de seu encontro com Cristo. Pode muito bem ter acontecido que as mulheres na cidade não quisessem associar-se a ela. É por isso que foi ao poço ao meio-dia; as outras iam no frescor da manhã ou à noite. Aparentemente porque as mulheres tinham-na marginalizado, ela transmitiu a mensagem primeiro aos homens. E evidentemente fez um trabalho bem feito na vila, pois o Evangelho nos diz:

> Muitos foram os samaritanos daquela cidade
> que creram nele por causa da palavra da mulher,
> que lhes declarara: Ele me disse tudo quanto tenho feito.
> (São João 4,39)

A mulher não disse "Acreditai no que digo"; antes, disse-lhes: "Vinde e vede". Façam uma investigação; deixem de preconceito. Seu modo sincero convenceu os homens. Poucas horas mais tarde, ela correu ao poço novamente, com os homens atrás dela; mas dessa vez com um propósito diferente — ela buscava a salvação.

> Assim, quando os samaritanos foram ter com ele,
> pediram que ficasse com eles.
> Ele permaneceu ali dois dias.
> Ainda muitos outros creram nele
> por causa das suas palavras.
> (São João 4,40-41)

Depois de ver Nosso Senhor, disseram à mulher:

> Já não é por causa da tua declaração que cremos,
> mas nós mesmos ouvimos e sabemos
> ser este verdadeiramente o Salvador do mundo.
> (São João 4,42)

Essa foi a primeira vez que a frase "Salvador do mundo" foi usada para descrever Nosso Senhor. O crescimento espiritual da mulher agora estava completo. No início, Cristo era para ela um "judeu"; depois, um "homem"; em seguida, "senhor"; então, um "profeta"; depois, "o Messias" e, enfim, "o Salvador do mundo" e "redentor do pecado". A conversão pode ser rápida para alguns, mas não estava completa nessa mulher até que ela viu que Nosso Senhor não veio para salvar justos, mas pecadores. Nenhum milagre físico foi realizado; nenhuma cura, nenhum cego voltou a enxergar. A maravilha deu-se em uma alma pecaminosa. Da libertação do pecado veio o título mais glorioso. A Cruz não foi mencionada, mas Aquele que seria levado ao madeiro estava claramente mencionado: "Salvador do mundo". A Cruz estava com Ele por toda parte bem antes de ser pregado nela.

Em contraste com essa mulher estavam os fariseus. Eles negavam o pecado, mas tinham todos os efeitos do pecado: terror, angústia, medo, infelicidade e vazio; ao negar a causa, tornavam a cura impossível. Se os famintos negam a fome, quem será o portador do pão? Se os pecadores negam o pecado e a culpa, quem lhes será o Salvador? Desses fariseus presunçosos e orgulhos, disse Nosso Senhor:

> Não são os homens de boa saúde que necessitam de médico.
> (São Lucas 5,31)

O mundo é constituído por duas classes de pessoas: aqueles que encontraram a Deus, e aqueles que O estão procurando — sedentos, famintos, ávidos! E os grandes pecadores chegam mais perto Dele do que os intelectuais orgulhosos! O orgulho intumesce e infla o ego; pecadores contumazes são deprimidos, diminuídos, vazios. Portanto, têm lugar para Deus. Deus prefere pecadores amorosos a "santos" sem amor. O amor pode ser treinado; o orgulho, não. O homem que pensa que sabe raramente encontrará a verdade; o homem que sabe que é um pecador miserável e infeliz, como a mulher do poço, está mais perto da paz, da alegria e da salvação do que imagina.

Milhões de pessoas neste mundo têm graça *branca* nas almas; sentem a presença divina. Milhões de outras têm a graça *negra*; não sentem a presença de Deus, mas Sua *ausência*. A mulher samaritana, que primeiro sentiu sua ausência, veio a sentir Sua presença. Mas se ela jamais tivesse pecado, jamais teria chamado Cristo de "Salvador". Ele não veio com um livro na mão apenas para ler àqueles que quisessem ser ensinados; Ele fez mais: veio com sangue em Seu corpo para derramá-lo como pagamento completo de uma dívida que o homem jamais poderia pagar.

9

O PRIMEIRO ANÚNCIO PÚBLICO DE SUA MORTE

A história de todo homem é contada por dois breves momentos: a data de nascimento e data de falecimento. Na vida de apenas uma pessoa que viveu nesta terra, a morte veio em primeiro lugar, no sentido de que morrer era a razão de sua vinda. Como diz Robert Browning:

> Creio que este é o sinal autêntico e o selo
> Da divindade; que sempre se enche de contente
> E mais contente, até o contentamento florescer, irromper
> Em furor para sofrer pela humanidade.[11]

Apesar de ter vindo para morrer, não veio por causa da morte. Por isso, sempre que há um sofrimento, uma morte ou mesmo quando é mencionada uma humilhação, há sempre o contraponto da glória, da vitória ou da exaltação. A divindade reluz sempre que a sua natureza humana é humilhada. A relação intrínseca perpassa toda a sua vida. Se nasceu de uma donzela humilde em um estábulo, havia anjos dos céus para anunciar Sua glória; se Ele Se rebaixou à companhia de um boi e um asno em uma manjedoura, havia uma estrela brilhante para guiar os gentios até Ele como um rei; se teve fome e foi tentado no deserto, havia anjos para O assistir; se se verteu Seu sangue no Getsêmani, foi porque o Pai Celeste estendeu-Lhe o cálice; se foi preso porque chegara a Sua hora, havia 12 legiões de anjos para liberá-Lo caso não desejasse oferecer a vida pelos homens; se Se humilhou como pecador para receber o batismo de João, havia a voz do céu para proclamar a glória do Filho Eterno que não precisava de purificação; se havia citadinos para rejeitá-Lo e lançá-Lo de um penhasco, havia o poder divino para andar

---

11 | No original: "*I think this is the authentic sign and seal/ Of godship; that it ever waxes glad/ And more glad, until gladness blossoms, bursts/ Into a rage to suffer for mankind.*" (N. T.)

entre eles ileso; se foi pregado a uma cruz, havia o sol para esconder a face envergonhado e a terra para estremecer em revolta ao que as criaturas fizeram com seu criador; se foi posto no sepulcro, havia anjos para proclamar Sua Ressurreição.

O que torna a vida de Cristo única é Ele ter condicionado a instituição de Seu Reino na terra e no céu ao sofrimento e à morte. Sua vitória sobre o mal, ao absorver o pior que o mal poderia fazer, tinha, para ele, um caráter representativo e secundário. Citando Isaías, disse que viria a ser "contado entre os malfeitores" (Isaías 53,12). Entretanto, sua vitória sobre a morte, por intermédio da Cruz, passaria para os homens que reproduziriam a experiência de carregar a cruz em suas vidas.

A Cruz estava em todos os lugares da vida de Cristo. Não podia falar abertamente a esse respeito, pois, quando o fez, mesmo os amigos mais próximos, os apóstolos, não captaram o significado. O primeiro anúncio público de que veio para morrer foi instigado pelos fariseus ao discutirem com ele a questão do jejum. Os fariseus haviam reclamado com os discípulos que Nosso Senhor comia e bebia com companhias muito questionáveis. Ao se afiliarem, no momento, às práticas de jejum de João Batista, reclamaram que Nosso Senhor e os discípulos estavam comendo, ao passo que os discípulos de João jejuavam. Uma pessoa devota em Israel jejuava duas vezes na semana, a saber, às segundas e sextas-feiras, que criam ser os dias em que Moisés subiu ao Monte Sinai. Aparentemente, Nosso Senhor não estava jejuando com os discípulos da mesma maneira que João Batista jejuava. Isso foi o bastante para que, mais tarde, os fariseus o chamassem de glutão e beberrão. A resposta que Nosso Bendito Senhor deu à pergunta de por que os discípulos não jejuavam foi muito mais profunda do que aparenta à primeira vista.

> Podem porventura jejuar os convidados das núpcias,
> enquanto está com eles o esposo?
> Enquanto têm consigo o esposo,
> não lhes é possível jejuar.
> (São Marcos 2,19)

Ele denominava-se "o esposo". Os fariseus, que conheciam bem o Antigo Testamento, estavam familiarizados com essa ideia. A relação entre Deus e Israel sempre foi a do esposo e a da esposa. Sete séculos antes, o profeta Oseias ouviu Deus falar a Israel:

> Desposar-te-ei para sempre,
> desposar-te-ei conforme a justiça e o direito,
> com benevolência e ternura.
> Desposar-te-ei com fidelidade,
> e conhecerás o Senhor.
> (Oseias 2,21-22)

A profecia de Isaías, entre outros, também falava da relação entre Deus e Israel em termos de esposo e esposa:

> Pois teu esposo é o teu Criador:
> chama-se o Senhor dos exércitos;
> teu Redentor é o Santo de Israel:
> chama-se o Deus de toda a terra.
> (Isaías 54,5)

Os ouvintes sabiam o que estava a dizer, que Ele era Deus; ele era o senhor a quem Israel desposara. Tomou o lugar do Deus do Antigo Testamento, reivindicando os mesmos direitos e privilégios. Nosso Senhor fez outras referências a Si mesmo como esposo na parábola do banquete para o filho do rei (São Mateus 22,1-14) e na parábola das dez virgens em que o esposo que vinha era Ele mesmo (São Mateus 25,1-13). João Batista, antes, quando viu Nosso Senhor, também reconheceu o Cristo sob a personagem do esposo do Antigo Testamento:

> Eu não sou o Cristo, mas fui enviado diante dele.
> Aquele que tem a esposa é o esposo.
> O amigo do esposo, porém,
> que está presente e o ouve,
> regozija-se sobremodo com a voz do esposo.
> Nisso consiste a minha alegria, que agora se completa.
> (São João 3,28-29)

João era o único amigo do esposo, o "padrinho" das núpcias ou o precursor do Messias. No entanto, o próprio Cristo era o noivo porque, ao tomar a natureza humana em Belém sem nunca ter sido uma pessoa, potencialmente desposou toda a humanidade. Até a hora em que o pecado seria derrotado e o esposo tomaria como noiva a humanidade regenerada, ou a

Igreja, João prepararia as núpcias. Mais tarde, Paulo, ao descrever-se como quem desempenhava um papel como o de João Batista, salvo que o papel seria em relação à Igreja de Corinto, disse:

> Eu vos consagro um carinho e amor santo,
> porque vos desposei com um esposo único
> e vos apresentei a Cristo como virgem pura.
> (2 Coríntios 11,2)

A antiga Israel que era a noiva tornar-se-ia a nova Israel, ou a Igreja, e, no fim dos tempos, as núpcias gloriosas entre o esposo e a esposa seriam celebradas nos céus:

> Alegremo-nos, exultemos e demos-lhe glória,
> porque se aproximam as núpcias do Cordeiro.
> Sua Esposa está preparada.
> Foi-lhe dado revestir-se de linho puríssimo e resplandecente.
> (Pois o linho são as boas obras dos santos).
> (Apocalipse 19,7-8)

A resposta à pergunta dos fariseus era que os discípulos de Nosso Senhor não jejuavam porque não estavam tristes: de fato, estavam felizes, porque Deus andava sobre a terra com eles. Enquanto estava com eles, só poderia haver alegria. Entretanto, nem sempre seria assim sobre a terra. Ele veio para morrer. Mais uma vez, há uma conexão inseparável entre a Cruz e a glória. Então, começou a falar de sua morte.

> Dias virão, porém, em que o esposo lhes será tirado,
> e então jejuarão.
> (São Marcos 2,20)

O esposo será crucificado; ele travará guerra contra as forças do mal e então reclamará por sua noiva. Da alegria da festa passariam à tristeza melancólica do jejum, quando o esposo seria ferido.

Esse foi o primeiro anúncio público de Sua morte. Seu propósito primário ao responder aos fariseus não era enfatizar a prática do jejum, mas anunciar a aniquilação do noivo. Sugeriu, além disso, que Sua morte não seria um golpe do destino, mas uma parte essencial de sua missão. No momento em que Nosso Senhor Bendito falava da alegria de uma festa de casamento, olhou para baixo, para o abismo de sua Cruz, e viu-se pendido ali. A sombra da Cruz nunca o deixou, nem mesmo quando se rejubilava como esposo. A Sexta-Feira Santa e a Páscoa uniam-se novamente, mas de modo reverso. Era a partir da alegria que Ele olhava para a Cruz no primeiro anúncio de Si mesmo como o esposo.

10
A escolha dos 12

O grande mandamento de Nosso Senhor era: "Segue-me!". Ao chamar os outros para Si, introduziu a ideia de que o homem deve ter responsabilidade sobre o outro. Era um prolongamento do princípio de Sua encarnação: aquele que é Deus ensinaria, redimiria e santificaria por meio da natureza humana que recebera de Maria. Entretanto, Ele trabalharia também por meio de outras naturezas humanas, a começar por aqueles 12 primeiros a quem chamou para ser Seus seguidores. Não era aos anjos que cabia a administração dos homens: o governo do Pai seria posto nas mãos de seres humanos. Esse é o significado do chamado apostólico dos 12.

Há quem se impressione com o objetivo gigantesco que Ele propôs a Seus seguidores: a conquista moral do mundo inteiro; estes haveriam de ser "a luz do mundo", o "sal da terra" e a "cidade que não pode ser ocultada". Ele chamou homens simples para assumir uma visão quase cósmica da missão, pois sobre eles Cristo edificaria Seu Reino. Essas luzes escolhidas teriam de lançar os raios sobre o resto da humanidade, em todas as nações.

No ensaio *Os doze homens*, a respeito do sistema jurídico britânico, G. K. Chesterton escreveu:

> Sempre que quer catalogar uma biblioteca, ou descobrir um sistema solar, ou qualquer outra trivialidade dessas, nossa civilização usa seus especialistas. Mas, quando deseja que algo realmente sério seja feito, ela reúne 12 homens comuns. A mesma coisa foi feita, se bem me lembro, pelo fundador do cristianismo.[12]

É evidente que, desde o início, Nosso Bendito Senhor pretendia estender Seu magistério, Seu reino e Sua própria vida "até a consumação do mun-

---

12 | Este ensaio foi publicado em português na seguinte edição: G. K. Chesterton, *Tremendas trivialidades*. Trad. Mateus Leme. Campinas: Ecclesiae, 2014. (N. T.)

do"; mas, para fazer isso, teve de chamar um conjunto de homens a quem transmitiria certos poderes que trouxera consigo para a terra. Esse grupo não seria uma organização social, como um clube, unido apenas por prazer e conveniência; tampouco seria uma organização política, reunida por interesses materiais em comum; seria uma organização verdadeiramente espiritual, o cimento daquilo que seria caridade, amor e posse de Seu Espírito. Se a sociedade ou Corpo Místico que Nosso Senhor queria fundar havia de ter continuidade, precisaria de um cabeça e de membros. Se era uma videira, como Ele declarou em uma das parábolas, precisaria de trabalhadores; se era uma rede, precisaria de pescadores; se era um campo, precisaria de ceifeiros; se era um rebanho ou um bando, precisaria de pastores.

> Naqueles dias, Jesus retirou-se a uma montanha para rezar,
> e passou aí toda a noite orando a Deus.
> Ao amanhecer, chamou os seus discípulos
> e escolheu 12 dentre eles que chamou de apóstolos:
> Simão, a quem deu o sobrenome de Pedro; André, seu irmão;
> Tiago, João, Filipe, Bartolomeu, Mateus, Tomé,
> Tiago, filho de Alfeu; Simão, chamado Zelador;
> Judas, irmão de Tiago; e Judas Iscariotes, aquele que foi o traidor.
> (São Lucas 6,12)

Ele escolheu passar a noite anterior em oração no monte, para que aqueles que estivessem no coração do Pai estivessem também no Dele. Quando raiou o dia, desceu para onde os discípulos estavam reunidos e, um por um, chamou aqueles a quem tinha escolhido. Pedro é o mais conhecido. Pedro é mencionado 195 vezes; os demais apóstolos, 130 vezes. O segundo apóstolo mais mencionado, depois de Pedro, é João, a quem há 29 referências. O nome original de Pedro era Simão, mas foi mudado por Nosso Bendito Senhor para Cefas. Quando foi levado a Nosso Senhor:

> [...] Jesus, fixando nele o olhar, disse:
> Tu és Simão, filho de João;
> serás chamado Cefas (que quer dizer pedra).
> (São João 1,42)

A palavra Cefas quer dizer "rocha"; não compreendemos bem o espírito dessa mudança [na versão] em inglês porque Pedro, o nome próprio, não é a mesma palavra que "rocha".[13] As palavras eram idênticas no aramaico falado por Nosso Senhor, assim como em francês, em que o nome próprio Pierre é o mesmo que *pierre*, ou pedra. Na Escritura, sempre que Deus mudou o nome de um homem, foi para elevá-lo a uma dignidade mais alta e a um papel na comunidade a que pertencia. Nosso Senhor estava dizendo a Pedro: "És impulsivo, volúvel e indigno de confiança, mas um dia tudo isso vai mudar; serás chamado por um nome que ninguém ousaria dar-te — Homem Pedra". Sempre que o chamam Simão nos Evangelhos, é um lembrete da humanidade não inspirada e não regenerada do apóstolo; por exemplo, quando ele estava dormindo no jardim, Nosso Senhor dirigiu-Se a ele:

Simão, dormes?
(São Marcos 14,37)

Pedro tinha, por natureza, grandes qualidades de liderança. Por exemplo, depois da Ressurreição, quando disse "Vou pescar", os outros apóstolos o seguiram (São João 21,3). Sua coragem moral se manifestou quando deixou os negócios e a própria casa para seguir o Mestre; essa mesma coragem, expressa impetuosamente, o fez decepar a orelha de Malco, quando os líderes foram prender Nosso Senhor. Ele também era prepotente, pois jurou que, embora os outros pudessem vir a trair o Mestre, ele jamais o faria. Tinha um profundo senso de pecado e rogou ao Senhor que se afastasse dele porque era indigno (São Lucas 5,8). Suas faltas faziam dele mais querido. Ele estava profundamente ligado a seu Mestre Divino. Quando os outros discípulos saíram, sustentou que não havia mais ninguém a que podiam recorrer (São João 6,66-68). Era corajoso, pois deixou a esposa e os negócios para seguir Nosso Senhor. A favor de todas as sogras, deve-se dizer que Pedro não mostrou nenhum pesar quando Nosso Senhor curou a dele de uma doença grave. Pedro era impulsivo ao extremo, mais guiado pelo sentimento que pela razão. Queria andar sobre as águas e, uma vez que recebeu a capacidade, ficou apavorado e gritou de medo — ele, um homem do mar. Era um homem empático, brandindo espadas, praguejando, protestando contra o Salvador lavar-lhe os pés; embora nomeado cabeça da Igreja, não tinha nada

---

13 | No original, "Peter" e "rock". Em português, o efeito se manifesta de modo mais claro no jogo de palavras Pedro/pedra. (N. T.)

da ambição de Tiago ou João. Mas, pelo poder de seu Mestre Divino, esse homem impetuoso, fluido como a água, tornou-se a rocha sobre a qual Cristo edificou Sua Igreja. O Divino Salvador constantemente Se unia mediante as palavras com o Pai Celestial; mas o único ser humano a quem Ele já Se associou e falou de Si e dele como um "nós", foi Pedro. A partir daquele dia, Pedro e seus sucessores sempre usaram "nós" para indicar a unidade entre o cabeça invisível da Igreja e sua cabeça visível. Esse mesmo Pedro, no entanto, que sempre está tentando Nosso Senhor a afastar-Se da Cruz, prova ser uma rocha de fidelidade, pois, mais tarde em sua vida, o tema constante de suas cartas foi a Cruz de Cristo.

> Pelo contrário, alegrai-vos
> em ser participantes dos sofrimentos de Cristo,
> para que vos possais alegrar e exultar
> no dia em que for manifestada sua glória.
> (1 São Pedro 4,13)

André, o irmão de Pedro, é mencionado oito vezes no Novo Testamento. Depois de ser chamado de suas redes e barcos para ser "pescador de homens" com o irmão Pedro, André é visto na multiplicação dos pães que alimentaram cinco mil pessoas, dizendo a Nosso Senhor que havia um garoto presente com cinco pães e dois peixes. Já no fim do magistério público, André é visto novamente quando alguns gentios, provavelmente gregos, vieram a Filipe e pediram para ver Nosso Senhor. Filipe, então, consultou André e ambos foram ao Senhor. No primeiro encontro de André e Nosso Bendito Senhor, Jesus perguntou-lhe:

> Que procurais?
> (São João 1,38)

André tinha sido amigo de João Batista. Quando encontrou Nosso Senhor, de quem João Batista falava, imediatamente foi e contou a Pedro que encontrara o Messias. Sempre se fala de André como o irmão de Simão Pedro. Ele era um "apresentador", porque apresentou o irmão Pedro a Nosso Senhor; apresentou o rapaz com os pães e peixes a Nosso Senhor; e, por fim, com Filipe, chegou a apresentar os gregos a Nosso Senhor. Quando se trata de dispensar alguns benefícios do Senhor ou trazer outros ao Senhor, Filipe e André são mencionados juntos. André era mais calado, sendo ofuscado pelo irmão Pedro, mas aparentemente jamais teve ciúmes. Houve lugar para a inveja quando Pedro, Tiago e João foram escolhidos nas três ocasiões de intimidade com o Mestre Divino, mas aceitou a posição humilde; bastava-lhe ter encontrado a Cristo.

Assim como Pedro e André, Tiago e João eram irmãos e pescadores. Trabalhavam juntos para o pai, Zebedeu. A Salomé, sua mãe, aparentemente não faltava ambição; pois foi ela que, um dia, pensando que o Reino que Nosso Bendito Senhor viera estabelecer seria sem Cruz, pediu que os dois filhos se sentassem um à direita e o outro à esquerda de Nosso Senhor em Seu Reino (São Mateus 20,20-21). Num gesto louvável, entretanto, deve-se acrescentar que a encontramos novamente no Calvário, aos pés da Cruz. Nosso Bendito Senhor deu aos filhos dela um apelido — Boanerges, ou "filhos do trovão". Isso aconteceu quando os samaritanos recusaram-se a receber Nosso Bendito Senhor porque Ele Se encaminhava para Jerusalém e para a morte. Os dois apóstolos, descobrindo isso, manifestaram a Nosso Senhor sua intolerância:

> Senhor, queres que mandemos que desça fogo do céu e os consuma? Jesus voltou-se e repreendeu-os severamente.
> [Não sabeis de que espírito sois animados.
> O Filho do Homem não veio para perder as vidas dos homens, mas para salvá-las.]
> (São Lucas 9,54-56)

Os dois "filhos do trovão" não deixaram de beber profundamente do cálice do sofrimento. João mais tarde foi mergulhado em óleo fervente, ao qual sobreviveu apenas por milagre. Tiago foi o primeiro dos apóstolos a sofrer martírio por Cristo. João descreveu-se a si mesmo como "o discípulo a quem Jesus amava", e a ele foi atribuído o cuidado da mãe de Nosso Senhor depois da crucifixão. João era conhecido do sumo sacerdote provavelmente por causa de seu refinamento cultural que justificava o nome, que, no hebraico original, significa "preferido de Deus". Seu Evangelho revelou-o verdadeiramente como uma águia que planava nos céus a fim de compreender os mistérios da Palavra. Ninguém entendeu melhor o coração de Cristo; ninguém penetrou mais profundamente no significado de Suas palavras. Ele também era o único dos apóstolos a ser encontrado aos pés de Cristo; é aquele que diz que "Jesus chorou" (São João 11,35) e define, no Novo

Testamento, Deus como "Amor". Tiago, seu irmão, que é chamado "maior", pertencia, junto com Pedro e João, ao "comitê especial" que testemunhou a transfiguração (São Mateus 17), a ressurreição da filha de Jairo (São Mateus 9,18-26; São Lucas 8,40-56; e São Marcos 5,21-43) e a agonia do Getsêmani (São Marcos 14).

O apóstolo Filipe veio de Betsaida e era conterrâneo de André e Pedro. Filipe era um pesquisador curioso; e sua pesquisa foi coroada pela alegria da descoberta quando encontrou o Cristo.

> Filipe encontra Natanael e diz-lhe:
> Achamos aquele de quem Moisés escreveu na lei
> e que os profetas anunciaram:
> é Jesus de Nazaré, filho de José.
> Respondeu-lhe Natanael: Pode, porventura,
> vir coisa boa de Nazaré?
> Filipe retrucou: Vem e vê.
> (São João 1,45-46)

Filipe recusou toda controvérsia com um homem que era tão preconceituoso que não podia acreditar que um profeta pudesse sair de um vilarejo desprezado. Filipe não é visto novamente até a multiplicação de pães e peixes, e de novo estava pesquisando:

> Duzentos denários de pão não lhes bastam, para que cada um receba um pedaço.
> (São João 6,7)

Filipe fez uma última pesquisa na noite da Última Ceia, quando pediu a Nosso Senhor que lhe mostrasse o Pai.

Filipe levou Bartolomeu, ou Natanael, como também era chamado, até Nosso Bendito Senhor. Tão logo o viu, Nosso Divino Salvador leu-lhe a alma e descreveu-o do seguinte modo:

> Eis um verdadeiro israelita,
> no qual não há falsidade.
> Natanael pergunta-lhe:
> Donde me conheces?

Respondeu Jesus:
Antes que Filipe te chamasse,
eu te vi quando estavas debaixo da figueira.
(São João 1,47-48)

Então Natanael respondeu:

Mestre, tu és o Filho de Deus, tu és o rei de Israel.
Jesus replicou-lhe: Porque eu te disse
que te vi debaixo da figueira, crês!
Verás coisas maiores do que esta.
E ajuntou: Em verdade, em verdade vos digo:
vereis o céu aberto e os anjos de Deus
subindo e descendo sobre o Filho do Homem.
(São João 1,49-51)

Quando Nosso Senhor disse-lhe que o vira debaixo da figueira, Bartolomeu estava disposto a afirmar imediatamente que Cristo era o Filho de Deus. Seu primeiro contato com Nosso Senhor já tinha acendido nele a chama da fé, mas Nosso Senhor rapidamente assegurou-lhe que haveria experiências maiores à espera; em particular, a grande visão que tivera Jacó cumprir-se-ia Nele.

Nosso Senhor disse que Natanael pertencia ao verdadeiro Israel. Israel era o nome dado a Jacó. Este, no entanto, era muito astuto e cheio de malícia. Natanael é caracterizado como verdadeiro israelita, ou sem malícia. Aconteceu uma mudança repentina do plural para o singular quando Nosso Senhor diz: "vereis os Céus abertos"; Jacó tinha visto os céus abertos e anjos subindo e descendo na escada, levando as coisas dos homens para Deus e as coisas de Deus para os homens (Gênesis 28,10-17). Jesus estava dizendo agora a Natanael que ele veria coisas ainda maiores. A sugestão era que o próprio Jesus seria dali por diante o Mediador entre o céu e a terra, entre Deus e o homem. Nele, todo o trânsito entre tempo e eternidade encontrar-se-ia como numa encruzilhada.

Essa profecia de Nosso Senhor a Bartolomeu mostra que a Encarnação do Filho de Deus seria a base da comunhão entre o homem e Deus. Natanael chamou-O "o Filho de Deus"; Nosso Senhor chamou a Si mesmo de "Filho do Homem": "Filho de Deus" porque é eternamente divino; "Filho do Homem" porque está relacionado humildemente a toda a humanidade. Esse título, usado em estreita relação com outro título que fora dado a Nosso Senhor, isto é, "Rei de Israel", ainda levava consigo um significado messiânico; mas agora tirado do contexto limitado de um povo e uma raça e levado à esfera da humanidade universal.

De Mateus ou Levi, o Publicano, há um registro de seu chamado e de como respondeu a ele. A grande e imperecível glória de Mateus é seu Evangelho. Mateus era um publicano sob o governo de Herodes, um vassalo de Roma. Um publicano era alguém que vendia o próprio povo e coletava impostos para o invasor, retendo para si uma grande porcentagem. Muito compreensivelmente, porque um publicano era um tipo de Quisling,[14] ele era desprezado pelos colegas; ainda assim, sabia, ao mesmo tempo, que tinha, por trás, o poder e a autoridade jurídica do governo romano. O lugar específico em que encontramos Mateus pela primeira vez é à beira do lago, próximo de Cafarnaum, onde estava coletando impostos. Seu chamado exigiu que fosse cuidadoso no registro dos relatos. A submissão ao Salvador foi imediata. Diz o Evangelho:

> Partindo dali, Jesus viu um homem chamado Mateus,
> que estava sentado no posto do pagamento das taxas.
> Disse-lhe: Segue-me. O homem levantou-se e o seguiu.
> (São Mateus 9,9)

Aquele que tinha sido rico agora não teria nada além de pobreza e perseguição; e, ainda assim, aceitou esta condição já no primeiro chamado. "Vem", diz o Salvador a um homem desprezado, e este O segue imediatamente. Sua resposta era ainda mais notável porque estivera imerso num negócio que atraía sobretudo pessoas inescrupulosas e antiéticas. Já era muito ruim o tributo de reverência de Israel ser coletado por um romano, mas ser coletado por um judeu era fazer deste o mais desprezível dos homens. E, ainda assim, este Quisling que perdera o direito a todo o amor do país, e que sufocara a virtude do patriotismo em sua avidez por dinheiro, acabou por tornar-se um dos mais patriotas de seu povo. O Evangelho que escreveu pode ser descrito como o evangelho do patriotismo. Centenas de vezes em seu Evangelho, volta à história do passado, citando Isaías, Jeremias, Miqueias, Davi, Daniel e todos os profetas; depois de acumular citações uma sobre a outra num grande

---

14 | Vidkun Quisling (1887-1945) foi um oficial militar e político norueguês que chefiou nominalmente o governo da Noruega como Ministro-Presidente depois de o país ter sido ocupado pela Alemanha Nazista durante a Segunda Guerra Mundial. (N. T.)

argumento cumulativo, diz a seu povo: "Esta é a glória de Israel, esta é nossa esperança, geramos o Filho do Deus Vivo; demos ao mundo o Messias". Seu país, que outrora nada significava para ele, tornou-se, em seu Evangelho, algo da mais alta importância. Ele estava se declarando um filho de Israel, pronto para despejar abundantemente sobre sua terra todo o seu louvor. Assim como os homens amam a Deus, também amarão seu país.

Tomé era o pessimista dos apóstolos, e provavelmente o pessimismo tinha algo a ver com seu ceticismo. Quando Nosso Senhor tentou consolar os apóstolos, na noite da Última Ceia, garantindo-lhes que lhes prepararia o caminho para o céu, Tomé respondeu dizendo que queria acreditar, mas não conseguia. Mais tarde, quando chegou a Nosso Senhor a notícia de que Lázaro estava morto:

> A isso Tomé, chamado Dídimo,
> disse aos seus condiscípulos:
> Vamos também nós, para morrermos com ele.
> (São João 11,16)

Tomé era chamado Dídimo, que é simplesmente a tradução grega de um nome hebraico que significa "gêmeo"; Tomé era gêmeo em outro sentido, pois nele viviam lado a lado os gêmeos da incredulidade e da fé, cada um lutando por predominar. Havia fé, porque cria que era melhor morrer com o Senhor do que abandoná-Lo; havia incredulidade, pois não podia deixar de acreditar que a morte seria o fim de qualquer obra que o Senhor pretendesse realizar.

Crisóstomo diz que Tomé mal se aventurava a ir com Jesus além da cidade vizinha de Betânia, no entanto, após o Pentecostes, ele viajaria sem Nosso Senhor à longínqua Índia para difundir a Fé; até hoje, os fiéis na Índia ainda chamam-se a si mesmos "Cristãos de São Tomé".

Dois dos apóstolos eram parentes de Nosso Senhor, a saber, Tiago e Judas. São chamados de "irmãos" do Senhor, mas em aramaico e em hebraico esta palavra amiúde quer dizer primos ou parentes distantes. Sabemos que Maria não teve outros filhos além de Jesus. A frase "queridos irmãos", como tão frequentemente usada no púlpito, não indica que todos os membros da congregação tenham a mesma mãe. A Escritura usa com frequência "irmãos" em sentido amplo. Por exemplo, Ló é chamado "irmão" de Abraão, quando na verdade era sobrinho (cf. Gênesis 14,14-16; 12,5); Labão é chamado "irmão" de Jacó, mas era tio (cf. Gênesis 28:5; 29:5). Os filhos de

Oziel e Aarão, os filhos de Cis e as filhas de Elieser são chamados irmãos, mas eram primos. E assim também era o que acontecia com os "irmãos" de Nosso Senhor. Esses dois apóstolos, Tiago Menor e Judas, eram provavelmente os filhos de Cleofas, que era casado com a irmã de Nossa Senhora.

Judas teve três nomes. Tendo o mesmo nome que Judas, o traidor, sempre é descrito negativamente, como "não o Iscariotes". Na noite da Última Ceia, ele questionou Nosso Senhor acerca do Espírito Santo, ou como Ele estaria invisível e mesmo assim se manifestaria depois da Ressurreição. Sempre houve à espreita na mente de muitos dos apóstolos um desejo de ver algum grande resplendor da glória messiânica que abriria olhos aos cegos e capturaria cada inteligência.

> Pergunta-lhe Judas, não o Iscariotes:
> Senhor, por que razão hás de
> manifestar-te a nós e não ao mundo?
> (São João 14,22)

A resposta de Nosso Senhor a Judas foi que, quando nosso amor responsivo se funde em obediência, então Deus faz morada em nós. Mais tarde, Judas, às vezes chamado Tadeu, escreveu uma Epístola que começa com palavras que refletem a resposta que recebeu na noite da Quinta-Feira Santa:

> Judas, servo de Jesus Cristo e irmão de Tiago,
> aos eleitos bem-amados em Deus Pai
> e reservados para Jesus Cristo.
> Que a misericórdia, a paz e o amor
> se realizem em vós copiosamente.
> (São Judas 1,1-3)

Outro apóstolo era Tiago, o Justo, também chamado Tiago, o Menor, para distinguir-se do filho de Zebedeu. Sabemos que ele tinha uma boa mãe, pois era uma das mulheres que estavam ao pé da Cruz. Como seu irmão Judas, escreveu uma Epístola dirigida às 12 tribos da dispersão, ou seja, aos judeus cristãos que estavam espalhados por todo o mundo romano. Começava assim:

> Tiago, servo de Deus e do Senhor Jesus Cristo,
> às 12 tribos da dispersão, saúde!
> (São Tiago 1,1)

Tiago, que como todos os demais apóstolos não entendeu a Cruz quando Nosso Senhor a previu, mais tarde, também como os outros, veio a fazer da cruz uma condição de glória:

> Considerai que é suma alegria, meus irmãos,
> quando passais por diversas provações, [...]
> Feliz o homem que suporta a tentação.
> Porque, depois de sofrer a provação,
> receberá a coroa da vida
> que Deus prometeu aos que o amam.
> (São Tiago 1,2,12)

Simão, o Zelador, é um dos 12 apóstolos a respeito do qual menos temos informações. Seu nome aramaico, que quer dizer "zelador", sugere que era partidário de uma seita que usaria violência para vencer a opressão estrangeira. Este nome lhe tinha sido dado antes de sua conversão. Ele pertencia a um bando de patriotas que eram tão zelosos para vencer a lei romana que se rebelaram contra César. Talvez o Senhor o tenha escolhido por causa de seu entusiasmo de corpo e alma por uma causa; mas um Niágara de purificação seria necessário antes que pudesse compreender o Reino levando em consideração a Cruz em lugar da espada. Imaginem Simão, o Zelador, um apóstolo com Mateus, o Publicano! Um era nacionalista ao extremo, o outro era por profissão um real traidor do próprio povo. E ainda assim ambos foram feitos apóstolos por Cristo, e mais tarde ambos seriam mártires pelo Reino. O décimo segundo apóstolo era Judas, "o filho da perdição", que seria o traidor.

O número 12 é simbólico. O livro do Apocalipse fala dos 12 fundamentos da Igreja. Havia 12 patriarcas no Antigo Testamento, e 12 tribos em Israel; houve 12 espiões que exploraram a terra prometida; havia 12 pedras no peitoral do sumo sacerdote; quando Judas desertou, um décimo segundo apóstolo teve de ser nomeado. Na maior parte das vezes, os apóstolos são mencionados nos Evangelhos como "os Doze", título atribuído a eles 32 vezes. Ao escolher estes 12, era evidente que Nosso Senhor estava preparando-os para uma obra depois de Sua Ascensão; que o Reino que Ele veio fundar não era só invisível, mas também visível; não só divino, mas também humano. Mas tinham muito a aprender antes que pudessem ser os 12 portões do Reino de Deus. A primeira lição seriam as bem-aventuranças.

11

As bem-aventuranças

Dois montes estão relacionados ao primeiro e ao segundo ato num drama em dois atos: o monte das bem-aventuranças e o monte do Calvário. Ele, que subiu o primeiro para pregar as bem-aventuranças devia, necessariamente, subir o segundo para pôr em prática o que pregou. Os precipitados sempre dizem que o Sermão da Montanha constitui a "essência do cristianismo". No entanto, deixemos qualquer homem pôr em prática essas beatitudes na própria vida e ele, também, atrairá para si a ira do mundo. O Sermão da Montanha não pode ser apartado de Sua crucificação, como o dia não pode ser separado da noite. No dia em que Nosso Senhor ensinou as bem-aventuranças, assinou a própria sentença de morte. O som dos pregos e dos martelos transpassando a carne humana eram ecos provenientes do lado da montanha de onde disse aos homens como serem felizes ou abençoados. Todos querem ser felizes; mas os caminhos dele eram opostos aos caminhos do mundo.

Uma via para fazer inimigos é desafiar o espírito do mundo. O mundo tem um espírito, como cada época tem um espírito. Há certos pressupostos não analisados que regem a conduta do mundo. Qualquer um que desafie essas máximas mundanas, tais como, "você só vive uma vez", "obtenha da vida o máximo proveito possível", "quem saberá disso?", "o que é o sexo senão o prazer?" é obrigado a se tornar impopular.

Nas beatitudes, Nosso Divino Senhor toma os oito inconsistentes termos do mundo — "segurança", "vingança", "riso", "popularidade", "ficar quites", "sexo", "poder armado" e "conforto" — e os vira de ponta-cabeça. Para aqueles que dizem "Você não pode ser feliz até que seja rico", ele diz "Bem-aventurados os pobres de espírito". Para os que dizem "Não deixe que ele saia ileso disso", ele diz "Bem-aventurados os pacientes". Para os que dizem "Ria e o mundo rirá contigo", ele diz "Bem-aventurados os que choram". Para os que dizem "Se a natureza lhe deu instintos sexuais, você deve dar-lhes livre expressão, de outro modo, ficará frustrado", ele diz "Bem-

-aventurados os puros de coração". Para os que dizem "Busque ser popular e bem conhecido", ele diz "Bem-aventurados sereis quando vos caluniarem, quando vos perseguirem e disserem falsamente todo o mal contra vós por causa de Mim". Para os que dizem "Em tempos de paz, prepare-se para a guerra", ele diz "Bem-aventurados os mansos".

Os clichés baratos em torno dos quais são escritos filmes e romances, ele menospreza. Propõe incinerar o que os idolatram; dominar os instintos sexuais errantes em vez de permitir que nos tornem homens-escravos; domar as conquistas econômicas em vez de fazer a felicidade consistir em uma abundância de coisas externas à alma. Todas as falsas bem-aventuranças que tornam a felicidade dependente da autoexpressão, da licenciosidade, de ter um momento feliz ou "coma, beba e seja feliz pois amanhã você morrerá", ele despreza, porque trazem desordens mentais, infelicidade, falsas esperanças, temores e angústias.

Os que fogem do impacto das beatitudes dizem que Nosso Senhor foi uma criatura de Seu tempo, mas não do nosso, e, por isso, Suas palavras não se aplicam a nós. Ele não era uma criatura de Seu tempo nem de tempo algum, mas nós somos! Maomé pertenceu a seu tempo, por isso disse que um homem podia ter concubinas além de quatro esposas ao mesmo tempo. Maomé pertenceu até mesmo ao nosso tempo, pois os modernos dizem que um homem pode ter muitas mulheres, se as têm uma atrás da outra. Entretanto, Nosso Senhor não pertence a Sua época, nem mesmo à nossa. Unir-se a uma época é ser viúvo na próxima. Por que não servia a época alguma, foi o modelo para todas as épocas. Nunca empregou uma expressão que datasse a ordem social em que viveu; Seu Evangelho não era mais fácil então do que o é agora. Como expôs:

> Pois em verdade vos digo:
> passará o céu e a terra,
> antes que desapareça um jota,
> um traço da lei.
> (São Mateus 5,18)

A chave para o Sermão da Montanha é o modo como o Senhor usa duas expressões: uma delas é "Ouvistes o que foi dito", e a outra era a palavra breve e enfática "porém". Retomava o que os humanos ouviram por séculos e ainda ouvem dos reformadores éticos — todas as regras, códigos e preceitos que são meias medidas entre instinto e razão, entre costumes locais e os ideais mais elevados. Quando ele disse: "Ouvistes o que foi dito", incluía a lei mosaica, Buda e as oito vias, Confúcio e as regras para se tornar um cavalheiro, Aristóteles e a felicidade natural, a amplitude dos hindus e todos os grupos humanitários de nossos dias que traduzem alguns dos códigos antigos para a própria língua e chamam de novo caminho de vida. De todos esses acordos, ele disse: "Ouvistes o que foi dito".

"Ouvistes que foi dito aos antigos: Não cometerás adultério" (São Mateus 5,27). Moisés dissera isso, as tribos pagãs sugeriram isso, os povos primitivos respeitavam isso. Então, veio a terrível e impressionante adversativa: "Eu, porém, vos digo..." "todo aquele que lançar um olhar de cobiça para uma mulher, já adulterou com ela em seu coração" (São Mateus 5,28). Nosso Senhor foi na alma, captou o pensamento e estigmatizou até mesmo o *desejo* de pecado como pecado. Se era errado fazer determinada coisa, era errado pensar a respeito dessa coisa. Ele diria: "Afastai-vos da higiene que tenta manter limpas as mãos após o roubo e os corpos livres de doença após terem-se violentado". Ingressou nas profundezas do coração e rotulou até mesmo a intenção de pecado como pecado. Ele não esperou que a árvore do mal produzisse frutos. Evitaria a própria semeadura da semente do mal. Não esperaria até que nossos pecados ocultos se revelassem como psicoses, neuroses e compulsões. Livrava-se deles nas próprias fontes. Arrependei-vos! Purificai-vos! O mal que pode se tornar estatística e ser colocado em prisões é demasiado tarde para remediar.

Cristo afirmou que, quando um homem desposa uma mulher, casa-se com o corpo e com a alma; casa-se com a pessoa por inteiro. Se ele se cansar do corpo, não pode lançar fora o corpo e trocá-lo por outro, visto que ainda é responsável pela alma da mulher. Assim, falou: "Ouvistes o que foi dito". Nessa expressão resumiu o jargão de toda civilização decadente. "Ouvistes o que foi dito: 'dê-lhe carta de divórcio, Deus não espera que você viva infeliz'"; então veio a adversativa:

> Eu, porém, vos digo: todo aquele que rejeita sua mulher,
> a faz tornar-se adúltera, a não ser que se trate de matrimônio falso;
> e todo aquele que desposa uma mulher rejeitada comete um adultério.
> (São Mateus 5, 32)

O que importa se o corpo for perdido? A alma ainda está ali e isso vale mais do que a sensação que o corpo pode proporcionar, ainda mais que o próprio universo. Ele manteria puros, homem e mulher, não do contágio, mas do desejo de outro; imaginar uma traição já é, em si, traição. Então, declarou:

> Não separe, pois, o homem o que Deus uniu.
> (São Marcos 10,9)

Nenhum homem! Nenhum juiz! Nenhuma nação!

Depois, Cristo alcançou todas as teorias sociais que dizem que o pecado se deve ao meio: ao leite tipo B, ao número insuficiente de pistas de dança, ao gasto insuficiente de dinheiro. De tudo isso, disse: "Ouvistes que foi dito". Então, vem a adversativa "Eu, porém, vos digo...". Afirmou que o pecado, o egoísmo, a ganância, o adultério, o crime, o roubo, o suborno, a corrupção política — tudo isso advém do próprio homem. As ofensas resultam de nossa própria vontade e não de nossas glândulas; não podemos desculpar nossa lascívia porque nosso avô tinha complexo de Édipo ou porque herdamos o complexo de Electra de nossa avó. O pecado, disse, é transmitido à alma pelo corpo, e o corpo é movido pela vontade. Na guerra contra todas as falsas autoexpressões, ele vociferou essas recomendações de ação: "arranca-o", "corta-a".

> Se teu olho direito é para ti causa de queda,
> arranca-o e lança-o longe de ti,
> porque te é preferível perder-se um só dos teus membros,
> a que o teu corpo todo seja lançado na geena.
> E se tua mão direita é para ti causa de queda,
> corta-a e lança-a longe de ti,
> porque te é preferível perder-se um só dos teus membros,
> a que o teu corpo inteiro seja atirado na geena.
> (São Mateus 5,29-30)

Os homens cortam as pernas e os braços para poupar o corpo da gangrena ou do veneno. No entanto, aqui, Nosso Senhor transferiu a circuncisão da carne para a circuncisão do coração e advogou deixar jorrar a seiva da luxúria e, em farrapos, as paixões devastadas, em vez de ser apartado do amor de Deus que estava nele, Cristo Jesus.

Depois, falou de vingança, ódio, violência, expressos no que todos dizem "fique quite", "processe-o", "Não seja bobo". Conhecia todas elas, e disse:

> Tendes ouvido o que foi dito:
> Olho por olho, dente por dente.
> (São Mateus 5,38)

Então vem o terrível PORÉM:

> Eu, porém, vos digo: não resistais ao mau.
> Se alguém te ferir a face direita,
> oferece-lhe também a outra.
> Se alguém te citar em justiça para tirar-te a túnica,
> cede-lhe também a capa.
> Se alguém vem obrigar-te a andar mil passos com ele,
> anda dois mil.
> (São Mateus 5,39-41)

Por que dar a outra face? Porque o ódio se multiplica como uma semente. Se alguém pregar o ódio e a violência para uma fileira de dez homens e dizer ao primeiro para bater no segundo e, ao segundo, para golpear o terceiro, o ódio envolverá todos os dez. A única maneira de parar esse ódio é se um homem (digamos, o quinto da fila) der a outra face. Então o ódio cessa e não é transmitido. Absorver a violência por amor ao Salvador, que absorverá o pecado e morrerá por isso. A lei cristã é que o inocente deve sofrer pelo culpado.

Assim, ele quer que acabemos com os adversários porque, quando não é oferecida resistência, o adversário é vencido por um poder moral superior; tal amor evita a infecção na ferida do ódio. Suportar por um ano o persistente que o aflige durante uma semana; escrever uma carta gentil para um homem que se refere a você com palavras obscenas; oferecer presentes a quem o rouba; nunca revidar com ódio ao que mente e diz que você é desleal com seu país ou conta uma mentira pior, que você é contra a liberdade — essas são coisas difíceis que o Cristo veio ensinar e são tão apropriadas à época Dele quanto à nossa. São apropriadas somente para os heróis, para os grandes homens, os santos, os homens e mulheres santos que serão o sal da terra, o fermento na massa, a elite em meio à turba, a espécie que transformará o mundo. Se determinadas pessoas não são dignas de ser amadas e alguém lhes dá amor, elas se tornarão dignas de amor. Por que alguém é digno de ser amado — se não é por Deus infundir Seu amor em cada um de nós?

O Sermão da Montanha se desvia muito daquilo tudo que nosso mundo valoriza, e o mundo crucificará quem quer que tente viver segundo esses valores. Por tê-los pregado, Cristo tinha de morrer. O Calvário foi o preço pago pelo Sermão da Montanha. Somente a mediocridade sobrevive. Os que chamam preto de preto e branco de branco são sentenciados por intolerância. Só sobrevive o cinza.

Deixemos Aquele que diz "bem-aventurados os pobres de espírito" vir ao mundo que acredita no primado do econômico; deixemos que fique no mercado, onde alguns homens vivem para o lucro coletivo ou onde outros homens vivem para o lucro individual e vejamos o que acontece. Será tão pobre durante a vida que não terá onde repousar a cabeça; virá o dia em que morrerá sem nada de valor econômico. Na sua última hora, estará tão empobrecido que o despirão das próprias vestes e dar-lhe-ão a tumba de um estranho para Seu sepultamento, assim como nascera no estábulo de um desconhecido.

Deixemos que venha ao mundo que proclama o evangelho do forte. Deixemos que defenda o ódio aos inimigos e condene as virtudes cristãs como virtudes "brandas", e diga ao mundo "bem-aventurados os pacientes" e, um dia, sentirá os flagelos dos bárbaros vigorosos açoitarem Suas costas; será golpeado na face por um punho zombeteiro durante um de Seus julgamentos; verá os homens tomarem a foice e cortar a grama de uma encosta do Calvário e, então, usar o martelo para pregá-Lo em uma cruz de modo a testar a paciência Daquele que suporta o pior que o mal tem a oferecer e que, tendo-se exaurido, poderia, por fim, voltar a amar.

Deixemos que venha ao mundo que ridiculariza a ideia do pecado como morbidez, considera a reparação das culpas passadas como um complexo de culpa, e pregue ao mundo "bem-aventurados os que choram" por seus pecados; e Ele será vendado e escarnecido como um tolo. Tomarão Seu corpo e o flagelarão até os ossos serem contados; coroarão Sua cabeça com espinhos até que comece a chorar não lágrimas salgadas, mas gotas de sangue carmesim, enquanto riem da fraqueza Daquele que não descerá da cruz.

Deixemos que venha ao mundo que nega a verdade absoluta, que diz que o certo e o errado são somente questões de ponto de vista, que devemos ter a mente aberta a respeito da virtude e do vício e deixemos que lhes diga: "bem-aventurados os que têm fome e sede de santidade", ou seja, a busca do absoluto, a busca da verdade que "eu sou"; e eles, com suas mentes abertas, darão à multidão a escolha entre Ele e Barrabás; eles O crucificarão com os bandidos e tentarão fazer o mundo acreditar que Deus não é diferente de um punhado de ladrões, Seus companheiros na morte.

Deixemos que venha ao mundo que diz "o inferno são os outros",[15] que tudo o que se opõe a mim é nada, que só o ego importa, que minha vontade é a lei suprema, que o que decido é bom e devo esquecer-me dos outros e pensar somente em mim e diga-lhes: "bem-aventurados os misericordiosos". Ele descobrirá que não receberá misericórdia; abrirão cinco veios de sangue em Seu corpo; porão vinagre e fel em Sua boca sedenta e, mesmo depois da morte, serão demasiado impiedosos, a ponto de introduzir uma lança em Seu Sagrado Coração.

Deixemos que venha a um mundo que tenta interpretar o homem à luz do sexo; que vê a pureza como frigidez; a castidade como sexo frustrado, o domínio próprio como anormalidade e a união entre homem e mulher até que a morte os separe como tediosa; que diz que o casamento perdura somente enquanto as glândulas funcionarem, que a pessoa pode desunir o que Deus uniu e tirar o selo daquilo que Deus selou. Que lhes diga: "bem-aventurados os puros", e Ele se verá pendido, nu, em uma cruz; será tornado espetáculo aos homens e aos anjos na última afirmação insana e solitária de que a pureza é anormal, que as virgens são neuróticas e que a carnalidade é o correto.

Deixemos que venha a um mundo que acredita que devemos recorrer a todo o tipo de imposturas e duplicidades para conquistá-lo, portando pombas da paz com os ventres cheios de bombas e lhes diga:[16] "bem-aventurados os pacificadores" ou "bem-aventurados os que erradicam o pecado para que haja a paz" e ver-se-á cercado de homens ocupados da mais tola das guerras — a guerra contra o Filho de Deus; praticando a violência com ferros e porretes, manietes e escoriações e, então, montando guarda diante de Sua tumba de modo que Ele, que perdera a batalha, não pudesse ter sucesso.

Deixemos que venha a um mundo que acredita que toda a vida deva ser engendrada em torno de lisonjas e da capacidade de influenciar pessoas por conta da utilidade e da popularidade e Ele lhes diga: "bem-aventurados sereis quando vos odiarem, vos perseguirem e vos injuriarem" e Ele descobrirá não ter amigo algum no mundo, um pária na colina, com multidões

---

15 | Alusão à frase de Jean Paul Sartre publicada na peça *Entre quatro paredes*. (N. T.)

16 | Possível alusão ao fato de Josef Stálin ter encomendado a Pablo Picasso um quadro intitulado "A pomba da paz". (N. T.)

bradando por Sua morte e a carne pendendo de Seu corpo como farrapos purpúreos.

As bem-aventuranças não podem ser consideradas de maneira isolada: não são ideais, são fatos concretos e realidades inseparáveis da Cruz do Calvário. O que Ele ensinou foi a autocrucifixão: amar os que nos odeiam; arrancar os olhos e cortar os braços para evitar o pecado; estar limpos por dentro quando as paixões clamam por satisfação externa; perdoar os que nos condenam à morte; derrotar o mal com o bem; abençoar os que nos amaldiçoam; parar de falar de liberdade até que tenhamos a justiça, a verdade e o amor de Deus em nossos corações como condições de liberdade; viver no mundo e ainda manter-nos impolutos; negar-nos prazeres legítimos para melhor crucificar nosso egoísmo — tudo isso sentencia nosso velho homem, que está dentro de nós, à morte.

Aqueles que O ouviram pregar as beatitudes foram convidados a se colocar em uma cruz, a encontrar felicidade em um nível superior pela morte em uma ordem inferior, a desprezar tudo o que o mundo considera sagrado e a venerar como sagrado tudo o que o mundo considera como ideal. O paraíso é felicidade; mas é demais para o homem possuir dois paraísos, um substituto em baixo e um verdadeiro em cima. Por isso os quatro "pesares" que imediatamente acrescentou às bem-aventuranças.

> Mas ai de vós, ricos, porque tendes a vossa consolação!
> Ai de vós, que estais fartos, porque vireis a ter fome!
> Ai de vós, que agora rides, porque gemereis e chorareis!
> Ai de vós, quando vos louvarem os homens,
> porque assim faziam os pais deles aos falsos profetas!
> (São Lucas 6,24-26)

A crucifixão não pode estar longe quando o mestre diz "ai de vós" os ricos, os fartos, os felizes e os populares. A verdade não está só no Sermão da Montanha; está naquele que viveu o Sermão da Montanha no Gólgota. Os quatro pesares seriam condenações éticas, caso Ele não tivesse morrido cheio daquilo a que se opunham os quatro pesares: pobre, abandonado, triste e desprezado. No monte das bem-aventuranças ordenou que os homens se lançassem na cruz da autonegação; no monte do Calvário abraçou essa mesma cruz. Apesar da sombra da Cruz não se projetar sobre o local da caveira até três anos depois, ela já estava em seu coração no dia em que pregou a respeito de "como ser feliz".

12

O INTRUSO QUE ERA UMA MULHER

Enquanto Jesus visitava as cidades da Galileia no início de Sua vida pública e antes do irromper da hostilidade escancarada, um fariseu rico chamado Simão convidou Nosso Senhor para jantar em sua casa. Ele ouvira a aclamação dada a Nosso Senhor pelas pessoas e estava ansioso para decidir por si mesmo se este era mesmo profeta ou mestre. Curiosamente, havia na vizinhança outra pessoa ansiosa para encontrar-se com Nosso Senhor, mas os interesses dela eram mais elevados. Tinha um peso na consciência, e queria vê-lo como salvador de sua culpa. Por maior que fosse sua vergonha, ela não permitiu que esta a impedisse, mesmo diante daqueles que a poderiam condenar. Assim, Nosso Senhor encontrava-se entre aquele que estava curioso acerca Dele como Mestre e uma penitente que O via como Salvador.

Quando Nosso Senhor chegou, houve pouco entusiasmo na acolhida de Simão, que negligenciou friamente os cumprimentos e cortesias dados a um convidado. Naquela época, entrar numa casa sem descalçar-se era mais ou menos o mesmo que entrar numa casa hoje sem tirar o chapéu. Sapatos e sandálias eram tirados à porta. O visitante sempre era saudado com um beijo no rosto pelo anfitrião com as palavras: "O Senhor seja contigo". Então mostravam ao convidado um divã para onde um criado levava água para lavar-lhe os pés e garantir a limpeza cerimonial. Em seguida, o anfitrião, ou ao menos um dos criados, ungia a cabeça e a barba do visitante com um óleo perfumado. No caso de Nosso Bendito Senhor, não houve água para os pés cansados, nem beijo de boas-vindas no rosto, nem, tampouco, perfume para o cabelo — nada senão um gesto nada cerimonioso apontando um lugar vago à mesa. Talvez Simão soubesse que estava sendo observado por outros fariseus e, assim, negligenciou essas cortesias. Os convidados naqueles dias não se sentavam à mesa, mas ficavam apoiados em assentos, com os pés descalços e as pernas esticadas.

O acesso à sala de jantar era muito fácil, provavelmente por causa da prevalência universal da lei da hospitalidade, tão comum entre os povos do

Oriente. Enquanto a refeição estava sendo servida, aconteceu um inconveniente. Simão olhou e o que viu o enrubesceu. Ele não teria se importado se fosse com qualquer outra pessoa, mas Este homem! O que Ele pensaria dele? O intruso era uma mulher chamada Maria, uma pecadora; a profissão dela, mulher da rua. Devagar, ela atravessou o cômodo, sem arrumar os cabelos que lhe cobriam o rosto, pois funcionava como uma proteção contra o olhar do fariseu. Pôs-se aos pés de Nosso Bendito Senhor e deixou cair sobre aqueles pés que anunciavam a paz, como as primeiras gotas de chuva num verão bem quente, algumas lágrimas. Então, envergonhada do que fizera, prostrou-se, como que para esconder sua vergonha, mas a fonte de lágrimas não se acalmaria. Encorajada por não ter sido repreendida, ajoelhou-se e começou a enxugar as lágrimas dos pés do Senhor com seus cabelos longos e desgrenhados. Ungir a cabeça era o costume, mas ela não arriscaria tal honra; contudo, em sua humildade, ousaria ungir apenas os pés Dele. Tirando do véu um frasco de um perfume precioso, não o aplicou gota a gota, devagar, para indicar, pela lentidão da dádiva, a generosidade do doador. Ao contrário, ela quebrou o frasco e deu tudo, pois o amor não conhece limites. A mulher não estava pagando tributo a um sábio; estava descarregando o coração de seus pecados. Decerto, ela O tinha visto e ouvido antes e estava convencida de que, de algum modo, Ele podia dar-lhe nova esperança. Havia amor em seu atrevimento, arrependimento em suas lágrimas, sacrifício e rendição em seu unguento.

O fariseu, no entanto, estava horrorizado com o fato de que o Mestre tivesse permitido que uma mulher desonrosa das ruas se aproximasse Dele e, contrariamente a todas as tradições dos fariseus, derramasse lágrimas em Seus pés. Simão não diria as palavras em voz alta, mas simplesmente pensava consigo:

> Se este homem fosse profeta,
> bem saberia quem e qual é a mulher que o toca,
> pois é pecadora.
> (São Lucas 7,39)

Como Simão sabia que ela era uma mulher da rua? Ao julgar o outro, julgava-se a si mesmo. Aos olhos de Simão, ela era uma pecadora e sempre seria considerada uma pecadora. Para ele, havia abominação em seu toque, pecado em suas lágrimas e mentira em seu unguento. O fariseu não fazia perguntas, não se dava a esperanças. Para ele, pouco importava se foi um desejo depravado, a fome ou a lascívia dos homens que levaram a mulher à ruína. Pouco importava se ela acordava à noite por causa de sua consciência pesada e se se condenava mil vezes por fazer aquilo que sabia que não lhe traria paz. E, quanto ao Cristo, se tivesse alguma intuição acerca do caráter humano, saberia que ela era uma prostituta.

Nosso Senhor leu os pensamentos de Simão, assim como também leria um dia a alma dos vivos e dos mortos. Disse-lhe:

> Simão, tenho uma coisa a dizer-te.

Disse Simão:

> Diga, Mestre.

Continuou Nosso Senhor:

> Um credor tinha dois devedores:
> um lhe devia quinhentos denários
> e o outro, cinquenta.
> Não tendo eles com que pagar,
> perdoou a ambos a sua dívida.
> Qual deles o amará mais?
> (São Lucas 7,41-42)

A história sugeria que Deus é um credor que nos confia Seus bens até que o dia determinado para o pagamento da dívida e para prestação de contas de nossa administração. Alguns têm dívidas maiores que outros; alguns, porque pecaram mais; outros, porque tiveram mais bens; alguns recebem dez talentos; outros, cinco; e outros ainda, um. Pode ser que os pecados da mulher fossem como uma dívida de quinhentos denários, enquanto a de Simão era de apenas cinquenta. Mas, no final, ambos eram devedores, e nenhum deles podia pagar a dívida. O significado da parábola é claro. Deus é o credor que confia ao homem dons de riqueza, inteligência, influência. Um dia, enfim, é determinado para o pagamento. Embora nenhum homem em justiça estrita possa pagar o que deve a Deus por causa do pecado, Deus, no entanto, está disposto a perdoar todos os devedores, grandes ou pequenos. O que custa este perdão em justiça estrita, Nosso Senhor não discute aqui. No entanto, preparou Simão para compreender que Ele tinha de vir para trazer a remissão dos pecados.

Nosso Senhor agora pergunta:

> Qual deles o amará mais?
> Simão respondeu: A meu ver, aquele a quem ele mais perdoou.
> Jesus replicou-lhe: Julgaste bem.
> E voltando-se para a mulher, disse a Simão:
> Vês esta mulher? Entrei em tua casa
> e não me deste água para lavar os pés;
> mas esta, com as suas lágrimas, regou-me os pés
> e enxugou-os com os seus cabelos.
> Não me deste o ósculo;
> mas esta, desde que entrou,
> não cessou de beijar-me os pés.
> Não me ungiste a cabeça com óleo;
> mas esta, com perfume, ungiu-me os pés.
> (São Lucas 7,43-46)

O que Nosso Senhor quis dizer quando disse a Simão: "Vês esta mulher?". Queria dizer que Simão não podia ver a mulher como realmente era, mas apenas como ela costumava ser, ou a mulher que pensava que ela era. Simão tinha dito dentro de si que, se fosse profeta, Nosso Senhor saberia que ela era uma pecadora. Agora, Nosso Bendito Senhor invertia a sentença e perguntava a Simão: "Você está vendo esta mulher, Simão? O problema com sua tribo de pessoas metidas a santas é que vocês se julgam virtuosos, porque acham alguém que é vicioso. Vocês nunca veem. Pensam que veem, mas não veem. A culpa sempre está no próximo, nunca em vocês mesmos".

Nosso Senhor, então, passou a descrever as cortesias comuns que Lhe tinham sido negligenciadas, mas que esta mulher demonstrou. "Ela lavou meus pés com as lágrimas". Sem esfregar e enxaguar, a roupa que está muito suja não pode ser limpa. Quando há muita sujeira do pecado, não deve haver apenas uma lavagem; é necessário ficar de molho e ser banhada nas lágrimas da contrição. Então, ela enxugou os pés do Senhor com seu cabelo. No verdadeiro arrependimento, aquelas coisas que foram usadas a serviço do pecado convertem-se para o serviço a Deus. O melhor ornamento do corpo, no juízo do penitente, não era bom o bastante para ser empregado no mais insignificante serviço para com Nosso Bendito Senhor.

As cortesias que Simão negligenciou na ordem natural, o Divino Senhor agora contrasta com as cortesias mais elevadas da ordem da graça. As marcas de honra são então rastreadas até sua fonte, o desejo de perdão. Em toda a polidez convencional da vida, há alguma raiz de afeição e amor. Simão pensava que estava mostrando honra suficiente ao Filho do carpinteiro ao convidá-lo para comer; mas o Senhor rastreou o amor da mulher até o profundo senso de pecado perdoado que ela tinha:

> Por isso te digo:
> seus numerosos pecados lhe foram perdoados,
> porque ela tem demonstrado muito amor.
> Mas ao que pouco se perdoa, pouco ama.
> (São Lucas 7,47)

Seria um erro grosseiro deduzir que estaria tudo bem em ter pecado muito, ou ter acumulado uma dívida maior, a fim de que o pecador pudesse ser mais perdoado. Antes, a lição é que pecadores notórios têm probabilidade muito maior de descobrir que são pecadores do que aqueles que pensam que são bons. Como num hospital, um paciente que está cheio de machucados e feridas requer mais compaixão do que outro menos machucado; assim também, entendemos que a culpa não é um obstáculo, mas um argumento em favor da graça divina. O amor desta mulher cresceu na mesma medida que sua gratidão pelo perdão. Não foi a quantidade de pecado, mas a consciência dele e da graça oferecida em seu perdão, que manifestou o grande amor desta penitente. Muito lhe foi perdoado; portanto, muito amou.

Nada põe uma pessoa em contato com outra quanto a confissão de pecado. Quando nos fala do próprio sucesso, um amigo fica a certa distância de nosso coração; quando fala de sua culpa com lágrimas, está muito perto. Na verdade, quando tem consciência do próprio pecado, a pessoa não distingue muito se seus pecados pertencem à categoria dos quinhentos ou dos cinquenta denários. São Paulo considerava-se o principal dos pecadores, mas ele não era um grande pecador senão em seu fanatismo e perseguição. Quem faz pouco caso do pecado fará pouco caso do perdão. Quem faz pouco caso de feridas realmente sérias nunca apreciará o poder do médico.

Simão tinha algo que aprender e, então, convidou um mestre; a mulher tinha algo a ser perdoado, então derramou lágrimas de contrição sobre o Divino Credor que mostrou ser-lhe o Salvador. Simão não negara a existência da culpa, mas sentia-se relativamente inocente em comparação à mulher pecadora. A culpa não é só a violação do amor; é a ferida de alguém que é amado. A seriedade do pecado aumenta conforme Cristo se aproxima. Estar perto da Cruz e sentir as agonias Daquele cuja morte era necessária para a expiação do pecado podia fazer Paulo, o fariseu dos fariseus, chamar-se a si mesmo de "o maior dos pecadores".

A lição estava terminada e a mulher foi dispensada com as seguintes palavras:

> Perdoados te são os pecados.
> (São Lucas 7,48)

O homem que Simão pensava ser um mestre não estava formalizando um código; estava perdoando pecados. Mas quem pode perdoar pecados senão Deus? Este era o pensamento corrente entre todos à mesa:

> Os que estavam com ele à mesa começaram a dizer, então:
> Quem é este homem que até perdoa pecados?
> (São Lucas 7,49)

Esse era o questionamento de todos quando se levantaram dos assentos. Divãs voltariam como um símbolo de um mundo sem culpa 19 séculos mais tarde. Os homens se levantariam deles depois de dar suas explicações. Mas tais almas não teriam a alegria interior da mulher, que ouviu Aquele que é maior que um profeta dizer-lhe:

> Tua fé te salvou; vai em paz.
> (São Lucas 7,50)

A fé dela contara-lhe que Deus ama a pureza, a bondade e a santidade. E, diante dela, estava o único que podia restaurar-lhe a santidade. Mas o preço que Ele pagaria por essa paz só viria depois de uma guerra — a guerra contra o mal. O perdão que a mulher recebeu não era meramente o de ser "absolvida"; era aquele em que a própria justiça estava satisfeita. Pedro, que estava ali no jantar, mais tarde registrou o preço que foi pago:

> Carregou os nossos pecados em seu corpo
> sobre o madeiro [...]
> Por suas chagas fomos curados.
> (1 São Pedro 2,24)

Os convidados à mesa perguntavam-se como Ele podia perdoar pecados. Estavam certos — quem podia perdoar pecados senão Deus? O propósito de Sua vinda a esta terra como Filho do Homem, mais uma vez, estava revelado: seria identificado com os pecadores ao tomar-lhes a culpa; mas estaria apartado dos pecadores ao oferecer-se a Si mesmo para a salvação deles e, portanto, podia perdoar pecados. De um lado, identificação:

> E foi contado entre os malfeitores.
> (São Lucas 22,37)

Do outro, separação:

> Santo, inocente, imaculado, separado dos pecadores.
> (Hebreus 7,26)

Essas são verdades complementares. A primeira refere-se ao preço que Ele tinha de pagar para perdoar pecados, tais como os daquela mulher; a segunda, à Sua vida divina que deu aos sofrimentos um valor infinito. A mulher diante dele tinha sua dívida de pecado encoberta, mas não tinha ideia de quanto Lhe custou. Todos aqueles gestos de ternura que a mulher pecadora mostrou para com Ele, receberia novamente de outra maneira. Um beijo viria de Judas; a lavagem dos pés inverter-se-ia quando Ele mesmo tomaria uma toalha e lavaria os pés dos discípulos; e, em lugar do óleo na cabeça, haveria a coroa de espinhos quando derramasse o perfume do próprio sangue.

13

O HOMEM QUE PERDEU A CABEÇA

O propósito redentor de Deus vir à terra foi revelado por muitos símbolos e figuras. Um dos mais surpreendentes foi pressagiado no que aconteceria a João Batista. Embora não buscasse honras terrenas, João as recebeu; foi procurado pelo rei Herodes Antipas, filho do sanguinário Herodes, que tentara tirar a vida de Nosso Senhor quando Este ainda não tinha completado dois anos de idade. "Herodes temia João", por saber que ele era um "homem justo e santo". O perverso teme o bom porque o bem é uma censura constante à suas consciências. O ímpio gosta da religião da mesma maneira que gosta de leões, mortos ou enjaulados; temem a religião quando ela liberta e começa a desafiar suas consciências.

Herodes era o mundano típico que convocava os chamados "sábios de túnica" (como Félix convocou Paulo); amavam o brilhantismo, os volteios das expressões e a sabedoria abstrata, mas tão logo esses homens começassem a tornar os ensinamentos de Cristo concretos e pessoais, eram imediatamente mandados embora com as palavras "intensos demais", "intolerantes" ou "sabia que, na verdade, ele tentou me converter?". Herodes, que sempre buscava novos estímulos e agitações, convidou a corte para ouvir esse pregador vibrante que era moda na época. Que texto João Batista escolheria? Falaria sobre o amor fraterno (sem a paternidade de Deus), sobre a necessidade de reduzir os exércitos ou sobre a grande necessidade de uma reforma econômica na Galileia? João sabia que tudo isso era importante, mas sabia que algo era ainda mais importante; portanto, decidiu se dedicar às consciências.

Herodes, provavelmente, fitou-o com um meio-sorriso de satisfação; Herodíades, sua mulher, deve tê-lo olhado de canto de olho; os outros estavam curiosos, mas não verdadeiramente interessados. Tanto Herodes quanto Herodíades já haviam sido casados antes. Ela, com o irmão de Herodes. Essa era uma daquelas confusões desagradáveis que se tornaram lugar-comum em uma nação que começava a apodrecer. Herodes fora casado antes com Fasélia, filha de Aretas, que o abandonou quando ele começou a envolver-

-se com Herodíades, esposa de seu irmão Herodes Filipe. Herodíades tinha uma filha, Salomé, do casamento com Herodes Filipe.

Se havia um assunto que, do ponto de vista mundano, João teria feito muito bem em evitar na corte, era essa situação. Entretanto, João estava inclinado a agradar a Deus, não aos homens, e resolveu falar contra a vida de luxúria. Era demasiado gentil para desculpar o pecado de Herodes, demasiado interessado na saúde moral para deixar a ferida sem exame, demasiado amoroso para ter alguma ideia senão salvar a alma de Herodes.

João seguiu o ensinamento de Nosso Senhor de que o casamento era sagrado e indissolúvel: "O que Deus uniu, nenhum homem separe". Foi direto ao ponto com palavras claras, resolutas e bruscas. Apontou o dedo para Herodes e sua mulher, sentados em tronos de ouro, e disse:

> Não te é permitido ter a mulher de teu irmão.
> (São Marcos 6,18)

Herodíades estremeceu. Sabia que João estava recordando o fato de ela ter seduzido Herodes, que já estava em seu poder. Antes que João pudesse terminar a frase seguinte, foram colocadas correntes de ferro em volta de seus punhos e os guardas começaram a arrastá-lo da corte para lançá-lo em um calabouço escuro. O pregador foi aprisionado, mas suas palavras não o foram — ecoaram na consciência muito depois da voz ter sido silenciada.

Por meses João foi mantido no tenebroso calabouço de Maquero. Essa inatividade forçada o fez duvidar do Messias e do cordeiro de Deus de quem falava? Sua fé vacilou um pouco na escuridão do calabouço? Talvez ansiasse com impaciência que Deus punisse aqueles que haviam se recusado a receber sua mensagem. De qualquer modo:

> E João chamou dois dos seus discípulos
> e enviou-os a Jesus, perguntando:
> És tu o que há de vir ou devemos esperar por outro?
> (São Lucas 7,19)

O modo como João formulou a pergunta indicava que ele tinha fé tanto na grande promessa messiânica como Naquele a quem perguntava.

Quando a pergunta chegou a Nosso Senhor, Ele não a respondeu com a promessa de que João seria libertado da prisão, ou que Ele mesmo destruiria os inimigos. Respondeu apenas indicando a própria obra de cura, consolo e instrução.

> Ide anunciar a João o que tendes visto e ouvido:
> os cegos veem, os coxos andam,
> os leprosos ficam limpos,
> os surdos ouvem,
> os mortos ressuscitam,
> aos pobres é anunciado o Evangelho;
> e bem-aventurado é aquele para quem eu não for ocasião de queda!
> (São Lucas 7,22-23)

A divindade e seus caminhos sempre serão motivo para escândalo entre os homens. A pobreza e a insignificância mundana de Nosso Senhor foram a primeira objeção a seu Evangelho. Esse preconceito surgiu da própria concepção falsa do poder e da majestade de Deus, como se a realização de seus propósitos realmente dependesse dos meios que o mundo associa ao sucesso. Com efeito, Cristo dava uma resposta abrangente aos discípulos de João, apontando tanto para Suas obras e palavras como para Seus milagres e ensinamentos. Os milagres não eram somente coisas para nos maravilhar; ao contrário, eram sinais do Reino Divino de justiça e misericórdia; e o poder pelo qual Ele os efetuou seria um poder além da natureza, que podia controlar a natureza. O ensinamento, em particular, seria outra prova de Sua divindade: o pobre teria o evangelho que lhe fora proclamado.

Isso é especialmente significativo porque pobreza é outra palavra para a imperfeição e fraqueza humanas. Os fortes de corpo, os que possuem um intelecto sagaz e os que têm os favores da terra são aqueles que recebem a recompensa neste mundo; mas o pobre e o fraco muitas vezes têm fome e sofrem. Cristo dizia que no seu reino dos céus haveria um evangelho para o pobre. Deus tem outro mundo em que repara as desigualdades deste. Enquanto ao homem rico é dito que, se desejar ir para o céu, deve dividir suas riquezas por causa do Cristo, ao pobre é dito que seu cansaço e sofrimento, sua labuta e dissabores, unidos à cruz, trariam paz interior e recompensa.

Quando os mensageiros partiram, Nosso Senhor começou a elogiar João. João o testemunhara, e Ele agora daria testemunho de João. Respondeu aos que poderiam estar julgando João pela mensagem enviada em um momento de provação. Contrastou a multidão que prestava atenção nas palavras dos mensageiros com o próprio João — a inconstância da multidão com a estabilidade do profeta. Não era João o fraco, eram os próprios corações deles. Não foi a dúvida que fez João questionar, nem o medo das consequências corporais. Utilizando três figuras de linguagem, Nosso Senhor foi em defesa de João. A primeira figura foi o junco que costumava balançar com a brisa ao longo da forte corrente do rio Jordão, onde ouviram João pregar; a segunda figura eram as vestes finas daqueles que viviam na casa de Herodes; e a terceira figura era um sinal dos céus e uma referência a todos os homens que cruzaram os portais da carne no nascimento humano.

> Depois que se retiraram os mensageiros de João,
> ele começou a falar de João ao povo:
> Que fostes ver no deserto?
> Um caniço agitado pelo vento? Mas que fostes ver?
> Um homem vestido de roupas finas?
> Mas os que vestem roupas preciosas
> e vivem no luxo estão nos palácios dos reis.
> Mas, enfim, que fostes ver? Um profeta?
> Sim, digo-vos, e mais do que profeta.
> Este é aquele de quem está escrito:
> Eis que envio o meu mensageiro ante a tua face;
> ele preparará o teu caminho diante de ti.
> Pois vos digo: entre os nascidos de mulher
> não há maior que João.
> Entretanto, o menor no Reino de Deus é maior do que ele.
> (São Lucas 7,24-28)

Por três vezes Nosso Senhor perguntou "que fostes ver?". Esse foi o erro deles; ao professar um desejo de conhecer a vontade de Deus, estiveram realmente inclinados a visões e espetáculos ao desfrutar das maravilhas e da popularidade do mensageiro. Saíram para *ver* alguém, não para *ouvir* alguém; para satisfazer a concupiscência dos olhos, mas não para imitar a temperança e a abnegação do Batista. Nosso Senhor estava dizendo à multidão que São João não fizera essa pergunta da prisão simplesmente porque era um junco sacudido pelo vento da opinião pública ou porque era alguém que se importava com o bem-estar físico, como os cortesãos da casa de Herodes. João não era um caniço frívolo sacudido por cada rajada de aclamação popular. Fazia suas reprimendas sem temor; não era somente severo com os outros, era ainda mais severo consigo mesmo. Poderia ter morado na casa de reis e, mesmo assim, fez do deserto seu lar. Em relação a Deus, ele era um profeta e mais que um profeta — o precursor e mensageiro do Messias e do Filho de Deus.

A grandeza pode ser dividida em dois tipos: a terrena e a celestial. Se a grandeza de João tivesse sido terrena, teria vivido em palácios, as vestes teriam sido espalhafatosas e as opiniões, provavelmente, teriam sido variáveis como um junco, soprado, um dia, para uma filosofia popular e, no outro dia, para outra. No entanto, sua grandeza foi de uma ordem divina e a superioridade não foi somente em sua pessoa, mas na obra imutável e na missão de anunciar o Cordeiro de Deus.

Alguns meses depois, chegou a época de celebrar o aniversário de Herodes com uma grande festa. Para esse banquete baltasariano foram convidados todos os nobres da corte de Herodes, todos os militares e vários comensais da Galileia. Era noite, e o palácio estava suavemente iluminado. Os rostos estavam maquiados para se mostrarem melhor à encantadora e tênue luz de velas. O barulho da música, o toque das trombetas e os gritos da folia ressoavam pelo castelo de pedra de Maquero, chegando até embaixo, ao estreito e escuro calabouço onde, por dez meses, João Batista definhava. Não obstante, os convidados, provavelmente, estavam entediados com as distrações, pois nada é mais enjoativo que a alegria organizada dos saciados.

A voz de Herodes soou nesse primeiro clube noturno da era cristã, ordenando que se iniciasse uma dança sensual para estimular os espíritos enfadados. A dançarina seria Salomé, a bela jovem, filha da mulher do rei com o primeiro marido. Essa donzela, que também era descendente dos nobres Macabeus, mas que fora totalmente degradada e corrompida pela conivência da mãe degenerada, dançou até chegar ao chão. Os foliões ficaram encantados e Herodes, seguindo cada movimento gracioso, logo ficou excitado tanto pela dança quanto pelo vinho. Quando, num último lance, Salomé atirou-se em seu colo, ele abruptamente disse, irrompendo de paixão:

> Pede-me o que quiseres, e eu to darei.
> E jurou-lhe: Tudo o que me pedires te darei,
> ainda que seja a metade do meu reino.
> (São Marcos 6,22-23)

Salomé não sabia o que pedir, então, voltou-se para a mãe. Herodes já havia esquecido do desafortunado sermão de João Batista, mas uma mulher não esquece assim tão fácil. Nos dez meses em que esteve no calabouço embaixo do palácio, João esteve também na alma de Herodíades, importunando-a, perturbando seu sono, torturando sua consciência e assombrando seus sonhos. Ela resolvera, naquele momento, livrar-se dele, crendo que, se pudesse abolir esse representante moral de Deus, poderia pecar impune pelo resto de sua vida. Com uma palavra a Salomé, poderia silenciar a própria consciência e a do marido. Sussurrou a resposta no ouvido da filha. Salomé aproximou-se de Herodes. A música estridente parou; o silêncio recaiu sobre a assembleia; a comida se tornou insípida e até mesmo seus corações ficaram nauseados quando a jovem pediu a Herodes:

Dá-me aqui, neste prato,
a cabeça de João Batista.
(São Mateus 14,8)

Herodes ficou confuso por conta de sua jura. Pensou em todo o respeito do passado pelo profeta, mas, ao mesmo tempo, temia as provocações e as brincadeiras segredadas pelos convivas, caso o vissem recuar em sua promessa. Infiel a Deus, à consciência, a si mesmo e não tendo vergonha de nenhum crime, mas envergonhado pelas opiniões do público, decidiu ser fiel à sua promessa de bêbado. Acima de tudo, temia a ira de sua segunda esposa.

Herodes chamou uns poucos escravos. Acenderam as tochas. Ninguém falou ao ouvir os escravos descerem as escadas, cada vez mais fundo, enquanto o som sumia. Ouviram, então, o barulho das chaves nas portas do calabouço, o ranger das dobradiças. Houve silêncio por alguns segundos, rompido por um baque chocante; depois, a lenta marcha escadas acima, cada vez mais sonora, ritmada com o pulsar de seus corações. Os escravos se acercaram de Herodíades com o presente ensanguentado. Ela foi até Salomé, e a filha carregou o presente, cruzando a pista de dança e o deu a Herodes em uma bandeja dourada, a cabeça barbada do profeta de fogo.

Naquela noite tenebrosa, a pedido da filha de uma adúltera, Herodes assassinara o precursor de Cristo.

Depois disso, Herodes foi assombrado por temores, como Nero foi assombrado pelo fantasma de sua mãe, a quem assassinara. O Imperador Calígula não podia dormir porque era assombrado pelos rostos de suas vítimas; o historiador Suetônio diz que ele "se sentava na cama" ou, ainda, perambulava pelos longos pórticos do palácio, esperando pela chegada do dia.

Herodes, ao ouvir Nosso Diviníssimo Senhor algum tempo depois, pensou que ele fosse João Batista ressurgido dos mortos. Herodes não acreditava em vida futura, nenhum homem sensual acredita. A crença na imortalidade se esvai facilmente naqueles que vivem de maneira tal que não podem enfrentar a perspectiva de um julgamento. Uma vida futura é negada nem tanto pelo modo como a pessoa pensa, mas pelo modo como a pessoa vive. Herodes convencera-se de que a porta se fechava com a morte, mas agora, uma vez que ouvira Nosso Senhor pregar, começou a pensar que João ressuscitara dos mortos. O ceticismo nunca tem certeza, por ser mais uma pose para justificar o mau comportamento que uma posição intelectual firme. Como um saduceu, Herodes rejeitou a vida futura, mas temia, afinal de contas, sua consciência. E, ao ouvir a respeito das maravilhas e dos milagres de Nosso Senhor, "procurava ocasião de vê-lo" (São Lucas 9,9). E o viu. Menos de dois anos depois Pilatos enviaria Nosso Senhor para ele.

> Herodes alegrou-se muito em ver Jesus,
> pois de longo tempo desejava vê-lo,
> por ter ouvido falar dele muitas coisas,
> e esperava presenciar algum milagre operado por ele.
> (São Lucas 23,8)

Herodes nunca vira a face de Jesus até a última hora; nunca ouvira antes a Sua voz. Quando chegou o momento, Nosso Senhor recusou-se a falar com ele.

Depois da transfiguração, os apóstolos, que viram Moisés e Elias falando com Nosso Senhor, começaram a fazer perguntas a respeito de Elias. Nosso Senhor disse-lhes que Elias já havia estado entre eles em espírito; eles o viram no habitante dos lugares desolados, o homem vestido em pele de camelo que viveu com escassez de comida. Então, arrastou a cruz diante de seus olhos novamente. Mostrou-lhes que a morte de João Batista foi a prefiguração de sua própria morte. Como as pessoas que tinham visto João não acreditaram nele, da mesma maneira não acreditariam em Nosso Senhor:

> Mas eu vos digo que Elias já veio,
> mas não o conheceram;
> antes, fizeram com ele quanto quiseram.

> Do mesmo modo farão sofrer o Filho do Homem.
> (São Mateus 17,12)

Por seu comentário a respeito do destino do Batista, Jesus pressagiou o próprio sofrimento e morte. Esforçava-se para familiarizar os apóstolos com a ideia de um messias que morre, mas ao mesmo tempo conquista. Como as pessoas andaram cegas deixando de dar as boas-vindas ao Batista quando veio no espírito de um Elias penitente, da mesma maneira, o Messias lhes escaparia ao vir no meio deles como aquele que carregava as culpas e as resgatava no madeiro da cruz. Contou aos apóstolos que tal destino foi pressagiado para o Filho do Homem:

> Deve padecer muito e ser desprezado.
> (São Marcos 9,12)

Os salmos e os profetas aludiram ao seu sofrimento como Filho do Homem. Assim como Nosso Senhor não salvou João Batista da crueldade de Herodes, Ele não salvaria nem a si mesmo do mesmo Herodes. O arauto sofreu a sina daquele que anunciara; o mensageiro recebeu a violência porque pregara a mensagem. E, mais uma vez, o monte do Calvário olhou, dessa vez por entre os vales, para o sopé do monte da transfiguração. Tudo em Sua vida fazia referência à Cruz, até mesmo a morte violenta de João Batista.

14
O PÃO DA VIDA

Dois banquetes foram oferecidos na Galileia ao longo de um ano: um na corte de Herodes, em que João Batista pregou; o outro, ao ar livre servido por Nosso Senhor. Ele tinha atravessado o Mar da Galileia, provavelmente para evitar a fúria de Herodes, que acabara de assassinar o Batista e

> Seguia-o uma grande multidão,
> porque via os milagres que fazia em benefício dos enfermos.
> (São João 6,2)

Os motivos para que as multidões O seguissem eram meio confusos; havia, no entanto, uma ideia crescente de que Ele era o Cristo. Todos ficaram terrivelmente decepcionados quando Jesus se retirou para a montanha com os discípulos. A carruagem do Evangelho parou um momento para um pequeno descanso dos que a conduziam. Como a Páscoa estava chegando e muitos iam a caminho de Jerusalém, a multidão avolumou-se a ponto de chegar a cinco mil homens adultos (fora as mulheres e crianças).

> Porque eram muitos os que iam e vinham
> e nem tinham tempo para comer.
> (São Marcos 6,31)

A cidadezinha para onde se dirigiam ficava a quase dez quilômetros, por mar, de Cafarnaum. Quando Nosso Bendito Senhor saiu do barco, na praia, as multidões estavam ali para encontrar-se com Ele. Traziam consigo os enfermos e estavam famintos em mais de um sentido. Não Lhe davam nenhum descanso, não porque cressem que era o Filho de Deus, mas porque O consideravam um mágico que podia fazer maravilhas, ou um médico que podia curar os doentes.

> Ao desembarcar, Jesus viu uma grande multidão e compadeceu-se dela,
> porque era como ovelhas que não têm pastor.
> (São Marcos 6,34)

Organizou a multidão em filas de cem e de cinquenta, encosta acima. No centro delas estava Nosso Senhor. Para testar Filipe, o Senhor perguntou:

> Onde compraremos pão
> para que todos estes tenham o que comer?
> (São João 6,5)

Filipe fez um cálculo rápido e concluiu que seriam necessários duzentos denários para alimentar a multidão. Jesus não perguntou "Quanto dinheiro precisamos?", mas "Onde compraremos o pão?". Filipe devia ter respondido que Aquele que tinha ressuscitado mortos e curado enfermos podia prover o pão. Neste momento, André apontou um menino que tinha cinco pãezinhos e dois peixes. André também fez uma conta e perguntou:

> [...] que é isto para tanta gente?
> (São João 6,9)

No Antigo Testamento, aprazia a Deus usar coisas comuns e insignificantes para cumprir seus propósitos, como a marca no cesto do bebê que conquistou o coração da Filha de Faraó (Êxodo 2,1-10), ou a vara de Moisés que operou milagres no Egito (Êxodo 4,3; 7,10; 14,16), ou a funda de Davi, que derrotou os filisteus (1 Samuel 17,49). Como o pão agora estava envolvido, havia mais um tipo de paralelo com os gestos que mais tarde seriam empregados na Última Ceia.

> Então tomou os cinco pães e os dois peixes e,
> erguendo os olhos ao céu, abençoou-os,
> partiu-os e os deu a seus discípulos
> [para que lhos distribuíssem,
> e repartiu entre todos os dois peixes.]
> (São Marcos 6,41)

Assim como um grão de trigo pouco a pouco se multiplica no solo, também os pães e os peixes, por um processo divinamente acelerado, foram multiplicados até que todos estivessem saciados. A natureza foi até onde pôde, e então Deus supriu o restante. O Senhor ordenou que os pedaços fossem recolhidos, e estes encheram 12 cestos. No cálculo dos homens, sempre há escassez; na aritmética de Deus, sempre há abundância.

O efeito do milagre na multidão foi estupendo. Ninguém negava o fato de que Cristo tinha poder divino; Ele o mostrou ao multiplicar o pão. Lembrou-lhes imediatamente de Moisés, que dera a seus antepassados o maná no deserto. E Moisés não tinha dito que era um prenúncio do Cristo ou Messias?

> O Senhor, teu Deus, te suscitará dentre os teus irmãos
> um profeta como eu: é a ele que devereis ouvir.
> (Deuteronômio 18,15)

Se Moisés tinha autenticado ou ratificado a si mesmo por meio do pão no deserto, não seria este aquele a quem Moisés apontara, visto que ele também distribuiu o pão miraculosamente? Quem, então, podia ser-lhes um rei melhor para tirá-los do jugo romano e dar-lhes liberdade? Aqui estava um libertador, maior que Josué, e aqui estavam cinco mil homens prontos para pegar em armas; aqui estava um rei maior que Davi ou Salomão, que podia rebelar-se contra os tiranos e libertar o povo. Eles já O tinham reconhecido como profeta e mestre; agora, proclamavam-No Rei. Mas aquele que sonda os corações sabia quanto eram mundanas as ambições que tinham para Ele:

> Jesus, percebendo que queriam arrebatá-lo e fazê-lo rei,
> tornou a retirar-se sozinho para o monte.
> (São João 6,15)

Os homens não podiam *fazê*-Lo rei; já *nasceu* rei. Os Sábios do Oriente sabiam disso quando perguntaram:

> Onde está o rei dos judeus que acaba de nascer?
> Vimos a sua estrela no oriente e viemos adorá-lo.
> (São Mateus 2,2)

Sua majestade viria por intermédio do "dever" divino da Cruz, e não da força popular. Essa foi a segunda vez que o Senhor declinou da coroa; a primeira foi quando Satanás ofereceu-Lhe o reino do mundo, se se prostrasse e O adorasse. "Meu Reino não é deste mundo", viria a dizer mais tarde a Pilatos (São João 18,36). A multidão queria empurrá-Lo a um trono; no entanto, Ele não disse que seria empurrado a um trono, mas que seria "elevado", e o trono seria a Cruz; Seu reino seria estabelecido nos corações.

Pode ter sido essa fuga do reino político o que pôs dúvidas na mente de Judas; pois foi em conexão com este milagre e com o discurso de Nosso Senhor que pela primeira vez Judas foi descrito como traidor. Visto que não aceitaria uma soberania temporal como Satanás Lhe oferecera, Nosso Senhor teve de preparar-se para ouvir mais tarde "Não outro temos rei senão César" (São João 19,15).

Nosso Senhor, sabendo o que se passava no coração da multidão, retirou-se para o monte. Nenhuma mão suja Lhe poria uma coroa na cabeça — exceto uma coroa de espinhos. Entretanto, a fim de ensinar os apóstolos que eles tampouco "gozariam" de popularidade barata, compeliu-os a tomar um barco e a ir ao outro lado do lago, uma distância de oito a dez quilômetros. E não os acompanhou.

Entre as três e seis da manhã, enquanto estavam tremendo, molhados e fatigados no barco, começou uma tempestade. Era a segunda tempestade que os pegava no lago depois de terem sido chamados a ser apóstolos; a primeira foi na ocasião de uma visita anterior de Nosso Senhor. Ambas as tempestades vieram à noite e ambas foram violentas. Deve ter sido uma tempestade particularmente forte para ter afetado esses homens cujas vidas tinham sido passadas justo naquele mar. Talvez não fosse só a tempestade no mar que os preocupasse, mas também o fato de que o Mestre tinha se recusado a ser Rei. É bem provável que também duvidassem do poder daquele que multiplicara os pães e depois os enviara para a outra margem do lago numa noite de tempestade. Se podia multiplicar o pão, por que não podia impedir tempestades?

Para eles, era tão impossível que Nosso Senhor os deixasse partir para logo depois vir ao encontro deles no meio do mar quanto se morresse para depois ressuscitar. Mas, de repente, enquanto remavam, viram o Senhor vindo até eles por sobre as águas. Ficaram com medo e agitados. Disse-lhes Jesus:

> Sou eu, não temais.
> Quiseram recebê-lo na barca,
> mas pouco depois a barca chegou ao seu destino.
> (São João 6,20-21)

A tripulação solitária não estava tão solitária quanto imaginava. O mesmo ritmo de alegria e tristeza que permeava a vida de Jesus estava presente aqui; pois foi em meio a escuridão, tempestade e perigo que Cristo veio, caminhando por sobre a crista das ondas de um mar em fúria. Agora que tinha demonstrado seu poder:

> [...] aqueles que estavam na barca
> prostraram-se diante dele e disseram:
> Tu és verdadeiramente o Filho de Deus.
> (São Mateus 14,33)

Reconheceram que Ele não era só o Messias esperado, mas também o Filho de Deus. Alguns dos homens naquele barco haviam sido discípulos de João Batista e tinham ouvido o Pai dizer durante o batismo do Senhor que este era o Filho de Deus. É também muito provável que alguns deles tenham estado presentes quando o demônio declarou que Ele era o Filho de Deus. Natanael já Lhe tinha dado este título.

Foi nessa ocasião que Pedro, quando viu Nosso Senhor e antes que este entrasse no barco, perguntou se podia andar sobre as águas e ir até Ele. O Senhor ordenou que Pedro fosse; mas, depois de alguns metros, Pedro começou a afundar. Por quê? Porque levou em conta os ventos; porque se concentrou nas dificuldades naturais; porque não confiou no poder do Mestre e não manteve os olhos Nele.

> Mas, redobrando a violência do vento,
> teve medo e [começou] a afundar.
> (São Mateus 14,30)

Por fim, clamou ao Senhor por ajuda:

> Senhor, salva-me!
> No mesmo instante,
> Jesus estendeu-lhe a mão, segurou-o e lhe disse:

> Homem de pouca fé, por que duvidaste?
> (São Mateus 14,30-31)

Primeiro veio a libertação, depois a repreensão — e provavelmente com um sorriso no rosto e amor na voz. Esta não foi a única vez que o pobre Pedro duvidaria do Mestre a quem tanto amava. Aquele que pediu para caminhar sobre as águas a fim de aproximar-se logo do Senhor foi o mesmo que mais tarde juraria estar pronto para ir à prisão ou até mesmo para ser morto pelo mestre. Corajoso no bote, mas tímido nas águas, mais tarde seria valente na Última Ceia, mas covarde na noite do julgamento. A cena no lago era um ensaio da outra queda de Pedro.

O povo ainda estava propenso a proclamar Nosso Senhor rei quando O encontraram no dia seguinte em Cafarnaum. À pergunta deles sobre como chegara lá, a resposta foi uma reprimenda aos que pensavam que a religião tinha relação sobretudo com o pão e com a distribuição de sopa aos pobres.

> Em verdade, em verdade vos digo: buscais-me,
> não porque vistes os milagres,
> mas porque comestes dos pães e ficastes fartos.
> (São João 6,26)

Não tinham compreendido o milagre como sinal de Sua divindade; procuravam-No, mas não O viam. Jó O viu em sua perda assim como em seu ganho; eles O viam apenas como um meio de saciar a fome de pão, não a fome de alma. Empolgação não é religião; se fosse, um "aleluia" no domingo poderia tornar-se um "crucifica" na sexta-feira.

Disse-lhes então Nosso Senhor:

> Trabalhai, não pela comida que perece,
> mas pela que dura até a vida eterna,
> que o Filho do Homem vos dará.
> Pois nele Deus Pai imprimiu o seu sinal.
> (São João 6,27)

O Senhor estava colocando diante deles dois tipos de pão: o que perece e o que dura até a vida eterna. Advertiu-os contra a ideia de segui-Lo como um jumento segue o senhor que segura uma cenoura. Para elevar as mentes carnais até o Alimento Eterno, sugeriu que buscassem o Pão Celestial em que o Pai imprimiu o seu sinal. O pão oriental geralmente era assinalado com a marca oficial ou o nome do padeiro. De fato, a palavra talmúdica para "padeiro" está relacionada à palavra "selo". Assim como as hóstias usadas na Missa têm uma marca (por exemplo, um cordeiro ou uma cruz), também Nosso Senhor estava insinuando que o pão que deviam buscar era o pão confirmado pelo Pai, portanto, Ele mesmo.

Queriam uma prova de que o Pai O tinha autorizado; deu pão, sim, mas isso não era grandioso o bastante. Afinal, Moisés não tinha dado o alimento do céu? O argumento deles era: que prova tinham de que Jesus era maior que Moisés? Assim, minimizaram o milagre do dia anterior, comparando-o a Moisés, e o pão que Jesus deu ao maná do deserto. Nosso Senhor tinha alimentado a multidão apenas uma vez, e Moisés os alimentara por quarenta anos. No deserto as pessoas sempre chamaram o pão "maná", que quer dizer "O que é isso?". Entretanto, numa ocasião, quando menosprezaram o maná, chamaram-no "alimento miserável" (Números 21,5). Assim também agora desdenhavam dessa dádiva. Nosso Senhor aceitou o desafio; disse que o maná recebido de Moisés não era o Pão Celestial, nem tinha vindo do céu; ademais, nutria apenas uma nação e por tempo limitado. Mais importante ainda, não era Moisés quem dava o maná; era o Pai; por fim, o Pão que Ele daria duraria para a vida eterna. Quando lhes disse que o verdadeiro Pão desceu do céu, os homens pediram:

Senhor, dá-nos sempre deste pão!

E o Mestre respondeu:

Eu sou o pão da vida.
(São João 6,35)

Essa foi a terceira vez que Nosso Bendito Senhor usou um exemplo do Antigo Testamento para simbolizar a Si mesmo. A primeira foi quando Se comparou com a escada que Jacó viu, revelando-Se assim como um mediador entre o céu e a terra (São João 1,51). No discurso a Nicodemos, comparou-Se à serpente de bronze, que curaria os feridos pelo pecado e o mundo envenenado (São João 3,14). Agora, referia-Se ao maná do deserto, e declarava que Ele era o verdadeiro Pão de que o maná tinha sido apenas uma prefiguração. E diria ainda:

> Eu sou a luz do mundo.
> (São João 8,12)
>
> Eu sou a porta.
> (São João 10,7-9)
>
> Eu sou o bom pastor.
> (São João 10,11-14)
>
> Eu sou a Ressurreição e a Vida.
> (São João 11,25)
>
> Eu sou o caminho, a verdade e a vida.
> (São João 14,6)
>
> Eu sou a videira verdadeira.
> (São João 11,25)

E se declara três vezes:

> O pão da vida.
> (São João 6,35-41.48-51)

Mais uma vez, Ele faz a sombra da Cruz aparecer. O pão deve ser partido; e Aquele que vinha de Deus havia de ser uma vítima sacrificial para que os homens pudessem verdadeiramente alimentar-se Dele. Assim, seria um Pão que resultaria da oferta voluntária da própria carne para resgatar o mundo da servidão do pecado para a novidade da vida.

> E o pão, que eu hei de dar, é a minha carne para a salvação do mundo.
> A essas palavras, os judeus começaram a discutir, dizendo: Como pode este homem dar-nos de comer a sua carne?
> Então Jesus lhes disse: Em verdade, em verdade vos digo: se não comerdes a carne do Filho do Homem,
> e não beberdes o seu sangue,
> não tereis a vida em vós mesmos.
> (São João 6,51-53)

Jesus não só Se denominou como aquele que descera do céu, mas como aquele que tinha descido para *dar*-Se, ou morrer. Somente quando Cristo fosse morto chegariam a compreender a glória do Pão que alimenta para a eternidade. Aqui, Ele estava referindo-se a Sua morte; pois a palavra "dar" expressava o ato sacrificial. A carne e o sangue do Filho de Deus Encarnado, que seria servida na morte, tornar-se-ia a fonte da vida eterna. Quando disse "minha carne", queria dizer que o Verbo de Deus, ou o Filho, havia assumido uma natureza humana. Contudo, somente porque essa natureza humana estaria ligada à Personalidade Divina por toda a eternidade é que Ele podia dar vida eterna àqueles que a receberam. E quando disse que daria Sua carne pela vida do mundo, a palavra grega usada queria dizer "toda a humanidade".

Suas palavras tornaram-se mais pungentes porque esta era a época da Páscoa. Embora vissem o sangue de um modo terrível, os judeus estavam naquela época levando seus cordeiros a Jerusalém, onde o sangue seria derramado às quatro direções da terra. A estranheza da declaração acerca de dar Seu corpo e sangue diminui em contraste com o pano de fundo da Páscoa; Jesus queria dizer que a sombra do cordeiro animal estava passando e que seu lugar seria assumido pelo verdadeiro Cordeiro de Deus. Assim como tinham comunhão com a carne e o sangue do cordeiro pascal, também teriam agora comunhão com a carne e o sangue do verdadeiro Cordeiro de Deus. Aquele que nasceu em Belém, a "casa do pão", e foi posto em uma manjedoura, um lugar para alimentar animais, seria agora, para os homens, tão inferiores a Ele, o Pão da Vida. Tudo na natureza tem de ter comunhão para viver; por meio dela, o que é inferior se transforma no que é superior: os elementos químicos em plantas, as plantas em animais, os animais no homem. E o homem? Ele não deve elevar-se pela comunhão com Aquele que "desceu" do céu para tornar o homem um participante da natureza divina? Como mediador entre Deus e o homem, Jesus disse que, assim como Ele vivia pelo Pai, assim também deviam viver por Ele:

> Assim como o Pai que me enviou vive,
> e eu vivo pelo Pai,
> assim também aquele que comer
> a minha carne viverá por mim.
> (São João 6,57)

Quão carnal era comer do maná, e quão espiritual era comer da carne de Cristo! Era muito mais íntima a vida que vinha por meio Dele do que a do bebê alimentado pela mãe. Toda mãe de criança de colo pode dizer "Coma, este é meu corpo; este é meu sangue". Entretanto, na verdade, a comparação termina aí; pois, na relação mãe-filho, ambos estão no mesmo nível. Na relação Cristo-humanidade, a diferença é aquela de Deus e homem, céu e terra. Além disso, nenhuma mãe jamais teve de morrer e assumir uma existência gloriosa em sua natureza humana antes que pudesse alimentar seu rebento. Nosso Senhor, contudo, disse que teria de "dar" a vida antes que fosse o Pão da Vida dos crentes. As plantas que alimentam os animais não vivem em outro planeta; os animais que alimentam os homens, não vivem em outro mundo. Se Cristo, então, tinha de ser a "vida do mundo", tinha de fazer morada entre os homens como Emanuel ou "Deus conosco", suprindo a vida da alma assim como o pão terreno é a vida do corpo.

No entanto, a mente dos ouvintes não se elevou mais alto que o físico, pois perguntaram: Como este *homem* pode dar-nos Sua carne para comer?

Era loucura para qualquer homem oferecer sua carne para ser comida. Contudo, não foram deixados no escuro por muito tempo, pois Nosso Senhor os corrigiu, dizendo que não seria um mero homem, mas "o Filho do Homem" quem a daria. Como de costume, esse título referia-se ao sacrifício expiatório que Ele haveria de oferecer. Não era o Cristo morto quem alimentaria os discípulos, mas o Cristo glorificado nos céus, que morreu, ressurgiu dos mortos e ascendeu aos céus. O mero alimento da carne e do sangue de um homem de nada serviria; mas a Carne e o Sangue glorificados do Filho do Homem renderiam a vida eterna. Assim como o homem morreu espiritualmente ao comer fisicamente no Jardim do Éden, também voltaria a viver espiritualmente ao comer do fruto da Árvore da Vida.

As palavras de Cristo eram demasiadamente literais, e Ele esclareceu muitíssimas interpretações falsas, pois alguns dos ouvintes declararam que a Eucaristia (ou o corpo e o sangue que daria) era um mero tipo ou símbolo, ou que seus efeitos dependiam das disposições subjetivas do recebedor. Sempre que alguém *entendia errado* o que disse, era o método de Nosso Senhor corrigir aquela incompreensão, como quando Nicodemos pensou que "nascer de novo" significava voltar ao ventre materno. No entanto, sempre que alguém entendia corretamente o que disse, mas parecia encontrar Nele algum defeito, então *repetia* o que dissera. Nesse discurso, Nosso Senhor repetiu cinco vezes o que dissera acerca de Seu corpo e sangue. O significado pleno dessas palavras não fica evidente até a noite anterior a Sua morte. No último desejo e testamento, deixou aquilo que, ao morrer, nenhum outro homem fora capaz de deixar, a saber, Seu corpo, sangue, alma e divindade, pela vida do mundo.

15

A RECUSA A SER UM REI DE PÃO

O anúncio da eucaristia gerou uma das maiores crises de sua vida. A promessa de dar Seu corpo, sangue, alma e divindade para as almas dos homens O fez perder muito do que ganhara. Até o momento, teve quase todos atrás de Si: primeiro, as multidões ou as pessoas comuns; depois, a elite, os intelectuais e os líderes espirituais; e, por fim, os próprios apóstolos. No entanto, essa doutrina espiritual grandiosa era demais para eles. O anúncio da eucaristia dividiu seus seguidores. Não é de espantar que haja tal divisão de seitas no cristianismo quando cada homem decide por si mesmo se aceita um segmento do círculo da verdade do Cristo ou todo o círculo. O próprio Senhor foi responsável por isso. Pediu uma grande demonstração de fé à maioria dos homens. Sua doutrina era por demais sublime. Se tivesse tido uma mentalidade um pouco mais mundana, se só tivesse permitido que Suas palavras fossem tomadas como figuras de linguagem, se fosse menos imperativo, poderia ter sido mais popular.

No entanto, ele inquietou todos os seguidores. O Calvário seria o conflito armado; esse foi o início da guerra fria. O Calvário seria a crucifixão física; essa era a crucifixão social.

Perdeu as multidões. Criou um cisma entre os discípulos; enfraqueceu até mesmo o grupo dos apóstolos.

Perdeu as multidões: as massas, em geral, só se interessam por maravilhas e segurança. Quando multiplicou os pães e peixes, ele os deixou assustados. Quando encheu-lhes a barriga, satisfez-lhes o senso de justiça social. Esse era o tipo de rei que desejavam, um rei de pão: "Afinal, o que mais a religião tem a oferecer ao homem a não ser dar-lhe segurança social?", pareciam perguntar. As multidões tentaram forçá-Lo a se tornar rei. Era isso que Satanás queria também! Encher as bocas, transformar pedras em pães e prometer prosperidade — essa é a finalidade da vida da maioria dos mortais.

Entretanto, Nosso Senhor não teria um reinado com base na economia da prosperidade. Torná-Lo rei era o ofício do Pai, não deles: Seu reinado seria de corações e almas, não para saciar o trato digestivo. Assim, o Evangelho nos diz que Ele rumou para as montanhas sozinho, para escapar da falsa coroa e da espada de lata.

Como as multidões estavam próximas da salvação! Queriam vida; Ele queria dar a *vida*. A diferença estava na interpretação de vida. É ofício do Cristo conquistar seguidores por programas sociais elaborados? Essa é uma forma de vida. Ou é ofício de Cristo estar disposto a perder todos os guiados pelo estômago à custa de alcançar poucos com fé, aos quais será dado o Pão da Vida e o Vinho que fecunda as virgens? Daquele dia em diante, Cristo não conquistou mais as multidões; dentro de vinte meses, elas gritariam: "Crucifica-o", enquanto Pilatos diria "Eis o rei dos judeus". Cristo não pode manter todos unidos: é Sua culpa, Ele é demasiado divino, demasiado interessado nas almas, demasiado espiritual para a maioria dos homens.

Naquele dia também perdeu outro grupo: a elite, os líderes intelectuais e religiosos. Eles o aceitariam como um reformador pacífico e gentil que "não extinguirá a mecha que fumega" (Isaías 42,3), mas quando veio a dizer que daria a própria vida, de modo mais profundo do que uma mãe dá a vida a uma criança de peito, isso foi demais. Portanto, nos diz o Evangelho:

> Muitos dos seus discípulos, ouvindo-o,
> disseram: Isto é muito duro!
> Quem o pode admitir?
> (São João 6,60)

> Desde então, muitos dos seus discípulos
> se retiraram e já não andavam com ele.
> (São João 6,66)

Nosso Senhor Santíssimo, por certo, nunca teria permitido que o deixassem caso não tivessem compreendido o que dissera, ou seja, que Ele nos daria sua própria vida para que pudéssemos viver. Só podia ser que, compreendendo corretamente, não conseguiram engolir isso. E ele permitiu que partissem. Ao saírem, disse-lhes:

> Isso vos escandaliza?
> Que será, quando virdes subir o Filho do Homem
> para onde ele estava antes?...
> (São João 6,61-62)

É claro que isso lhes desafiou a fé. Os homens não têm raciocínio? O que ele esperava que acreditassem? Que Ele era Deus? Que toda palavra que dizia era verdade absoluta? Que ele seria capaz de dar às almas famintas a mesma vida divina que viam diante de Seus olhos naquele momento? Por que não esquecer esse Pão da Vida e torná-lo uma figura de linguagem? Assim, Nosso Senhor os viu partir, e eles nunca mais voltaram. Um dia seriam encontrados instigando as massas contra Jesus, pois ainda que não O tivessem deixado pelo mesmo motivo, concordavam que deveriam retirá-Lo do meio deles.

Cristo perdeu tanto o joio como o trigo quando falou de Si como o Pão da Vida. Agora, todavia, veio a ruptura que Lhe causou o maior dos pesares — um pesar tão grande que, mil anos antes, fora profetizado como uma das dilacerações humanas que torturariam Sua alma — a perda de Judas. Muitos ficam a imaginar por que Judas rompeu com Nosso Senhor. Imaginam que foi somente no fim da vida de Nosso Senhor e que foi somente por amor ao dinheiro que foi forçado a romper. Era, de fato, avareza, mas o Evangelho nos conta a história surpreendente de que Judas afastou-se de Nosso Senhor no dia em que este anunciou que daria a própria carne pela vida do mundo. No meio dessa longa história do Corpo e Sangue de Cristo, o Evangelho nos conta que Nosso Senhor sabia quem O trairia. Ao demonstrar a Judas que sabia, disse:

> Não vos escolhi eu todos os 12?
> Contudo, um de vós é um demônio!...
> (São João 6,70)

Diante da promessa do Pão dos Céus, Judas despedaçou-se; e ao dar a Eucaristia na noite da Última Ceia, Judas rompeu abertamente e O traiu.

Nosso Senhor, agora, marchava praticamente sozinho. Havia apenas 120 pessoas esperando por seu Espírito no Pentecostes. Perdera todos os três tipos: viu as multidões O abandonarem, a elite partir e Judas preparar-se para traí-Lo. Dessa maneira, voltou-se àquele a quem Ele associara tão intimamente consigo, o homem cujo nome Ele mudara de Simão para Pedro, ou Rocha, e disse-lhe:

> Quereis vós também retirar-vos?
> Respondeu-lhe Simão Pedro:
> Senhor, a quem iríamos nós?

> Tu tens as palavras da vida eterna.
> E nós cremos e sabemos que
> tu és o Santo de Deus!
> (São João 6,67-69)

O coração de Cristo, contudo, já trazia em si a Cruz. Um de seus 12 era um traidor. A elite, que estava dividida entre si, agora se uniria contra Ele. E os cinco mil que estiveram em contato com Sua mão recusaram-se a estar em contato com o Seu coração. As forças estavam convergindo para "a hora".

16

Pureza e propriedade

No início de Sua vida pública, o objetivo de Nosso Senhor era, por meio dos milagres, dos ensinamentos e do cumprimento das profecias, vincular os apóstolos a Si mesmo a ponto de que pudessem evitar a pressão externa e a rebelião natural da carne contra Ele como Servo Sofredor. No entanto, mesmo quando se tornaram devotados a Ele e aceitaram-No como Messias e Filho de Deus, recusavam a ideia da crucifixão, mesmo quando o Senhor disse que esta seria seguida pela Ressurreição. Eram como indiozinhos, todos querendo ser o cacique. A escuridão em que sua morte os lançou era outra prova do quanto estavam pouco preparados para o escândalo da Cruz. Não é de surpreender que Nosso Senhor não tenha falado com mais frequência sobre a Cruz, pois o pouco que ouviram não quiseram ouvir ou entenderam mal.

> Muitas coisas ainda tenho a dizer-vos,
> mas não as podeis suportar agora.
> (São João 16,12)

Para preparar-lhes a alma para a obra de Sua vida e indicar as condições sob as quais entrariam em Seu Reino, o Salvador, entre outros assuntos, estendeu-se particularmente sobre a pureza e a pobreza. Sexo desregrado podia tornar-se luxúria; desejo desregulado por propriedade podia tornar-se avareza.

Pureza

O assunto veio à tona quando os fariseus vieram perguntar ao Senhor se era lícito ao marido repudiar a mulher por qualquer motivo. A razão por que os fariseus fizeram essa pergunta era por conta de uma discussão entre duas escolas rivais de teologia judaica, a escola de Hilel e a de Shamai. Uma escola defendia que o divórcio podia ser dado por motivos triviais; a outra exigia prova de pecado grave antes que aprovasse o divórcio. A questão era ainda mais complicada pelo fato de o divórcio naquela época estar se tornando muito comum; os romanos, que eram os senhores do país, praticavam-no aberta e flagrantemente. Além disso, Herodes, o governador do país sob o domínio de Roma, estava vivendo com a esposa do irmão e assassinara João Batista.

O Divino Salvador, em resposta à pergunta, reafirmou o que já tinha dito no Monte e que também era defendido desde o princípio quanto à relação entre marido e mulher.

> Assim, já não são dois, mas uma só carne.
> Portanto, não separe o homem o que Deus uniu.
> (São Mateus 19,6)

Quando os discípulos ouviram os comentários de Nosso Bendito Senhor sobre esse assunto — embora alguns talvez fossem casados, incluindo Pedro, com certeza — foram ao extremo oposto e concluíram:

> É melhor não se casar!
> (São Mateus 19,11)

Aqui o Salvador respondeu que, porque há infidelidade em alguns casamentos, deve haver outros que equilibrem os excessos pela abnegação. Se há excessos da carne, deve haver aqueles que renunciarão até mesmo a prazeres da carne legítimos; se há desordem na busca da propriedade, deve haver alguém que voluntariamente praticará a pobreza; se há os que são orgulhosos, deve haver outros que nem sequer insistirão nos próprios direitos, mas farão reparação dos atos de orgulho por humildade.

Nosso Senhor disse aos apóstolos que, no entanto, não deviam pensar que era melhor não se casar. Ao contrário, disse Ele:

> Nem todos são capazes de compreender o sentido desta palavra, mas somente aqueles a quem foi dado.
> Porque há eunucos que o são desde o ventre de suas mães,
> há eunucos tornados tais pelas mãos dos homens e
> há eunucos que a si mesmos se fizeram
> eunucos por amor do Reino dos céus.
> Quem puder compreender, compreenda.
> (São Mateus 19,11-12)

O celibato é recomendado como um meio mais sábio, mas não é exigido da maioria. Mais tarde, Pedro deixou a esposa para pregar o Evangelho. Quando Nosso Bendito Senhor recomendou o celibato, era bem provável que os discípulos não estivessem pensando nessa condição como algo aplicado a eles mesmos, mas, ao contrário, estavam objetando à severidade do ensino do Mestre, alegando que dissuadiria os homens de se casar. A resposta dele mostra que tinham compreendido o que o Mestre queria dizer. O erro deles estava em não perceber a que alturas sacrificiais Ele chamaria os homens por causa de Seu Reino. Aquele que fundou a sociedade e que conhecia as compulsões do instinto sexual, ainda assim abriu espaço para alguns que seriam celibatários. Alguns nascem eunucos; outros, como Orígenes, tornam-se equivocadamente eunucos; mas há uma terceira classe, aqueles que, não por um ato físico, mas por um ato de renúncia e abnegação voluntária, abrem mão do prazer da carne pelas alegrias do espírito; é a estes que chamou eunucos pelo Reino dos Céus. Mais tarde, São Paulo, ouvindo sobre essa doutrina, escreveu:

> Quisera ver-vos livres de toda preocupação.
> O solteiro cuida das coisas que são do Senhor,
> de como agradar ao Senhor.
> O casado preocupa-se com as coisas do mundo,
> procurando agradar à sua esposa,
> [e assim fica dividido.]
> (1 Coríntios 7,32-34)

O casamento é honroso; em momento algum Nosso Senhor disse que macula o senso espiritual ou as relações do homem com Deus; mas no celibato ou na virgindade a alma o escolhe como amante exclusivo.

Propriedade

Assim como o sexo é um instinto dado por Deus para a perpetuação da raça humana, também o desejo de propriedade como um prolongamento do ego de alguém é um direito natural sancionado pela lei natural. Uma pessoa é livre interiormente porque pode chamar sua alma de sua; é livre exteriormente porque pode chamar a sua propriedade de sua. Liberdade interior baseia-se no fato de que "eu sou"; liberdade exterior baseia-se no fato de que "eu tenho". Mas, assim como o excesso de carne produz luxúria, pois a luxúria é o sexo no lugar errado, como a sujeira é a matéria no lugar errado, também pode haver uma desordem do desejo de propriedade até tornar-se ganância, avareza e agressão capitalista.

A fim de expiar, reparar e compensar os excessos da avareza e do egoísmo, Nosso Bendito Senhor dava agora aos apóstolos uma segunda lição de autossacrifício. A ocasião da primeira lição sobre a pureza foi uma pergunta dos fariseus acerca do casamento; a ocasião da segunda foi o encontro com um jovem questionador. Nosso Senhor teve a chance de conquistá-lo como discípulo; todavia, quando falou da Cruz, perdeu-o. O jovem que veio a Ele era rico e também funcionário da sinagoga. O desejo de associar-se ao Nosso Senhor manifestou-se pelo fato de ter chegado ao Mestre correndo e de ter se prostrado a Seus pés. Não havia dúvidas quanto à retidão do jovem; sua pergunta a Nosso Senhor foi:

> Mestre, que devo fazer de bom
> para ter a vida eterna?
> (São Mateus 19,16)

Diferentemente de Nicodemos, o jovem não procurou Jesus à noite, mas reconheceu abertamente a bondade do Mestre. Acreditava não estar muito longe da grande conquista da vida eterna; tudo de que precisava era apenas alguma instrução e esclarecimento. O Salvador apontou o fato de que os homens sabem o suficiente, mas nem sempre praticam o suficiente. E, a fim de que o jovem não repousasse em alguma ideia imperfeita de bondade, o Senhor perguntou:

> Por que me chamas bom?
> Só Deus é bom.
> (São Marcos 10,18)

Nosso Senhor não estava fazendo objeções a ser chamado bom, mas a ser tomado meramente como um bom mestre. O jovem tinha se dirigido a Ele como um grande mestre, mas ainda homem; reconhecera a bondade, mas ainda no nível da bondade humana. Se Jesus fosse meramente um homem, o título de bondade essencial não pertenceria a Ele. Havia escondida na resposta uma afirmação de Sua divindade. Só Deus é bom. Ele estava, portanto, convidando o jovem a clamar em alta voz: "Tu és o Cristo, o Filho do Deus Vivo".

O jovem admitiu que guardava os mandamentos desde a mocidade. Com isso, Nosso Senhor fixou os olhos nele e compadeceu-Se.

Quando o jovem perguntou

> Que me falta ainda?,
> (São Mateus 19,20)

Nosso Senhor respondeu:

> Se queres ser perfeito,
> vai, vende teus bens,
> dá-os aos pobres
> e terás um tesouro no céu.
> Depois, vem e segue-me!
> (São Mateus 19,21)

Não houve nenhuma condenação da riqueza aqui, assim como não houve condenação do casamento na pergunta anterior; houve, no entanto, uma perfeição mais elevada que a humana. Como um homem pode deixar a esposa, também um homem pode deixar a propriedade. A Cruz exigiria que as almas renunciassem ao que mais amavam e se contentassem com o tesouro que vem das mãos de Deus. Alguém pode perguntar por que o Senhor pede tal sacrifício. O Salvador permitiu que Zaqueu, um coletor de impostos, preservasse metade de seus bens; José de Arimateia, depois da Crucifixão, foi descrito como rico; a propriedade de Ananias era dele mesmo; Nosso Senhor comeu na casa de amigos ricos em Betânia. Mas aqui estava uma questão de um jovem que perguntou o que ainda lhe faltava no caminho da perfeição. Quando o Senhor lhe propôs o caminho ordinário da salvação, a saber, guardar os mandamentos, o jovem não se deu por satisfeito. Buscava algo mais perfeito; no entanto, quando o perfeito lhe foi proposto, isto é, a renúncia,

> O jovem foi embora muito triste,
> porque possuía muitos bens.
> (São Mateus 19,22)

Há dois meios de demonstrar amor por Deus, um comum e outro heroico. O comum era guardar os mandamentos; o heroico era renunciar, tomar a cruz da pobreza voluntária. A honestidade do jovem desvaneceu; manteve suas posses e perdeu Aquele que lhe daria a Cruz. Embora tenha ficado com os bens, o jovem foi descrito como indo embora "muito triste".

Quando o jovem saiu, Nosso Senhor disse aos apóstolos:

> Quão dificilmente entrarão no Reino de Deus os ricos! [...]
> É mais fácil passar o camelo pelo fundo de uma agulha
> do que entrar o rico no Reino de Deus.
> (São Marcos 10,23-25)

Nosso Senhor, então, voltou-se aos discípulos, a quem chamara ao caminho perfeito, e usou esse incidente para falar-lhes sobre as virtudes da pobreza. Assim como os discípulos antes tinham se perguntado se alguém deveria casar-se, agora se perguntavam como é que alguém poderia ser salvo. Os discípulos estavam "espantados" e perguntaram:

> Quem pode então salvar-se?
> (São Marcos 10,26)

Poderíamos nos perguntar o que passava na cabeça de um dos discípulos que estava, mesmo naquele momento, surrupiando da bolsa destinada aos pobres. Os discípulos eram aqueles que tinham ao menos implicitamente associado as riquezas com as bênçãos dos céus, assim como na história moderna não faltou quem considerasse que o favor divino sempre era conhecido pela prosperidade econômica. O rico chegou ao topo porque Deus o abençoou, dizem, e os pobres vão para a base porque Deus não os favoreceu. Ora, dizer que a riqueza era um obstáculo para o Reino de Deus era, de outro modo, o "escândalo da Cruz". Os apóstolos sabiam que tinham renunciado aos barcos e às redes de pesca, por menores que fossem; mas ainda não se sentiam suficientemente livres da avareza para ser salvos. Foi esse aguilhão divino de sua consciência que os fez se perguntar acerca da salvação, como na noite da Última Ceia todos perguntariam: "Sou eu?". Visto que os olhos divinos estavam fixos neles, os discípulos perguntavam-se sobre o estado de suas almas. O Mestre Divino não lhes contou que estavam sendo rigorosos no julgamento de si mesmos. Jesus respondeu à pergunta deles acerca da salvação:

> Jesus olhou para eles e disse:
> Aos homens isto é impossível,
> mas a Deus tudo é possível.
> (São Mateus 19,26)

Porque um camelo não pode passar pelo furo de uma agulha, seria muito exagerado dizer que a mesma impossibilidade se põe no caminho da salvação do homem; pois sempre há a possibilidade divina.

Pedro, mais uma vez agindo como porta-voz dos apóstolos, pediu mais explicações desse problema econômico de renunciar à propriedade. Ele ouvira Nosso Senhor falar da grandeza da recompensa reservada àqueles que O seguissem. Sabendo que tinham deixado seus negócios no mar a fim de segui-Lo, perguntou Pedro:

> Eis que deixamos tudo para te seguir.
> Que haverá então para nós?
> (São Mateus 19,27)

Os apóstolos, evidentemente, não tinham deixado tantos bens materiais quanto o jovem rico teria de abandonar; mas não é a quantidade a que alguém renuncia que importa, mas o fato de que terá aberto mão de tudo. A caridade deve ser medida não pelo que foi distribuído, mas pelo que foi renunciado. Aqueles que optam por Cristo devem escolhê-Lo por amor a Ele, não por causa da recompensa. Foi só depois de terem se comprometido integralmente a segui-Lo que o Senhor falou de recompensa. Ele tinha recomendado a cruz; agora, falaria da glória que seria a consequência inevitável:

> Em verdade vos declaro:
> no dia da renovação do mundo,
> quando o Filho do Homem estiver sentado no trono da glória,
> vós, que me haveis seguido,
> estareis sentados em 12 tronos
> para julgar as 12 tribos de Israel.
> (São Mateus 19,28)

O Senhor os convidou a olhar para a grande regeneração, para uma nova ordem divina das coisas. O Filho do Homem que teria a Cruz na terra teria a glória no céu.

Quanto a eles, haveriam de ser as pedras fundamentais dessa nova ordem. Israel tinha sido fundada a partir dos 12 filhos de Jacó; assim também a nova ordem haveria de fundar-se nesses 12 apóstolos, que deixaram tudo por Ele. No novo Reino, uma glória peculiar lhes seria dada como patriarcas da nova ordem. João, que estava entre eles no momento, mais tarde escreveria:

> A muralha da cidade tinha 12 fundamentos
> com os nomes dos 12 apóstolos do Cordeiro.
> (Apocalipse 21,14)

Desenvolvendo a ideia de recompensa para aqueles que renunciam a seus bens, Jesus disse:

> Em verdade vos digo:
> ninguém há que tenha deixado casa ou irmãos,
> ou irmãs, ou pai, ou mãe, ou filhos, ou terras
> por causa de mim e por causa do Evangelho
> que não receba, já neste século, cem vezes mais casas,
> irmãos, irmãs, mães, filhos e terras,
> com perseguições e no século vindouro a vida eterna.
> (São Marcos 10,29-30)

A "perseguição" foi incluída entre as recompensas, não como perda, mas como ganho. A recompensa centuplicada viria nem tanto apesar da perseguição, mas por causa dela. Se fossem fiéis até a morte, receberiam a coroa da vida; pois as aflições deste mundo não hão de se comparar às alegrias por vir. Assim, o Mestre deixou a marca do Calvário na carne e nas posses deles, dizendo aos apóstolos que renunciassem àquilo que outros desejariam manter. Pedro, que perguntara o que ganharia por ter deixado os barcos, já tinha sido informado de que seria o timoneiro da barca de Pedro, ou seja, a Igreja. Pedro nunca se esqueceu daquele dia, quando Nosso Senhor falou das bênçãos e incluiu a "perseguição" como algo bom. Mais tarde, em meio a alegrias e perseguições, escreveu:

Alegrai-vos em ser participantes dos sofrimentos de Cristo,
para que vos possais alegrar e exultar
no dia em que for manifestada sua glória.
Se fordes ultrajados pelo nome de Cristo,
bem-aventurados sois vós, porque o Espírito de glória,
o Espírito de Deus repousa sobre vós.
(1 São Pedro 4,13-14)

17

O testemunho do Senhor acerca de Si mesmo

Quanto mais uma pessoa se aproxima de Deus, menos digno se sente. Uma pintura à luz de velas mostra menos defeitos que sob o brilho do sol; assim também as almas que estão a alguma distância de Deus sentem-se mais persuadidas da própria integridade moral que as muito próximas Dele. Aqueles que deixaram os holofotes e os encantamentos do mundo e, por anos, são irradiados pelo semblante do Cristo são os primeiros a reconhecerem-se sobrecarregados pelo grande fardo do pecado. São Paulo, que é tão edificante para os homens, denomina-se "o primeiro dos pecadores" (1 Timóteo 1,15). Na presença da mais santa das criaturas, a alma acusa-se e fica de coração partido com o peso das próprias faltas. Assim como os homens maus sentem mais a própria culpa diante de um bebê inocente do que em companhia daqueles que são maus como Ele, do mesmo modo, quem ama a Deus é mais profundamente afligido pela sensação da própria indignidade.

No entanto, Cristo, Nosso Senhor Bendito, que afirmou ser um com Deus, vez alguma confessou um pecado ou uma imperfeição. Vagamente, isso pode ser atribuído à aridez moral, já que sua análise do pecado nos outros era tão penetrante. Que homem há no mundo que possa postar-se corajosamente diante da multidão e dizer:

> Quem de vós me acusará de pecado?
> (São João 8,46)

Ainda que Nosso Senhor Santíssimo tenha se envolvido com pecadores, nunca existiu uma ínfima suspeita contra sua inocência sem mácula. Disse aos discípulos para rezar "perdoai nossas ofensas", mas nem mesmo na última agonia teve de pronunciar tal prece. Perdoou os pecados de outrem, em *Seu* nome: "Teus pecados te são perdoados" (São Lucas 5,20) e nunca pediu perdão. Enfrentou o desafio: "Se não podeis detectar uma falha moral em meu escudo, então me creditai com a verdade". Porque era sem pecado, afirmou sua posição de tal maneira que fazia afirmações sobre toda a humanidade, como, por exemplo, denominar-se "a Luz" de um mundo em trevas:

> Eu sou a luz do mundo;
> aquele que me segue
> não andará em trevas,
> mas terá a luz da vida.
> (São João 8,12)

Notemos, não é seu ensinamento que é a luz do mundo, mas sim Ele. Assim como só existe um sol para iluminar fisicamente o mundo, também afirmava que Ele era a única luz para o mundo espiritual; sem Ele, toda alma estaria envolvida em trevas. Assim como a poeira em um cômodo não pode ser vista até que a luz entre, igualmente, nenhum homem pode conhecer a si até que essa luz lhe mostre sua verdadeira condição. Ele, se fosse apenas um homem bom, nunca poderia alegar ser a luz do mundo; pois a Ele se aferrariam algumas armadilhas e falhas, até da melhor natureza humana. Buda escreveu um código que disse ser útil para guiar os homens nas trevas, mas nunca alegou ser a luz do mundo. O budismo nasceu de um desgosto com o mundo, quando o filho de um príncipe deixou mulher e filho, voltando-se dos prazeres da existência para os problemas da existência. Abrasado pelas chamas do mundo e delas já enfastiado, Buda voltou-se para a ética.

Entretanto, Nosso Senhor nunca teve esse sentimento de descontentamento. Se Ele era a luz, não era por ter se ferido tropeçando nas trevas. Maomé admitiu, ao morrer, que não era a luz do mundo, mas disse: "Temente, suplicante, buscando abrigo, fraco e necessitado de misericórdia, confesso meu pecado diante de Ti, apresentando minha súplica como o pobre implora ao rico". Confúcio estava tão coberto pelas trevas do pecado que nunca fez tal alegação. Ele admitiu:

> Não fui capaz de praticar a virtude corretamente, não fui capaz de proclamar ou buscar corretamente o que aprendi, fui incapaz de mudar o que estava errado — esses são os meus pesares [...]. Em conhecimento, talvez, iguale-me a outros homens, mas não fui capaz de transformar a essência do que é nobre em atos.

Antes da morte, Buda disse a Ananda, o discípulo preferido: "As doutrinas e as leis, ó Ananda, que ensinei e proclamei para ti, *elas* devem ser tuas mestras quando eu te deixar".

Nosso Senhor deixou o mundo sem nenhuma mensagem escrita. Sua doutrina era Ele mesmo. O ideal e a história identificavam-se Nele. A verdade que todos os outros mestres da ética proclamaram e a luz que trouxeram ao mundo não estavam *neles*, mas *fora* deles. Nosso Senhor Santíssimo, no entanto, identificava a sabedoria divina consigo mesmo. Foi a primeira vez na história que isso foi feito, e, desde então, jamais o foi.

Ele ampliou essa identificação de Sua personalidade com a sabedoria quando disse:

> Eu sou o caminho, a verdade e a vida;
> ninguém vem ao Pai senão por mim.
> Se me conhecêsseis,
> também certamente conheceríeis meu Pai [...].
> (São João 14,6-7)

Isso equivale a dizer que sem o caminho não há como ir; sem a verdade não há conhecimento; sem a vida não há viver. O caminho se torna adorável, não quando está em códigos abstratos e mandamentos, mas quando é pessoal. Assim como Platão certa vez disse: "É difícil descobrir o pai do mundo, e quando descoberto, não pode ser comunicado". A resposta de Nosso Senhor a Platão teria sido que descobrir o pai do mundo é difícil, a menos que ele seja revelado pela pessoa de seu filho.

Não há tal coisa como buscar primeiro a verdade e depois achar Cristo, como tampouco há motivo para acender velas a fim de encontrar o sol. Assim como as verdades científicas nos colocam em uma relação inteligente com o cosmo e como a verdade histórica nos coloca em uma relação temporal com a ascensão e queda das civilizações, do mesmo modo Cristo nos insere em uma relação inteligente com Deus Pai, pois Ele é a única Palavra possível pela qual pode dirigir-se a um mundo de pecadores.

> Todas as coisas me foram dadas por meu Pai;
> ninguém conhece o Filho, senão o Pai,
> e ninguém conhece o Pai, senão o Filho
> e aquele a quem o Filho quiser revelá-lo.
> (São Mateus 11,27)

A vida reside Nele em virtude de uma comunicação eterna com o Pai. Todos os que vieram antes Dele, que virão depois Dele e que podem oferecer qualquer outra via diferente Dele mesmo Jesus compara a ladrões e salteadores da humanidade.

> Em verdade, em verdade vos digo: eu sou a porta das ovelhas.
> Todos quantos vieram antes de mim foram ladrões e salteadores,
> mas as ovelhas não os ouviram.
> Eu sou a porta. Se alguém entrar por mim será salvo; tanto entrará como sairá e encontrará pastagem.
> (São João 10,7-10)

Jamais alguém fez da própria personalidade condição para assegurar a paz ou a vida eterna. Nosso Senhor, no entanto, identificou a personalidade com uma porta; é o símbolo da separação por que de um lado está o mundo e, do outro, o lar; mas também é um sinal de proteção, hospitalidade e relacionamento. Como a antiga cidade de Troia nada tinha senão um portão, da mesma maneira Nosso Senhor disse que Ele é a única porta para a salvação. Estando unida a Ele, chamou-a de lugar de encontro, onde Ele e as almas encontram-se no êxtase do amor. "Vá e venha à vontade", parece indicar uma união tanto da vida contemplativa quanto da vida real, pois a combinação de uma união interior com Cristo está combinada, aqui, com a obediência prática em um mundo de ação.

Não só Nosso Senhor identificou toda a verdade e vida consigo mesmo, como deixou claro sua pretensão de julgar o mundo — algo que nenhum homem comum jamais faria. Disse que, como juiz de tudo, voltaria mais uma vez, sentado em um trono de glória e assistido por anjos, para julgar todos os homens segundo as suas obras. A imaginação recua ao pensar que algum ser humano fosse capaz de penetrar nas profundezas de todas as consciências, descobrir todos os motivos ocultos e julgá-los por toda a eternidade. Entretanto, esse julgamento final estava muito longe e escondido dos olhos dos homens. Haveria um símbolo ou um ensaio do juízo final que seria a destruição de Jerusalém, realizada antes do fim da geração da época de Cristo. Isso também seria um prelúdio da destruição final no fim do mundo, quando o Reino de Deus seria instituído em sua fase eterna e gloriosa. Ao falar no fim do mundo, Ele disse:

> Então aparecerá no céu o sinal do Filho do Homem.
> Todas as tribos da terra baterão no peito
> e verão o Filho do Homem vir sobre as nuvens do céu
> cercado de glória e de majestade.
> Ele enviará seus anjos com estridentes trombetas,
> e juntarão seus escolhidos dos quatro ventos,
> duma extremidade do céu à outra.
> (São Mateus 24,30-31)

Quando Ele vier julgar, não será apenas a área circunscrita da terra em que trabalhou e revelou-Se; ao contrário, serão todas as nações e impérios do mundo. O momento da segunda vinda ele conhece, não como homem, mas somente como Deus. Não dirá senão, como advertência, que será súbito, como um relâmpago. Veio como o "homem de dores"; então virá em glória. Os atributos de sua humanidade sofredora serão necessários para sua identificação. Por isso, após a Ressurreição, manteve as cicatrizes. Com Ele estarão os anjos e todas as nações serão divididas em duas classes: ovelhas e bodes. Assim como dividiu os homens na terra em duas classes, a saber, os que O odiavam e os que O amavam, assim também os dividirá então. "Eu sou o bom pastor", disse a respeito de Si mesmo. O título Ele o reivindicaria no último dia pela separação de seu rebanho de ovelhas do rebanho de bodes.

As ovelhas ouvirão elogios pelo serviço amoroso prestado a Ele, mesmo quando tiver sido um serviço inconsciente. Há muito mais pessoas amando-o e servindo-o do que se suspeita. Parece que os mais surpresos de todos serão os assistentes sociais, que perguntarão: "Quando foi que te vimos com fome? Foi o caso nº 643?". Os malvados, por outro lado, descobrir-se-ão recusando-O quando negarem fazer coisa alguma por seus semelhantes em nome Dele.

> Quando o Filho do Homem voltar na sua glória
> e todos os anjos com ele, sentar-se-á no seu trono glorioso.
> Todas as nações se reunirão diante dele
> e ele separará uns dos outros, como o pastor separa as ovelhas dos cabritos.
> Colocará as ovelhas à sua direita e os cabritos à sua esquerda.
> Então o Rei dirá aos que estão à direita: — Vinde, benditos de meu Pai, tomai posse do Reino que vos está preparado desde a criação do mundo,

porque tive fome e me destes de comer;
tive sede e me destes de beber; era peregrino e me acolhestes;
nu e me vestistes; enfermo e me visitastes; estava na prisão e viestes a mim.
Perguntar-lhe-ão os justos: — Senhor, quando foi que te vimos com fome e te demos de comer, com sede e te demos de beber?
Quando foi que te vimos peregrino e te acolhemos, nu e te vestimos?
Quando foi que te vimos enfermo ou na prisão e te fomos visitar?
Responderá o Rei: — Em verdade eu vos declaro: todas as vezes que fizestes isto a um destes meus irmãos mais pequeninos, foi a mim mesmo que o fizestes.
Voltar-se-á em seguida para os da sua esquerda e lhes dirá: — Retirai-vos de mim, malditos! Ide para o fogo eterno destinado ao demônio e aos seus anjos.
Porque tive fome e não me destes de comer; tive sede e não me destes de beber;
era peregrino e não me acolhestes;
nu e não me vestistes; enfermo e na prisão e não me visitastes.
Também estes lhe perguntarão: — Senhor, quando foi que te vimos com fome, com sede, peregrino, nu, enfermo, ou na prisão e não te socorremos?
E ele responderá: — Em verdade eu vos declaro: todas as vezes que deixastes de fazer isso a um destes pequeninos, foi a mim que o deixastes de fazer.
E estes irão para o castigo eterno, e os justos, para a vida eterna.
(São Mateus 25,31-46)

As palavras de Cristo sugerem que a filantropia tem profundezas maiores do que, em geral, pensamos. As grandes emoções de compaixão e piedade levam a Ele; existem mais ações humanas do que estão cientes aqueles que as praticam. O Senhor identificou cada ato de bondade como expressão de compaixão para com Ele mesmo. Todo o bem é feito, explícita ou implicitamente, em Seu nome, ou é recusado, explícita ou implicitamente, em seu nome. Maomé disse que tinham de ser dadas esmolas, mas não em *seu nome*. Nosso Senhor estabeleceu essa condição, mas como simples homem, isso teria sido uma bobagem. Além disso, só uma vontade onisciente poderia julgar os motivos por trás de qualquer filantropia para decidir quando foi caridade ou quando foi autoelogio. Afirmou que o faria e com finalidade tal que as repercussões seriam eternas. Ele, que era o redentor, disse que também seria o juiz. É um belo arranjo da Providência que o juiz e o redentor se encontrem na mesma pessoa.

Quando levamos em conta Suas reiteradas afirmações acerca de Sua divindade — tais como pedir-nos para amá-Lo mais que aos pais, acreditar Nele mesmo diante da perseguição, estar prontos para o sacrifício de nossos corpos para salvar nossas almas em união com Ele —, chamá-Lo apenas de homem bom é ignorar os fatos. Nenhum homem bom é bom a menos que seja humilde; e a humildade é o reconhecimento da verdade a respeito de si mesmo. Um homem que pensa ser maior do que é na realidade não é humilde, mas um tolo fútil e presunçoso. Como alguém pode alegar prerrogativas de consciência, a respeito da história, da sociedade e do mundo e ainda afirmar que é "manso e humilde de coração"? Entretanto, ele é Deus e homem, sua linguagem é apropriada e tudo o que diz é inteligível. Se, contudo, Ele não é aquilo que diz ser, então alguns de seus ditos mais preciosos nada são exceto repentes bombásticos de autoadulação que exalam mais o espírito de Lúcifer que o espírito de um homem bom. Qual o proveito de proclamar a lei e a autorrenúncia, se Ele mesmo renuncia a verdade para dizer-se Deus? Até mesmo Seu sacrifício na Cruz se torna suspeito e coisa datada quando postos lado a lado com as ilusões de grandeza e arrogância infernal. Não poderia ser chamado nem mesmo de mestre sincero, pois nenhum mestre sincero permitiria que alguém interpretasse suas alegações de modo a compartilhar da categoria e do nome do grande Deus dos céus.

A escolha que se apresenta diante dos homens é a hipótese da insinceridade culpável ou, de fato, Ele dizia a verdade literal e, portanto, sua palavra deve ser considerada. É mais fácil acreditar que Deus realizou obras de prodígio e misericórdia na terra em Seu filho divino do que fechar os olhos da moral para o ponto mais brilhante que encontramos na história humana e, assim, cair em desespero. Não, nenhum ser humano pode ser bom! Ele teria sido arrogante e blasfemo ao fazer tais afirmações a respeito de Si mesmo. Em vez de estar acima de Seus seguidores morais que se denominam cristãos, estaria infinitamente abaixo do nível do pior deles. É mais fácil acreditar naquilo que Ele disse a respeito de Si, a saber, que Ele é Deus, do que explicar como o mundo poderia ter aceito como modelo um mentiroso rematado, um bufão soberbo. É só porque Jesus é Deus que o caráter humano de Jesus é uma manifestação do divino.

Devemos lamentar sua loucura ou adorar sua pessoa, mas não podemos nos basear no pressuposto de que era um mestre de cultura ética. Ou alguém pode dizer com Chesterton:

> Esperar que a relva secasse e os pássaros caíssem mortos da altura de seus voos, quando um aprendiz de carpinteiro em sua lenta caminhada dissesse calmamente, quase por acaso, como quem está atento a alguma outra coisa: "Antes que Abraão existisse, eu sou".[17]

O sargento romano, que tinha os próprios deuses e fora endurecido pela guerra e pela morte, veio a responder durante a crucificação, quando ambas, razão e consciência, afirmaram a verdade:

> Verdadeiramente, este homem era Filho de Deus!
> (São Mateus 27,54)

---

17 | G. K. Chesterton, *O Homem Eterno*. Trad. Almiro Pisetta. São Paulo: Mundo Cristão, 2010, p. 210. (N. T.)

18

Transfiguração

Três cenas importantes da vida de Nosso Senhor aconteceram nas montanhas. Em uma delas, pregou as bem-aventuranças, cuja prática seria crucificada pelo mundo; na segunda, mostrou a glória que estava além da Cruz; e, na terceira, ofereceu-Se a Si mesmo na morte como prelúdio de Sua glória e de todos os que cressem em Seu nome.

O segundo incidente ocorreu a algumas semanas, no máximo, do Calvário, quando levou consigo para a montanha Pedro, Tiago e João — Pedro, a Rocha; Tiago, destinado a ser o primeiro apóstolo mártir; e João, o visionário da glória futura do Apocalipse. Esses três estavam presentes quando Ele ressuscitou a filha de Jairo. Os três precisavam aprender a lição da Cruz e corrigir as falsas concepções do Messias. Pedro protestara veementemente contra a Cruz, enquanto Tiago e João estavam em busca do trono. Os três, mais tarde, cairiam no sono no Jardim do Getsêmani durante a agonia do Senhor. Para crer no Calvário, tinham de ver a glória que brilhava para além do martírio da Cruz.

No topo da montanha, depois de orar, Jesus transfigurou-Se diante deles, quando a glória de Sua divindade reluziu através dos fios das vestes terrenas. Não era tanto uma luz que estava brilhando desde fora, mas a beleza da divindade que brilhava desde dentro. Não era a plena manifestação da divindade que nenhum homem da terra podia ver; nem era Seu corpo glorificado, pois ainda não tinha ressurgido dos mortos, mas havia ali uma manifestação da glória. Seu berço, o ofício de carpinteiro, o opróbrio suportado dos inimigos era uma humilhação; convenientemente, tinha de haver também epifanias da glória, como o cântico dos anjos em Seu nascimento e a voz do Pai durante o batismo.

Agora, enquanto se aproximava do Calvário, uma nova glória o circunda. Mais uma vez a voz o investe com os trajes do sacerdócio, para oferecer sacrifício. A glória que brilhava em torno Dele como no Templo de Deus não era algo com que Ele foi investido exteriormente, mas a expressão natural da graça inerente "daquele que desceu do Céu". O milagre não era o brilho momentâneo em torno Dele; ao contrário, era que em todo o restante do tempo fosse reprimido. Assim como Moisés, depois de comungar com Deus, pôs um véu sobre o rosto para ocultá-lo do povo de Israel (Êxodo 34,29-35), também Cristo velou Sua glória na humanidade. Entretanto, por esse breve momento, retirou o véu, de modo que os homens podiam vê-la; a emanação desses raios era a proclamação transitória a cada olho humano do Sol da Justiça. À medida que a Cruz se aproxima, Sua glória aumenta. Assim, pode ser que a chegada do Anticristo ou a crucifixão final do bem seja precedida por uma glória extraordinária de Cristo em seus membros.

No homem, o corpo é um tipo de prisão da alma. Em Cristo, o Corpo era o Templo da Divindade. No Jardim do Éden, sabemos que o homem e a mulher estavam nus, mas não se envergonhavam. E isso porque a glória da alma antes do pecado brilhava pelo corpo e se tornava uma espécie de traje. Aqui também, na Transfiguração, a divindade brilhava através da humanidade. Isso provavelmente era muito mais natural para Cristo do que ser visto de qualquer outra forma, ou seja, sem essa glória. O resplendor teve de ser contido para ocultar a divindade que estava Nele.

> Enquanto orava, transformou-se o seu rosto
> e as suas vestes tornaram-se resplandecentes de brancura.
> E eis que falavam com ele dois personagens:
> eram Moisés e Elias, que apareceram envoltos em glória,
> e falavam da morte dele, que se havia de cumprir em Jerusalém.
> (São Lucas 9,29-31)

O Antigo Testamento vinha encontrar-se com o Novo. Moisés, o "editor" da Lei, Elias, o chefe dos profetas — ambos foram vistos brilhando à Luz do Próprio Cristo que, como Filho de Deus, deu a Lei e enviou os profetas. O assunto da conversa de Moisés, Elias e Cristo não foi o que tinha ensinado, mas Sua morte sacrificial; foi Seu dever como Mediador que cumpriu a Lei, os Profetas e os Decretos Eternos. Cumprida a missão deles, apontaram para Jesus a fim de verem a Redenção consumada.

Assim, Jesus manteve diante de Si o alvo de ser "contado entre os transgressores", como profetizara Isaías. Até nesse momento de glória a Cruz é o tema do discurso com os visitantes celestiais. No entanto, era a morte vencida, o pecado expiado e o sepulcro vazio. A luz da glória que envolveu a cena era uma alegria como o "já posso morrer", que Jacó disse ao ver José (Gênesis 46,30), ou como o *Nunc Dimittis*, que Simeão pronunciou ao ver o Menino Deus. Ésquilo, em seu Agamenon, descreve um soldado que volta à terra natal depois da Guerra de Troia e em sua alegria diz que estava pronto para morrer. Shakespeare põe essas mesmas palavras alegres na boca de Otelo depois dos perigos da viagem:

> A morte, agora, para mim seria
> Uma felicidade, pois tão grande
> É a ventura que da alma se me apossa,
> Que não pode, receio-o, reservar-me
> Outra igual o futuro nebuloso.[18]

No caso de Nosso Senhor, foi como São Paulo disse: "Em vez de gozo que se Lhe oferecera, Ele suportou a cruz" (Hebreus 12,2).[19]

O que os apóstolos observaram como particularmente belo e glorificado era Seu rosto e Suas vestes — o rosto que mais tarde estaria salpicado com o sangue que escorreria de uma coroa de espinhos; e as vestes, que logo seriam trocadas por uma túnica desprezível com que Herodes O vestiria como escárnio. O tecido de luz que agora O vestia seria trocado pela nudez quando Ele fosse maltratado em outra montanha.

Enquanto os apóstolos permaneciam no que parecia ser um vestíbulo do céu, formou-se uma nuvem que os cobriu:

> Falava ele ainda, quando veio
> uma nuvem luminosa e os envolveu.
> E daquela nuvem fez-se ouvir
> uma voz que dizia:
> Eis o meu Filho muito amado,
> em quem pus toda minha afeição; ouvi-o.
> (São Mateus 17,5)

Quando Deus faz aparecer uma nuvem, é um claro sinal de que há grilhões que o homem não ousa romper. Em Seu batismo, os céus se abri-

---

18 | William Shakespeare, *Teatro completo: Tragédias*. Trad. Carlos Alberto Nunes. Rio de Janeiro: Agir, p. 622. (N. T.)

19 | A autoria do livro de Hebreus é tradicionalmente atribuída a São Paulo. (N. T.)

ram; agora, na Transfiguração, abriram-se novamente para empossá-Lo no posto de Mediador, e para distingui-Lo de Moisés e dos profetas. Era o próprio céu que O estava enviando em missão, não a vontade pervertida dos homens. No batismo, a voz dos céus dirigia-se ao próprio Jesus; no monte da Transfiguração, dirigia-se aos discípulos. Os gritos de "Crucifica" seriam demais para os ouvidos deles se não soubessem que o Filho havia de padecer. Não era a Moisés nem a Elias que tinham de ouvir, mas àquele que aparentemente morreria como qualquer outro mestre — e, no entanto, era mais que um profeta. A voz dava testemunho da união inviolada e indivisa do Pai e do Filho; também lembrava as palavras de Moisés segundo as quais, no devido tempo, Deus suscitaria de Israel alguém como Ele, a quem haveriam de ouvir.

Os apóstolos, despertando com o esplendor do que tinham visto, encontraram seu porta-voz, como quase sempre, em Pedro.

> Quando estes se apartaram de Jesus, Pedro disse:
> Mestre, é bom estarmos aqui.
> Podemos levantar três tendas:
> uma para ti, outra para Moisés e outra para Elias!...
> Ele não sabia o que dizia.
> (São Lucas 9,33-34)

Uma semana antes, Pedro estava tentando achar um caminho para a glória, sem Cruz. Agora pensou que a Transfiguração seria um bom atalho para a salvação por ter um Monte das Bem-Aventuranças ou um Monte da Transfiguração, sem o Monte do Calvário. Foi a segunda tentativa de Pedro de dissuadir Nosso Senhor de ir a Jerusalém para ser crucificado. Antes do Calvário, era o porta-voz de todos aqueles que entrariam na glória sem comprá-la com renúncia e sacrifício. Pedro, em sua impetuosidade, sentiu então que a glória que Deus trouxe dos céus e que os anjos cantaram em Belém podia ser abrigada entre os homens sem uma guerra contra o pecado. Pedro esqueceu que, assim como a pomba só descansou os pés depois do dilúvio, também a verdadeira paz só viria depois da Crucifixão.

Como uma criança, Pedro tentou capitalizar e fazer permanente essa glória passageira. Para o Salvador, era uma antecipação do que estava refletido do outro lado da Cruz; para Pedro, era uma manifestação de uma glória messiânica terrena que havia de ser abrigada. O Senhor, que chamou Pedro de "Satanás" porque insistia em uma coroa sem Cruz, agora ignorava seu humanismo sem cruz, pois sabia que "Pedro não sabia o que dizia". Depois da Ressurreição, entretanto, Pedro saberia. Então se lembraria da cena, dizendo:

> Na realidade, não é baseando-nos em hábeis fábulas imaginadas
> que nós vos temos feito conhecer o poder e a vinda de nosso Senhor Jesus Cristo,
> mas por termos visto a sua majestade com nossos próprios olhos.
> Porque ele recebeu de Deus Pai honra e glória,
> quando do seio da glória magnífica lhe foi dirigida esta voz:
> Este é o meu Filho muito amado, em quem tenho posto todo o meu afeto.
> Esta mesma voz que vinha do céu nós a ouvimos,
> quando estávamos com ele no monte santo.
> Assim demos ainda maior crédito à palavra dos profetas,
> à qual fazeis bem em atender,
> como a uma lâmpada que brilha em um lugar tenebroso
> até que desponte o dia e a estrela da manhã se levante em vossos corações.
> (2 São Pedro 1,16-19)

19
As três discussões

Um Deus-homem que sofre é um escândalo. Os homens não gostam de ouvir a respeito de seus pecados e da necessidade de expiá-los. Por isso, sempre que Jesus arrastava Sua Cruz e exibia Sua necessidade diante dos apóstolos, eles começavam a brigar com Ele ou entre si. Ainda estavam obcecados com a ideia de que o Reino seria político, e não espiritual. Se Ele iria para o Calvário, então seria melhor que "cobrassem" o mais depressa possível recompensas, postos ou privilégios que estivessem imediatamente disponíveis. Quanto mais explícita a predição de sua Cruz, mais as ambições, as invejas e animosidades aumentavam.

Nada é mais belo no caráter de Nosso Senhor do que a maneira como preparou os apóstolos para essa lição intragável de derrota aparente como condição de vitória. Como eles eram lentos para compreender a história de por que ele *deveria* sofrer! Não é de admirar que Nosso Senhor falasse abertamente, mas com raridade, de sua Cruz e Ressurreição. Pois era algo que poucos podiam entender até depois que viesse a acontecer e o Espírito de Cristo viesse aos seguidores. Muitas foram as vezes em que falou de Sua morte de maneira velada, mas houve vezes em que foi explícito sobre o propósito de Sua vinda:

1. Depois da afirmação de Pedro de sua divindade e de conferir o poder das chaves;
2. Depois de sua transfiguração a caminho de Cafarnaum;
3. Na última viagem a Jerusalém.

Mas que reações estranhas da parte dos apóstolos! Era como se pudessem, eles mesmos, resgatar dos destroços do Reino algum vestígio de poder e autoridade. Que a Cruz era a condição pela qual o Reino seria inaugurado estava muito distante de seus pensamentos.

A primeira discussão: Cesareia de Filipe

Quando Nosso Senhor Santíssimo chegou a essa que era a cidade mais ao norte da Terra Santa, uma cidade com população dividida entre judeus e pagãos, falou da igreja que instituiria. Entretanto, antes que o fizesse, tinha de deixar clara a forma de governo que a regeria. Essas poderiam ser três: democrática, aristocrática e teocrática. A democrática é aquela em que a autoridade e a verdade são decididas por voto ou por uma maioria aritmética; a aristocrática é aquela em que a autoridade deriva de uns poucos escolhidos; a teocrática, a que o próprio Deus oferece e guia a revelação e a verdade.

Ao apelar primeiro à democrática, perguntou aos apóstolos qual era, em geral, a opinião popular a respeito Dele. Se houvesse uma eleição ou votação com base no juízo falho dos homens, qual seria a resposta deles a essa questão?

> No dizer do povo, quem é o Filho do Homem?
> (São Mateus 16,13)

A inabilidade dos homens para concordar a respeito de Sua divindade foi revelada na resposta:

> Uns dizem que é João Batista;
> outros, Elias;
> outros, Jeremias
> ou um dos profetas.
> (São Mateus 16,14)

A opinião humana pode dar apenas opiniões conflitantes, contrárias e contraditórias. As quatro opiniões populares demonstram que Nosso Senhor desfrutava de uma reputação ilibada entre os compatriotas, mas nenhuma delas o havia reconhecido por aquilo que Ele era. Herodes Antipas imaginava que Nosso Senhor era alguém animado pelo espírito de João Batista; outros pensavam que Ele era Elias porque subira aos céus; e outros, Jeremias, porque alguns acreditavam que Jeremias viria como o precursor do Messias.

Visto que nenhuma Igreja poderia ser instituída nesse tipo de confusão, Nosso Senhor, então, voltou-Se para a forma aristocrática de governo ao perguntar a seus eleitos, seu pequeno parlamento, o grupo dos apóstolos, o ponto de vista deles.

> E vós quem dizeis que eu sou?
> (São Mateus 16,15)

A pergunta era para todos os que ouviram seus ensinamentos, viram os milagres e foram agraciados até mesmo com o poder de operar milagres em outrem. Essa Câmara Alta não tinha resposta — em parte porque não concordavam entre si; em cinco minutos estariam discutindo. Judas duvidava da sagacidade financeira de Jesus; Filipe duvidava de suas relações com o Pai dos Céus; e todos, mais ou menos, esperavam por algum libertador secular que poria fim às águias ruidosas de Roma no território deles.

Então, sem pedir ou sem o consentimento dos outros, Pedro adiantou-se e deu a resposta correta e final:

> Tu és o Cristo, o Filho de Deus vivo!
> (São Mateus 16,16)

Pedro confessou que Cristo era o verdadeiro Messias, enviado por Deus para revelar Sua vontade aos homens e cumprir todas as profecias e a lei. Era o Filho de Deus, gerado desde toda a eternidade, mas também o Filho do Homem gerado no tempo — verdadeiro Deus e verdadeiro homem.

Nosso Senhor revelou a Pedro que ele não sabia disso por si mesmo: nenhum estudo ou discernimento natural jamais poderia revelar essa grande verdade.

> Feliz és, Simão, filho de Jonas,
> porque não foi a carne nem o sangue
> que te revelou isto,
> mas meu Pai que está nos céus.
> (São Mateus 16,17)

Nosso Senhor chamou-o, primeiro, pelo nome que tinha antes de ser convocado para ser apóstolo. Então, chamou-o pelo novo nome que Ele lhe deu, ou seja, Pedro, indicando que era sobre ele, a rocha, que edificaria Sua Igreja. Nosso Senhor se dirigiu a Pedro na segunda pessoa do singular para indicar que não era a confissão da divindade feita por Pedro, mas o próprio Pedro que deveria deter o primado na Igreja.

> E eu te declaro: tu és Pedro,
> e sobre esta pedra edificarei a minha Igreja;
> as portas do inferno não prevalecerão contra ela.
> Eu te darei as chaves do Reino dos céus:
> tudo o que ligares na terra será ligado nos céus,
> e tudo o que desligares na terra será desligado nos céus.
> (São Mateus 16,18-19)

Depois de prometer que as portas do Inferno, o erro, o mal, nunca dominariam Sua Igreja, Nosso Senhor fez a primeira de Suas confissões mais explícitas a respeito de Sua morte iminente. Já tinha dado muitas pistas veladas a respeito disso, mas os apóstolos foram lentos em reconhecer que o Messias sofreria como previra Isaías. Deixaram escapar por completo a consequência daquilo que Ele sugerira ao purificar o templo: que Ele era o templo de Deus e que o templo seria destruído. Esqueceram-se de seu ensinamento sobre a serpente erguida como uma profecia de como o Filho do Homem seria erguido na cruz. Entretanto, agora que o homem a quem escolhera como chefe de Seu corpo apostólico confessara Sua divindade, mostrou-lhes abertamente que o caminho da glória, tanto para Si como para eles, levava-os ao sofrimento e à morte.

> Desde então, Jesus começou a manifestar a seus discípulos que precisava ir a Jerusalém e sofrer muito da parte dos anciãos,
> dos príncipes dos sacerdotes e dos escribas;
> seria morto e ressuscitaria ao terceiro dia.
> (São Mateus 16,21)

Nosso Senhor não Se manifestou abertamente a respeito de Sua morte enquanto os apóstolos acreditavam que Ele era somente um homem, mas, uma vez que fora reconhecido como Deus, falou de maneira franca sobre a morte. Isso aconteceu para que Sua morte pudesse ser vista à luz apropriada, como um sacrifício em favor dos pecadores.

Mais uma vez, surgiu o misterioso "dever" que regeu Sua vida. Era a amarra forte que o unia e era feita de uma urdidura e de uma trama; por um lado, a obediência ao Pai e, por outro, o amor aos homens. Porque podia salvar, deveria morrer. O "dever" não era simplesmente uma morte, posto que imediatamente mencionou a Ressurreição no terceiro dia.

Houve uma conexão intrínseca entre a afirmação da divindade de Cristo e Sua morte e Ressurreição. No exato momento em que Cristo recebeu o mais sublime de todos os títulos e foi feita a confissão de sua mais excelsa dignidade, Ele profetizou sua maior humilhação. Ambas as naturezas de Cristo, a humana e a divina, estavam envoltas nessa predição, a saber, a do Filho do Homem que aparecera diante deles e a do Filho do Deus Vivo que acabara de ser reconhecido.

Pedro estava cheio de orgulho da autoridade que acabara de lhe ser dada, chamou Nosso Senhor à parte e começou a censurá-Lo, dizendo:

> Que Deus não permita isto, Senhor!
> Isto não te acontecerá!
> (São Mateus 16,22)

Pedro podia aceitar a divindade de Cristo; o sofrimento, não. A pedra tornara-se pedra de tropeço; Pedro teria, por ora, um meio Cristo, o Cristo divino, mas não o Cristo redentor. Entretanto, meio Cristo não era Cristo algum. Teria o Cristo cuja glória foi anunciada em Belém, mas não o Cristo em pleno orbe, que seria um sacrifício pelos pecados na Cruz.

Pedro pensou: se ele era o Filho de Deus, por que deveria sofrer? Satanás no monte da tentação tentou-O a fugir da Cruz prometendo popularidade por intermédio da oferta do pão, da realização de maravilhas científicas ou de tornar-se um ditador. Satanás não confessou a divindade de Cristo, já que prefaciou cada tentação com um "se" — "Se és o Filho de Deus". Crédito seja dado a Pedro, pois confessou a divindade. Entretanto, juntamente com essa diferença, havia uma semelhança: ambos, Pedro e Satanás, tentaram Cristo a fugir de Sua Cruz e, portanto, da redenção. Não redimir estava no pensamento de Satanás; ter a coroa sem a Cruz era o espírito de Satã. Também era, contudo, o espírito de Pedro. Assim, Nosso Senhor chamou-o de Satanás:

> Afasta-te, Satanás!
> Tu és para mim um escândalo;
> teus pensamentos não são de Deus,
> mas dos homens!
> (São Mateus 16,23)

Em um momento desprotegido, Pedro deixou Satanás entrar em seu coração, tornando-se uma pedra de tropeço no caminho do Calvário. Pedro acreditava ser indigno que Cristo sofresse, mas, para Nosso Senhor, tais pensamentos eram humanos, carnais e até mesmo satânicos. Somente pela iluminação divina, Pedro ou qualquer outro O reconheceriam como Filho de Deus; mas seria necessária outra iluminação divina para Pedro ou outro qualquer reconhecê-Lo como redentor. Pedro o teria tomado como mestre de ética humanitária — mas Satanás, igualmente.

Pedro nunca esqueceu essa reprimenda. Anos depois, ainda tendo em mente a ideia da pedra de tropeço, escreveu sobre os que se recusam a aceitar o sofrimento de Cristo como ele o fizera em Cesareia de Filipe:

> Mas, para os incrédulos,
> a pedra que os edificadores rejeitaram
> tornou-se a pedra angular, uma pedra de tropeço,
> uma pedra de escândalo.
> (1 São Pedro 2,7)

Está evidente que os apóstolos tiveram um porta-voz eloquente em Pedro e que estavam igualmente estarrecidos com o sofrimento do mestre, visto que, depois de repreender Pedro, falou a todos os discípulos e ordenou, até à multidão, que guardassem suas palavras. Aos que, algum dia, professassem ser seus seguidores, enumerou três condições:

> Se alguém me quer seguir,
> renuncie-se a si mesmo,
> tome a sua cruz e siga-me.
> (São Marcos 8,34)

A Cruz foi o motivo de Sua vinda; agora, Ele a tornou o destino de seus seguidores. Não tornou o cristianismo fácil, pois sugeriu não só que deve existir uma renúncia voluntária de tudo o que dificulta assemelharem-se a Ele, mas também deve haver sofrimento, vergonha e morte na cruz. Não têm de alardear uma trilha de sacrifícios, mas apenas de seguir com zelo a trilha do Homem das Dores. Nenhum discípulo é chamado para uma tarefa não experimentada. Ele tomou a cruz primeiro. Somente os dispostos a ser crucificados com Ele podem ser salvos pelos méritos de Sua morte e somente os que suportam a cruz podem realmente compreendê-Lo.

Não se questionou se os homens teriam ou não o sacrifício em suas vidas; foi apenas uma questão de que vida deveriam sacrificar, a vida superior ou a inferior!

> Quem quiser salvar a sua vida, perdê-la-á;
> mas quem sacrificar a sua vida
> por amor de mim, salvá-la-á.
> (São Lucas 9,24)

Se a vida física, natural, biológica fosse salva pelo prazer, então a vida superior do espírito estaria perdida; mas, se a vida superior do espírito fosse a escolhida para a salvação, então a vida inferior ou física tinha de ser submetida à cruz e à autodisciplina. Deve haver algumas virtudes naturais sem a cruz, mas, sem ela, nunca haverá crescimento em virtude.

Carregar a cruz, explicou então, tinha por base a permuta. Permutar indica algo que a pessoa pode passar bem sem ter. Um homem pode passar bem sem dez centavos, mas não pode passar bem sem o pão que os dez centavos podem comprar; então troca um pelo outro. Sacrifício não significa "desistir" de alguma coisa como se fosse uma perda; antes, é uma permuta: uma troca de valores inferiores por alegrias superiores. Nada, todavia, em todo o mundo vale uma alma.

> Pois que aproveitará ao homem ganhar o mundo inteiro,
> se vier a perder a sua vida?
> Ou que dará o homem em troca da sua vida?
> (São Marcos 8,36-37)

Nesse exato momento, os apóstolos envergonharam-se Dele porque falava de Sua derrota e morte. Advertiu a respeito de qualquer um que tivesse vergonha Dele, de suas palavras ou que O negasse em tempos de perseguição. Se fosse só um mestre, teria sido absurdo da parte Dele reivindicar que todos os homens deveriam, aberta e desavergonhadamente, confessá-Lo como Senhor e Salvador. Teria sido suficiente se declamassem um ou outro de Seus ensinamentos. Entretanto, aqui, faz disso a condição para ser salvo; que os homens, com coragem, confessem que Ele, o Filho de Deus, foi crucificado.

> Porque, se nesta geração adúltera e pecadora
> alguém se envergonhar de mim e das minhas palavras,

> também o Filho do homem se envergonhará dele,
> quando vier na glória de seu Pai com os seus santos anjos.
> (São Marcos 8,38)

A segunda discussão: Cafarnaum

O segundo anúncio público de sua Paixão foi depois da transfiguração e da expulsão do demônio do menino. O mestre e seus apóstolos tinham se encaminhado em direção a Cafarnaum. Os muitos milagres que Nosso Senhor realizara entre Cesareia de Filipe e Cafarnaum deixaram os apóstolos muito agitados.

> Todos ficaram pasmados ante a grandeza de Deus.
> (São Lucas 9,43)

Os apóstolos começaram a traduzir esse poder em esperança de uma realeza terrena e uma soberania humana, apesar das lições severas que foram dadas a respeito da cruz. Esse tipo de entusiasmo religioso, que deixaria a humanidade sem redenção, Nosso Senhor desaprovou:

> Como todos se admirassem de tudo o que Jesus fazia,
> disse ele a seus discípulos:
> Gravai nos vossos corações estas palavras:
> O Filho do Homem há de ser entregue às mãos dos homens!
> (São Lucas 9,43-44)

> O Filho do homem será entregue nas mãos dos homens,
> e matá-lo-ão; e ressuscitará três dias depois de sua morte.
> (São Lucas 9,31)

Nosso Senhor repetiu claramente a profecia do Calvário a fim de que, quando ela acontecesse, seus discípulos não fraquejassem na fé ou o abandonassem. As repetidas declarações também lhes asseguravam que Ele não iria para a Cruz por coação, mas como um sacrifício voluntário. A perspectiva que Nosso Senhor lhes apresentou acerca de Sua morte foi vista com aversão. Não só se recusaram a prestar atenção como até dispensaram Nosso Senhor de quaisquer perguntas a esse respeito.

> Eles, porém, não entendiam esta palavra e era-lhes obscura,
> de modo que não alcançaram o seu sentido;
> e tinham medo de lhe perguntar a este respeito.
> (São Lucas 9,45)

O segundo anúncio de sua morte e glória provocou uma segunda discussão. Ao voltar de Cafarnaum, disputavam entre si, mas não ao alcance dos ouvidos de Nosso Senhor.

> Veio-lhes então o pensamento de qual deles seria o maior.
> (São Lucas 9,46)

Como deve ter sido superficial a impressão que Nosso Senhor lhes causou ao falar sobre Sua morte, pois ainda se questionavam sobre a prioridade naquilo que imaginavam ser uma configuração política e econômica chamada Reino de Deus! Dos lábios do Divino Mestre ouviram alguma coisa sobre seus padecimentos, mas agora disputavam sobre classificação. Possivelmente, a posição mais alta dada a Pedro em Cesareia de Filipe intensificou a disputa; talvez, também, o fato de Pedro, Tiago e João terem sido escolhidos como testemunhas da transfiguração tenha despertado ressentimentos. De qualquer maneira, discutiam, como sempre, todas as vezes que Ele desvelava a Cruz.

Ao saber que a crise estaria próxima quando instituísse o Reino, estavam agitados pela ambição. Entretanto, Nosso Senhor sabia o que se passava no coração deles e, ao chegar na casa de Cafarnaum onde, como de costume, desfrutavam da hospitalidade, provavelmente, de Pedro:

> Quando já estava em casa, Jesus perguntou-lhes:
> De que faláveis pelo caminho?
> Mas eles calaram-se, porque pelo caminho
> haviam discutido entre si qual deles seria o maior.
> (São Marcos 9,33-34)

As vozes, que eram altas na estrada ao discutir, estavam agora quietas quando o mestre leu os pensamentos e as próprias consciências os acusavam. A pouca atenção que deram às Suas palavras a respeito da Cruz pode ser o motivo para não compreenderem por que Aquele, cheio do poder que viram nos milagres e na ressurreição de mortos, deveria ser aparentemente tão impotente. Por que Ele se submeteria à morte se, a qualquer momento, poderia livrar-se dela? Era um mistério que não podia ser compreendido até que se completasse e, mesmo depois de seu cumprimento, ainda permanecia um escândalo entre os judeus e os gregos que não acreditavam. Como escreveu São Paulo aos coríntios:

> Os judeus pedem milagres,
> os gregos reclamam a sabedoria;
> mas nós pregamos Cristo crucificado,
> escândalo para os judeus e loucura para os pagãos;
> mas, para os eleitos — quer judeus quer gregos —,
> força de Deus e sabedoria de Deus.
> (1 Coríntios 1,22-24)

É evidente que o homem natural ou carnal foi orientado para recebê-Lo como Aquele que veio para trazer um código moral do tipo que pode ser exposto em exibição nos gramados das igrejas; mas tomá-Lo como Aquele que veio ao mundo como "resgate" para a humanidade requeria uma sabedoria superior, como sugeriu São Paulo:

> Mas o homem natural
> não aceita as coisas do Espírito de Deus,
> pois para ele são loucuras.
> Nem as pode compreender,
> porque é pelo Espírito que se devem ponderar
> (1 Coríntios 2,14)

Dessa vez, para corrigir as ideias falsas de superioridade, com grande solenidade, chamou para Si uma criança:

> E, tomando um menino,
> colocou-o no meio deles; abraçou-o.
> (São Marcos 9,36)

Já que os apóstolos haviam discutido quem era o maior no Reino, Nosso Senhor, naquele momento, deu a resposta às suas mentes ambiciosas:

> Em verdade vos declaro:
> se não vos transformardes e
> vos tornardes como criancinhas,
> não entrareis no Reino dos céus.
> Aquele que se fizer humilde como esta criança
> será maior no Reino dos céus.
> (São Mateus 18,3-4)

O maior de todos os discípulos seria aquele que fosse como uma criança; pois a criança figura como um representante de Deus e de Seu Divino Filho na terra. Havia nobreza em seu Reino, mas era oposta à categorização do mundo. Em seu Reino, a pessoa ascendia por afundar, aumentava por diminuir. Disse que não veio para ser servido, mas para servir. Ele próprio era a humilhação exemplificada como a que remontava às profundezas da derrota na cruz. Já que não compreendiam a cruz, ordenou-lhes que aprendessem da criança a quem abraçava de todo o coração. Os maiores são os menores e os menores são os maiores. Honra e prestígio não estão nos que se assentam à cabeceira da mesa, mas está no que se cinge com uma toalha e lava os pés dos que são seus servos. Ele, que era Deus, tornou-Se homem; Ele, que era o senhor dos céus e da terra, humilhou-Se na Cruz. Esse era um ato de humildade incomparável que deviam aprender. Se, por um momento, não pudessem aprender Dele, tinham de aprender de uma criança.

A terceira discussão: a caminho de Jerusalém

A terceira profecia clara de Nosso Senhor a respeito da Cruz que resultou em uma discussão entre os apóstolos aconteceu pouco mais de uma semana antes de ser crucificado. Estava com os apóstolos a caminho de Jerusalém pela última vez. Havia pressa em seus passos; resolução e propósito firme estavam tão estampados em Seu rosto que os apóstolos não deixaram de perceber.

> Estavam a caminho de Jerusalém
> e Jesus ia adiante deles.
> Estavam perturbados e o seguiam com medo.
> (São Marcos 10,32)

O Mestre andava bem à frente de seus apóstolos no caminho íngreme da montanha. Ficaram para trás, mergulhados em um terror incompreensível. Enquanto Ele se apressava para a cruz, havia um pensamento que predominava na mente de Cristo: a submissão voluntária ao sacrifício. De acordo com o plano do Pai, a Cruz era-Lhe necessária como um meio de dar vida aos outros. Os apóstolos, por outro lado, até o último momento, buscavam por alguma manifestação de poder que libertaria a nação da servidão política e os alçaria, pessoalmente, a certa glória e autoridade. Estavam espantados com a prontidão de Jesus para ingressar em Jerusalém, o que significava sofrimento. Sonhavam com tronos, e Ele pensava em uma cruz. Conhecendo os pensamentos, Jesus chamou os apóstolos à parte:

> Eis que subimos a Jerusalém
> e o Filho do homem será entregue
> aos príncipes dos sacerdotes e aos escribas;
> condená-lo-ão à morte e entregá-lo-ão aos gentios.
> Escarnecerão dele, cuspirão nele,
> açoitá-lo-ão, e hão de matá-lo;
> mas ao terceiro dia ele ressurgirá.
> (São Marcos 10,33-34)

Mais uma vez, cobriu o fel de sua Paixão no mel da Ressurreição. O calvário não era algo diante de si que não poderia evitar e, portanto, tinha de aceitar como o papel do mártir. Havia um retroceder humano diante do sofrimento em que o mal o examinaria, mas esse retrocesso nunca se tornou um propósito. Assim como um navio pode ser jogado nas ondas enquanto mantém o equilíbrio, da mesma maneira sua natureza física podia ser lançada de um lado para o outro, enquanto subjazia fixo e inalterável o propósito do Pai. Entretanto, os apóstolos não podiam compreender uma morte tão sofrida, porque era ofertada para os outros e, ao mesmo tempo, um sacrifício expiatório pelo pecado.

> Mas eles nada disto compreendiam,
> e estas palavras eram-lhes um enigma
> cujo sentido não podiam entender.
> (São Lucas 18,34)

Como Ele, que tinha poder sobre a morte, os ventos e os mares e cuja mente podia silenciar as bocas dos fariseus, os deixaria sem conforto e os lançaria novamente no mundo por não poder resistir aos inimigos? Essa era a preocupação deles.

Assim como nas outras duas ocasiões, agora que Jesus falara novamente de sua morte, irrompeu uma nova discussão entre os apóstolos. Tiago e João, que já se tinham destacado ao ressentirem-se da rudeza dos samaritanos e ao pedir a Nosso Senhor que os destruísse, fizeram, nesse momento, um pedido. Os dois irmãos, que outrora pediram que descesse um fogo dos céus sobre os inimigos, agora pediam que lhes fosse dada uma grande vantagem. Com presunção irreverente, pediram a Nosso Senhor, imediatamente depois de este falar de sua morte, para tornar-se instrumento da própria vaidade deles.

> Concede-nos que nos sentemos na tua glória,
> um à tua direita e outro à tua esquerda.
> (São Marcos 10,37)

Existe certo reconhecimento da autoridade de Cristo, pois sugeriam que Ele era o rei que concedia benesses, mas a concepção de Seu Reino era mundana. A influência da família e a preferência pessoal concedia altos postos em um reino secular. Tiago e João, pressupondo que o reino de Deus era mundano, pensavam que a promoção poderia ser nessas bases. No entanto, Nosso Senhor respondeu-lhes:

> Não sabeis o que pedis, retorquiu Jesus.
> Podeis vós beber o cálice que eu vou beber,
> ou ser batizados no batismo em que eu vou ser batizado?
> (São Marcos 10,38)

A outorga de honras em seu Reino não era uma questão de favoritismo, mas a incorporação da cruz. Se Ele tivesse de morrer para ascender à glória, eles também teriam de morrer para descobrir a glória. Se Ele tivesse de beber o cálice amargo para vencer o mal, eles deveriam beber desse cálice. O "cálice" foi usado aqui como um símbolo da derrota que, para Ele, seria derramado por homens infiéis. No batismo de sangue, seria totalmente imerso, mas as imagens também sugeriam purificação e ressurreição.

Em resposta à questão a respeito de beber do cálice, Tiago e João responderam, "Podemos". Embora não compreendessem exatamente o que estavam aceitando, Nosso Senhor profetizou o cumprimento da fé deles. Tiago foi o primeiro a partilhar do batismo de sangue de Cristo, ao ser assassinado por Herodes. João, na verdade, sofreu; viveu uma vida longa de perseguições e banimentos. Após ser colocado em um caldeirão de óleo fervente, foi milagrosamente poupado e morreu em idade provecta em Patmos. Tiago tornou-se o patrono de todos os mártires vermelhos, que derramaram o sangue porque beberam do cálice do Cristo. João se tornou o símbolo do que poderia ser chamado de mártires brancos, os que suportam o sofrimento físico e, mesmo assim, morrem de morte natural.

Nessas circunstâncias, começa a discussão.

> Os outros dez começaram a indignar-se contra Tiago e João.
> (São Marcos 10,41)

Estavam indignados porque todos partilhavam do mesmo desejo. Nosso Senhor chamou os outros dez. Tiago e João receberam a lição, agora chegara o momento de os outros dez receberem a deles. A primeira lição foi a repetição daquilo que sugerira em Cafarnaum ao colocar uma criança no meio deles, a lição da humildade. O que devia ser-lhes ensinado nesse momento não era o que os tornaria eminentes em seu Reino, mas, antes, o sentido de eminência. Expôs o contraste entre o despotismo dos potentados terrenos e a soberania do amor no próprio Reino. Nos reinos terrenos, os que governavam, tais como reis, nobres, príncipes e presidentes, são servidos; em seu Reino, a marca da nobreza seria privilégio do serviço ou do servir.

> Sabeis que os que são considerados chefes das nações dominam sobre elas e os seus intendentes exercem poder sobre elas.
> Entre vós, porém, não será assim:
> todo o que quiser tornar-se grande entre vós, seja o vosso servo;
> e todo o que entre vós quiser ser o primeiro, seja escravo de todos.
> (São Marcos 10,42-44)

Em Seu Reino, os mais modestos e os mais humildes serão os maiores e mais exaltados. Embora considerasse os apóstolos como reis, deveriam, apesar disso, consagrar seus direitos ao serem os menores dentre os homens.

O Salvador, contudo, não lhes deu apenas uma prescrição moral sem apontar para a própria vida como exemplo da humildade que desejava que eles tivessem. Toda a verdade era que ele veio não para ser servido, mas para servir. Na realidade, estava a dizer que era o rei e teria um Reino, mas esse Reino seria obtido de um modo diferente daqueles pelos quais os príncipes seculares consolidavam os seus. Introduziu uma relação direta entre a entrega de sua vida e a soberania espiritual que a morte adquiriria.

> Porque o Filho do homem não veio para ser servido,
> mas para servir e dar a sua vida em redenção por muitos.
> (São Marcos 10,45)

Aqui, como em outros lugares, falou de Si como "vindo" ao mundo para indicar que o nascimento humano não era o começo de sua existência pessoal. Iniciou o serviço muito antes de os homens virem-no servir com compaixão e misericórdia. Seu serviço começou quando se despiu da glória celestial e cingiu-Se da carne tecida no tear de Maria.

O propósito de Sua vinda a este mundo era oferecer resgate e redenção. Se fosse simplesmente o filho de um carpinteiro, teria sido tolo de sua parte dizer que veio para servir. Uma posição servil teria sido rotina e algo comum, mas um rei tornar-se servo, Deus tornar-se homem, não era presunção, mas humildade. Havia um preço a ser pago e esse era a morte, pois o "preço do pecado é a morte". O resgate não teria sentido se a natureza humana não estivesse em dívida. Suponhamos que um homem estivesse sentado junto a um cais, em um dia claro de verão, pescando, satisfeito. Subitamente, outro homem salta do cais e cai no rio diante Dele. Afundando pela terceira vez ao se afogar, grita para o homem no cais:

> Ninguém tem maior amor do que aquele que dá a sua vida
> por seus amigos.
> (São João 15,13)

Toda a ação teria sido bastante incompreensível, pois o homem no cais não estava em perigo e, portanto, não precisava ser resgatado. Se, no entanto, tivesse caído na água e estivesse se afogando, então, o indivíduo que deu sua vida para salvá-lo teria significado em sua morte. Se a natureza humana não tivesse recaído em pecado, a morte de Cristo seria insignificante; se não houvesse escravidão, não haveríamos de falar em resgate.

Muitos indivíduos negam responsabilidade por seus erros e pelos erros da coletividade. Por exemplo, quando existe corrupção no governo, muitas vezes os indivíduos negam estar envolvidos. Quanto menos pecados as pessoas têm, mais negam qualquer relacionamento com aqueles que são pecadores. Quase pressupõem que a responsabilidade varia em proporção direta à ausência de pecado. O argumento que apresentam é o de que já que não são responsáveis pelos erros da sociedade, não se envolvem.

Na verdade, o contrário é verdadeiro nos que são *mais* sem pecado. Quanto maior a falta de pecado, maior o senso de responsabilidade e de consciência da culpa corporativa. O homem verdadeiramente bom sente que o mundo está do jeito que está porque, de algum modo, ele não foi uma pessoa melhor. Quanto mais sensibilidade moral, maior a compaixão por aqueles que perecem sob um fardo. Isso pode se tornar tão profundo que a agonia da outra pessoa é sentida diretamente como a própria agonia. A única pessoa no mundo com olhos para ver, desejaria ser um esteio para os cegos; a única pessoa no mundo com saúde desejaria servir aos doentes.

O que é verdadeiro para o sofrimento físico, também é verdadeiro para o mal moral. Por isso, o Cristo sem pecado tomaria sobre si os males do mundo. Assim como os mais saudáveis estão mais aptos a servir aos doentes, também os mais inocentes podem expiar melhor as culpas dos outros. Um apaixonado poderia, se possível, tomar sobre si os sofrimentos da amada. A divindade toma sobre si os males morais do mundo como se fossem próprios. Sendo homem, os partilharia; sendo Deus, os redimiria.

O calvário, dizia aos apóstolos brigões, não era a interrupção das atividades de Sua vida, não era a destruição trágica e prematura de Seu plano, não era um fim imposto por forças hostis. A dádiva de Sua vida O poria fora dos padrões dos mártires pela justiça e dos patriarcas por causas gloriosas. O propósito de Sua vida, disse, era pagar um preço pela libertação dos escravos do pecado. Esse era o "dever" divino que lhe fora dado quando veio ao mundo. Sua morte seria oferecida em pagamento pelos pecados do mundo. Se os homens só estivessem no erro, poderia ter sido um mestre cercado por todos os confortos da vida e, depois de ter ensinado a teoria da dor, morreria em uma cama macia. No entanto, não teria deixado nenhuma outra mensagem, a não ser um código a ser obedecido. Todavia, se os homens estavam em pecado, sua mensagem seria "sigam-me", para partilhar o fruto dessa redenção.

20

A TENTATIVA DE PRISÃO DURANTE A FESTA DOS TABERNÁCULOS

A centralidade da Cruz na vida de Jesus agora fica mais clara. Ele fez referências implícitas a ela, sob a figura de um templo e de uma serpente; e mais explicitamente quando prometeu, em Sua glória depois da Ressurreição, permitir que os homens vivessem por Seu Corpo e Sangue.

Aqui, na festa mais popular do ano, a Festa dos Tabernáculos, aconteceram duas coisas: primeiro, dirigiu a atenção à plenitude da Presença Divina, verdade e refrigério de alma que habitavam Nele. Fora Dele não havia moral, nem crença, nem saciamento da sede. Esmagou toda ilusão dos ouvintes de que estivesse pregando uma moralidade à parte Dele mesmo, uma doutrina distinta de Sua pessoa ou que uma ética superior pudesse reconciliar-se com um senso reduzido do Deus vivo. Ele os deixou saber que não era um "extra" piedoso, um apêndice ou um luxo espiritual para aqueles que citariam Suas palavras. Buda podia ser separado do budismo; mas Jesus não podia ser separado do que ensinou ou realizou mais do que um raio de sol pode existir sem o sol. Às multidões presentes na cerimônia de oito dias, explicou o significado dela: o tabernáculo, a água, as luzes. Centralizava cada uma dessas coisas em Sua pessoa, visto que afirmou ser um com Deus, um com toda a iluminação da mente, e um com toda a paz das almas sedentas. A identificação foi total: não havia Deus senão o Deus que Ele revelou, nenhuma verdade senão a Sua pessoa, nenhuma satisfação senão Nele.

O segundo efeito das palavras Dele foram violência, ressentimento e a decisão de entregá-Lo à morte. Se tivesse palavras faladas, mas não tivesse alegado ser a Palavra; se tivesse apresentado verdades apartáveis de Sua pessoa e um consolo de alma distinto de Sua presença divina, talvez fosse menos empurrado para a Cruz. O ódio contra Ele, por parte das autoridades do templo, os fez tentar prendê-Lo duas vezes: a primeira foi na Festa dos Tabernáculos; a segunda foi no Jardim do Getsêmani. Em nenhum dos casos os oficiais puderam detê-Lo; não na Festa, porque Nosso Senhor "prendeu-os" com Sua presença. Tampouco no Jardim puderam detê-Lo até que se tivessem tornado impotentes. Nessa Festa, como disse, "Sua hora ainda não tinha chegado"; no Jardim, diria: "Eis a vossa hora". Aqui, disse que era a Luz do mundo; então lhes diria que era a "hora das trevas". Em ambos os exemplos, o Senhor não poderia ser levado até que voluntariamente Se rendesse; em ambos os exemplos, a intenção dos homens diante da bondade divina era crucificar, pois as obras das trevas não suportam a luz. A segunda prisão levou diretamente à Cruz, de modo que a primeira prisão foi um ensaio. A sombra da Cruz caía por toda parte — sobre as tendas, as fontes, os candelabros e mesmo sobre as pessoas na Festa dos Tabernáculos.

Essa era a maior de todas as Festas, uma comemoração da fuga do Egito, quando Deus conduziu o povo de Israel pelo deserto por meio de uma nuvem durante o dia e uma coluna de fogo à noite. Como peregrinos durante aqueles quarenta anos de perambulação, os judeus viveram em tendas ou barracas que podiam facilmente ser armadas e silenciosamente desmontadas. No meio das tendas, estava o tabernáculo, que simbolizava a presença de Deus.

Essa festa, mencionada tanto em Levítico quanto em Êxodo, era celebrada na época da colheita. Embora houvesse ação de graças pela colheita, a festa estava voltada para o futuro, e por esse motivo às vezes era chamada de "hora da efusão", simbolizando o Espírito de Deus que seria derramado sobre o povo.

Quando essa festa de oito dias começou, Nosso Senhor estava na Galileia, para onde se retirara por seis meses por causa da oposição dos líderes do templo depois da purificação do templo e do milagre em Betesda:

> Por esta razão os judeus, com maior ardor,
> procuravam tirar-lhe a vida,
> porque não somente violava o repouso do sábado,
> mas afirmava ainda que Deus era seu Pai
> e se fazia igual a Deus.
> (São João 5,18)

À medida que a época da festa se aproximava, Ele começou a ser importunado por parentes e colaboradores para que pensasse em divulgar mais Seu nome. Por que operar milagres na Galileia com seus vilarejos de pescadores e camponeses ignorantes, quando a cidade grande, Jerusalém, Lhe daria muito mais renome? Além disso, grandes multidões se reuniriam na festa, e Ele poderia ser conhecido de todos, se tão somente fizesse algo espetacular. O isolamento é comprometedor.

> Pois quem deseja ser conhecido em público
> não faz coisa alguma ocultamente.
> Já que fazes essas obras,
> revela-te ao mundo.
> (São João 7,4)

Nosso Senhor lhes respondeu:

> O meu tempo ainda não chegou,
> mas para vós a hora é sempre favorável.
> O mundo não vos pode odiar, mas odeia-me,
> porque eu testemunho contra ele que as suas obras são más.
> (São João 7,6-7)

Sua hora, ou a hora de Sua completa revelação, ainda não tinha chegado. Intensificando o contraste entre Si mesmo e o mundo, Jesus disse-lhes com certa ironia que as palavras, atitudes e juízos deles não estavam em suficiente desarmonia com o mundo para suscitar o ódio do mundo. Com Ele, no entanto, era diferente: Suas palavras e Sua vida já tinham provocado o ódio do mundo. Se tivesse de ir a Jerusalém, seria como o Messias e Filho de Deus e, portanto, provocaria hostilidade; contudo, se subissem como peregrinos piedosos, seria apenas para participar de uma celebração nacional. Quando falava do mundo, Nosso Senhor o entendia como feito de homens não regenerados que não aceitariam Sua graça. Aqueles irmãos de Jesus que teriam amado a ribalta e a notoriedade eram parte de um mundo sem cruz, que não violava nenhum dos preceitos ou do espírito mundano.

Jesus estava consciente de Sua Cruz, ao passo que os demais não estavam cientes dela. Ele não subiria à cidade até que houvesse uma ordem do Pai Celestial. Satanás, anteriormente, Lhe oferecera todos os reinos do mundo e Ele os recusara. Jerusalém não seria suficiente para seduzi-Lo a exibir milagres àqueles que não acreditariam em Sua pessoa. Aqueles que sugeriam o esplendor da popularidade podiam ir além e encontrariam grande número de incrédulos como eles mesmos; eram levados pela corrente, como cepos mortos. Observe que Nosso Bendito Senhor não disse que não iria para a

Festa dos Tabernáculos. O que disse foi que não iria naquele momento. A mente mundana, portanto, abandonou-O para ir à festa.

Mais tarde, decidiu ir, não como pessoa pública, mas em segredo ou incógnito. Que grande contraste entre Sua primeira visita, quando apareceu de repente no templo e expulsou os cambistas, e agora em Sua ida como peregrino anônimo! Mas todos estavam curiosos com Ele. Imediatamente tornou-Se fonte de dissensão. Aqueles que foram atraídos permaneceram quietos por temer as autoridades do templo, que já tinham tramado Sua morte.

> Buscavam-no os judeus durante a festa
> e perguntavam: Onde está ele?
> E na multidão só se discutia a respeito dele.
> Uns diziam: É homem de bem.
> Outros, porém, diziam: Não é; ele seduz o povo.
> Ninguém, contudo, ousava falar dele livremente
> com medo dos judeus.
> (São João 7,11-13)

A Festa dos Tabernáculos, como se dizia, comemorava o lugar em que a Presença Divina habitou entre os judeus durante a longa peregrinação do Egito. E agora aqui, em meio às multidões, estava a Presença Divina em Pessoa.

> E o Verbo se fez carne e habitou entre nós.
> (São João 1,14)

A palavra grega "habitar" no Evangelho podia igualmente ser traduzida por "tabernaculizar-se" e, assim, alude ao Tabernáculo colocado no centro das tendas dos israelitas. Cristo era o Tabernáculo de Deus entre os homens.

Os Targums judaicos muitas vezes substituíram pela expressão "glória do Senhor" a palavra *Shekhinah* ou "habitação", indicando assim a permanência íntima de Deus com seu povo. Os que estavam presentes na festa lembravam que Nosso Senhor tinha chamado a Si mesmo de "Templo de Deus" e profetizado que seria destruído, mas ao terceiro dia ressurgiria novamente. Que pretendiam destruir esse Templo do Deus "tabernaculizado" entre eles era evidente, tanto que algumas das pessoas da cidade perguntaram:

> Não é este aquele a quem procuram tirar a vida?
> (São João 7,25)

A procissão que celebrava a festa começava no templo. Quando chegou ao tanque de Siloé, o sacerdote encheu seu jarro com a água do tanque e voltou ao templo, onde os recipientes transbordaram com o toque das trombetas em meio aos "aleluias" do povo. Estava tão associada à alegria que um dito comum dizia que "Aquele que não viu o gozo de derramar a água do tanque de Siloé nunca viu alegria em sua vida". A cerimônia não era só um reconhecimento da graça de Deus a irrigar os campos, mas também uma comemoração da provisão milagrosa de água no deserto, que veio da rocha. No momento em que a água foi oferecida pelo sacerdote no templo, foram citadas as palavras de Isaías:

> Vós tirareis com alegria
> água das fontes da salvação.
> (Isaías 12,3)

Nosso Senhor disse que tinha vindo não para destruir a Lei e os profetas, mas para cumpri-los, falava agora para afirmar que Ele mesmo era a substância de que esses ritos não eram senão sombras obscuras. Sua voz soou sobre o derramar das águas enquanto dizia:

> Se alguém tiver sede, venha a mim e beba.
> Quem crê em mim, como diz a Escritura:
> Do seu interior manarão rios de água viva.
> (São João 7,37-38)

Ele os estava convidando a lembrar-se das Escrituras. No Êxodo, Deus ordenou que Moisés batesse na rocha, prometendo que dali haveria de brotar água para o povo beber. Ao longo de todo o Antigo Testamento, a água foi o símbolo da bênção espiritual, particularmente em Ezequiel, em que uma fonte poderosa é descrita como a jorrar do tabernáculo do templo, curando todas as nações. A Fonte da Vida para almas sedentas, declarou agora, era Sua própria pessoa. Ele não disse: "Vinde às águas", mas "Vinde a mim". O Talmude perguntava sobre essa cerimônia: "Por que se chama a extração de água?". Por causa do derramamento do Espírito Santo, conforme o que se diz: "Com alegria retirareis água das fontes da salvação". São João explicou do mesmo modo as palavras de Nosso Senhor:

> Dizia isso, referindo-se ao Espírito
> que haviam de receber os que cressem nele,
> pois ainda não fora dado o Espírito,
> visto que Jesus ainda não tinha sido glorificado.
> (São João 7,39)

A satisfação em saciar a sede do coração humano estava ligada à obra do Espírito. Nosso Senhor ansiava por conceder uma bênção contínua por algo que ainda não acontecera, isto é, Seu triunfo sobre a morte e Sua Ascensão ao céu. Este dom do Espírito viria aos homens não como uma efusão mágica, mas como algo intrínseco ao Seu ato redentor e à fé Nele depositada. A presença física de Cristo sobre a terra no mandato ainda não cumprido do Pai de ser a redenção pelo pecado excluía a realização de Sua presença nas almas até depois de Sua glória e do envio de Seu Espírito.

Outro ritual vinculado à Festa dos Tabernáculos referia-se à coluna de fogo que conduzia os israelitas à noite. Para celebrar a luz que Deus era para eles, dois imensos candelabros eram acesos no átrio das mulheres; e, conforme alguns testemunhos rabínicos, esses candelabros iluminavam toda Jerusalém. O povo também ansiara pelos tempos messiânicos quando Deus lhes acenderia uma grande luz entre as nações. A luz também significava a glória de Deus presente no templo.

Quando Nosso Bendito Senhor era um bebê no colo de Simeão, o ancião pronunciara as seguintes palavras:

> [Essa é a] luz para iluminar as nações,
> e para a glória de vosso povo de Israel.
> (São Lucas 2,32)

Agora, como um homem crescido e pleno do esplendor dessa luz, proclamou:

> Eu sou a luz do mundo;
> aquele que me segue não andará em trevas,
> mas terá a luz da vida.
> (São João 8,12)

Aqui fez uma alegação universal, tal como fora profetizado por Isaías, de que Ele era a Luz de todos os povos e nações. Nem todos seguiriam a

Luz; alguns prefeririam andar em trevas e, portanto, odiariam a luz. Aquele que se encontrava no templo em que as luzes pouco a pouco se extinguiam proclamou a Si mesmo a Luz do Mundo. Anteriormente, chamara-Se a Si mesmo de Templo; agora, afirmava ser a Glória e a Luz desse Templo. Estava declarando-Se mais necessário à vida das almas do que a luz do sol para a vida do corpo. Não era a doutrina, nem a lei, nem os mandamentos, nem o ensino, que constituía essa luz; era Sua pessoa.

No meio da afirmação do Nosso Senhor de que Ele era o Messias, começaram algumas das medidas civis e judiciais que mais tarde culminariam na Crucifixão. Os fariseus enviaram oficiais para prender Nosso Senhor. Antes que chegassem, Nosso Senhor fez outra referência a Sua morte:

> Ainda por um pouco de tempo estou convosco
> e então vou para aquele que me enviou.
> Buscar-me-eis sem me achar,
> nem podereis ir para onde estou.
> (São João 7,33-34)

Previu tudo que aconteceria. Ainda faltavam seis meses até a Páscoa; havia pouco tempo antes que cumprisse o propósito de Sua vinda. Já estavam planejando a morte Dele, mas estes planos não teriam sucesso até que Ele se entregasse voluntariamente nas mãos dos homens. Então, a porta seria fechada e o tempo da visitação estaria terminado. A separação entre eles e o Senhor não seria a distância, mas a diferença em mente e coração, que é a maior de todas as distâncias.

Os guardas que receberam as ordens de prendê-Lo voltaram ao principal dos sacerdotes e fariseus de mãos vazias. Os oficiais perguntaram-lhes:

> Por que não o trouxestes?
> Os guardas responderam:
> Jamais homem algum falou como este homem!...
> Replicaram os fariseus:
> Porventura também vós fostes seduzidos?
> Há, acaso, alguém dentre as autoridades ou fariseus que acreditou nele?
> Este poviléu que não conhece a lei é amaldiçoado!...
> (São João 7,45-49)

Os oficiais do templo desprezavam o povo; o pressuposto era de que nenhuma pessoa vulgar pode ser piedosa. O próprio fato de os oficiais terem sentido sobre si uma impressão irresistível e se rendido às fontes de bênção do Senhor indicava o poder que tinha sobre os homens de boa vontade. A vocação de um guarda foi santificada naquele dia quando esses oficiais recusaram-se a prender o Salvador.

Plutarco, falando da extraordinária eloquência de Marco Antônio, diz que quando foram enviados soldados para matar o famoso orador, este apelou por sua vida com tamanha eloquência que os desarmou e os levou às lágrimas. Estes guardas, no entanto, não foram vencidos pela força dos argumentos de um homem apelando por sua vida, mas ao ouvir um de seus discursos comuns que de maneira alguma se dirigia a eles. Os guardas estavam bem armados; o pregador não tinha armas e, mesmo assim, não O puderam prender. Autoridades civis nem sempre empregam os homens mais intelectuais ou espirituais para levar a cabo tais tarefas, e até mesmo esses homens enviados foram afetados pela eloquência de Jesus e provaram ser inteligentes. Os fariseus, em sua fúria, disseram aos guardas que os intelectuais não acreditavam Nele. Visto que nenhum dos fariseus cria no Senhor, nem se impressionaram com a mensagem Dele, os guardas não tinham, portanto, nenhuma razão para serem tão afetados.

Haveria outro momento, no Jardim do Getsêmani, em que os oficiais ficariam tão impressionados com Nosso Bendito Senhor que se prostrariam por terra, quando Ele dissesse que era Jesus de Nazaré. Naquela noite, agiriam livremente, porque a hora teria chegado. Mas, naquele momento, estavam impotentes.

A história da Festa dos Tabernáculos termina com as palavras "Ainda não chegara sua hora". Havia uma hora particular para tudo que Ele havia de fazer; até mesmo Seu nascimento é descrito como a "plenitude do tempo". Assim também a Cruz tinha Sua hora estabelecida. Cada orbe que gira na imensidão do espaço é convidado a atingir certo ponto na própria hora. Os decretos e propósitos do homem geralmente falham, mas isso não se dá com os desígnios do Todo-Poderoso. A unidade de Sua vida não estava nas obras esparsas, parábolas e discursos, mas em Sua consumação. Belém era o fundamento do Calvário e Sua glória. Os degraus principiam desde o estábulo porque nem sequer "havia lugar" para Ele; a "contradição" profetizada por Simeão era um novo degrau; a Festa dos Tabernáculos, mais um. Conhecia cada passo do caminho, pois não era simplesmente um homem fazendo quanto podia diante de Deus, mas Deus fazendo o melhor que podia pelo homem, por meio do amor revelado no sacrifício de Si mesmo.

21

Somente o inocente pode condenar

No dia seguinte à tentativa de prisão, ocorreu uma cena em que a Inocência recusou-se a condenar um pecador. Enredava-se o dilema da justiça e da misericórdia — um dilema que repousa no cerne da encarnação. Se Deus é misericordioso, não perdoará os pecadores? Se Deus é justo, não punirá ou obrigará a reparar os crimes? Por ser todo santo, deve odiar o pecado, caso contrário, não seria Bondade. No entanto, por ser todo misericordioso, não deveria, como uma espécie de avô, ser indiferente aos netos violarem os mandamentos? De um modo ou de outro, Sua morte na Cruz e Ressurreição estavam unidas na resposta a esse dilema.

Na noite anterior a essa cena, a Sagrada Escritura revela um dos contrastes mais vívidos de toda a literatura; e isso se dá em duas frases. Nosso Senhor estivera pregando durante todo o dia no templo. Ao cair da noite, o Evangelho fala primeiro dos inimigos de Nosso Senhor que o estiveram tentando e discutindo com ele:

>E voltaram, cada um para sua casa.
>(São João 7,53)

Entretanto, de Nosso Senhor simplesmente se diz:

>Dirigiu-se Jesus para o monte das Oliveiras.
>(São João 8,1)

Entre todos os que estavam no templo — amigos ou inimigos —, não havia um que não tivesse uma casa, a não ser Nosso Senhor. Na verdade, disse a respeito de si mesmo:

>As raposas têm covas
>e as aves do céu, ninhos,

> mas o Filho do Homem
> não tem onde reclinar a cabeça.
> (São Lucas 9,58)

Em toda a Jerusalém, talvez Ele fosse o único homem sem casa e sem lar. Enquanto os homens partiram para suas casas a fim de tomar conselhos com os companheiros, Ele foi ao monte das Oliveiras para aconselhar-se não com a carne e o sangue, mas com Seu Pai. Sabia que em pouco tempo esse jardim seria um retiro sagrado onde suaria gotas de sangue no conflito terrível com as forças do mal. Durante a noite dormiu, no estilo oriental, em um relvado verde debaixo das oliveiras ancestrais, tão retorcidas e nodosas no ardor por crescer como se prenunciassem a tortuosa Paixão que seria a Dele.

Era época da festa dos Tabernáculos, o que acarretava não só a confluência de pessoas de todos os cantos do mundo, mas também produzia um entusiasmo generalizado, muitas preces e algum lazer. Era natural que isso degenerasse em um caso ocasional, aqui e ali, de desacato e imoralidade. É evidente que isso aconteceu. Na manhã seguinte bem cedo, assim que Nosso Senhor apareceu no templo e começou a ensinar, os escribas e os fariseus levaram a Ele uma mulher que fora descoberta cometendo adultério. Assim, estavam tão envolvidos em uma controvérsia estéril com o Messias que não tiveram escrúpulos de usar a vergonha da mulher para marcar um ponto. Aparentemente, não havia dúvidas quanto a sua culpa. A maneira indelicada, quase indecente, com que os homens contaram a história, revela que os fatos não podiam ser contestados. Disseram:

> Mestre, agora mesmo esta mulher
> foi apanhada em adultério.
> (São João 8,4)

Pega em ação! Quanta dissimulação, quanto ardil e quanta podridão se escondem por trás dessas palavras! Os acusadores levaram-na ao meio da multidão enquanto Nosso Senhor ensinava. Os homens "santanários" que a tinham pego em ação estavam muito ansiosos para que ela fosse exibida publicamente, a ponto mesmo de interromper o discurso de Nosso Senhor Bendito. A natureza humana é vil quando alardeia e ostenta os crimes dos outros diante dos homens. É o sujo a falar do mal lavado. Alguns rostos jamais aparentam felicidade maior do que quando se regalam com um escândalo que o coração generoso encobriria e pelo qual o coração devoto faria orações. Quanto mais ignóbil e corrupto for o homem, mais pronto está a acusar os crimes dos outros. Os que querem ser tidos como homens de bom caráter, estupidamente creem que a melhor maneira de demonstrá-lo é denunciar os outros. Pessoas depravadas gostam do monopólio da depravação e, ao descobrir outros com os mesmos vícios, os condenam com uma intensidade que o bem nunca experimentou. Tudo o que se tem de fazer para informar-se dos erros dos homens é ouvir suas acusações favoritas contra os outros. Naquela época, não havia colunas de fofoca, mas havia difamadores. Arrastá-la para ser vista por toda a multidão era a maneira deles de expô-la em público. A multidão, vaiando, empurrava-a adiante; a mulher escondia o rosto nas mãos e puxava o véu sobre a cabeça para esconder a vergonha. Ao arrastar a prisioneira trêmula, expuseram-na diante dos olhos curiosos dos homens para a mais amarga degradação que qualquer mulher oriental poderia sofrer, e disseram a Nosso Senhor com falsa humildade:

> Mestre, agora mesmo esta mulher foi apanhada em adultério.
> Moisés mandou-nos na lei que apedrejássemos tais mulheres.
> Que dizes tu a isso?
> (São João 8,4-5)

Estavam certos em dizer que a lei de Moisés ordenava o apedrejamento por adultério. Nosso Senhor instintivamente discerniu o respeito fingido em chamá-lo de "mestre". Sabia ser apenas um disfarce para os próprios desígnios funestos. Por um lado, sua alma contraía-se diante do espetáculo apresentado, pois ensinara a santidade do casamento e essa mulher a violara. Por outro lado, sabia que os escribas e os fariseus nada viam no incidente senão a oportunidade de fazê-lo vacilar em Seu discurso. Sabia que estavam prontos para usá-la como instrumento passivo do ódio que nutriam contra Ele — não porque estivessem moralmente indignados com o pecado ou guardassem os direitos de Deus, mas somente para instigar o povo contra Ele.

Ocultava-se um artifício duplo ao apresentarem a mulher a Nosso Senhor. Primeiro, por conta do conflito entre judeus e romanos. Os romanos, que eram os conquistadores do país, reservavam-se o direito de condenar quem quer que fosse à morte. Entretanto, havia outro lado, a lei de Moisés dizia que a mulher pega em adultério devia ser apedrejada. Aqui estava o dilema em que o colocaram: se Nosso Senhor deixasse a mulher partir sem a pena de morte, estaria desobedecendo a lei de Moisés; mas, se respeitasse a lei de Moisés e dissesse que deveria ser apedrejada por conta do adultério, então estaria encorajando a desobediência à lei romana. Em ambos os casos, seria pego. O povo lhe faria oposição, pois violaria a lei mosaica, ao passo que os tribunais romanos o acusariam de violar suas leis. Era um herético com relação a Moisés ou um traidor com relação aos romanos.

Havia ainda um outro artifício na questão. Se Ele a condenaria ou a absolveria. Se a condenasse, diriam que Ele não era misericordioso; mas Ele se denominava misericordioso. Fizera refeições com publicanos e pecadores, permitira que uma mulher comum lavasse Seus pés durante a ceia; caso a condenasse, não poderia mais dizer ser "amigo dos pecadores". Não disse Ele que:

> O Filho do Homem veio procurar e salvar o que estava perdido.
> (São Lucas 19,10)

Por outro lado, se a libertasse, então estaria agindo em contradição com a lei sagrada de Moisés, que tinha vindo cumprir. Não dissera que:

> Não julgueis que vim abolir a lei ou os profetas.
> Não vim para os abolir,
> mas sim para levá-los à perfeição.
> (São Mateus 5,17)

Já que dissera ser Deus, a lei de Moisés deveria derivar Dele. Se desobedecesse a lei, negaria a própria divindade. Por isso as perguntas: "Moisés mandou-nos na lei que apedrejássemos tais mulheres. Que dizes tu a isso?".

Seria uma pergunta difícil para um simples humano resolver, mas Ele era Deus e homem. Ele, que já reconciliara justiça e misericórdia em sua encarnação, nesse momento, punha-as em prática ao abaixar-se e escrever alguma coisa no chão — foi a única vez na vida de Nosso Senhor em que Ele escreveu. O que escreveu ninguém sabe. O Evangelho apenas diz:

> Jesus, porém, se inclinou para a frente e escrevia com o dedo na terra.
> (São João 8,6)

Eles invocaram a lei de Moisés. E Ele também! De onde veio a lei de Moisés? Quem a escreveu? Com o dedo de quem? O livro do Êxodo responde:

> Moisés desceu da montanha segurando nas mãos
> as duas tábuas da lei, que estavam escritas dos dois lados,
> sobre uma e outra face.
> Eram obra de Deus, e a escritura nelas gravada era a escritura de Deus.
> (Êxodo 32, 15-16)

Eles O recordaram da lei! Ele, por sua vez, recordou-lhes que Ele escrevera a lei! O mesmo dedo, no sentido simbólico, que agora escrevia no piso de pedra do assoalho do templo, também escreveu nas tábuas de pedra no Monte Sinai! Tinham olhos para ver o doador da lei de Moisés diante deles? Estavam tão inclinados a enredá-Lo no discurso que ignoraram a escrita e continuaram lançando perguntas, certos de que O tinham pego.

> Como eles insistissem, ergueu-se e disse-lhes:
> Quem de vós estiver sem pecado,
> seja o primeiro a lhe atirar uma pedra.
> Inclinando-se novamente, escrevia na terra.
> (São João 8,7-8)

Moisés escrevera na pedra sua lei de morte contra a falta de castidade. Nosso Senhor não destruiu a lei mosaica, mas a aperfeiçoou ao anunciar uma lei maior: ninguém, a não ser os puros, pode julgar! Estava convocando um novo júri somente o inocente pode condenar! Ponderou da lei à consciência, do julgamento dos homens ao julgamento de Deus. Os que têm culpa na alma devem se negar a julgar.

Um escudo velho e enferrujado, certa vez, clamou: "Ó sol, iluminai-me"; e o sol respondeu: "Primeiro, vá se polir!". Essa mulher, portanto, deveria ser julgada por homens que eram culpados? Foi a primeira afirmação solene de que somente aquele que é sem pecado tem o direito de julgar. Se existe sobre a terra alguém realmente inocente, ver-se-á que sua misericórdia é mais poderosa que sua justiça. É verdade que um juiz na banca muitas vezes pode condenar um criminoso por um crime de que ele é culpado; mas em sua competência oficial age em nome de Deus, não em nome próprio. Esses acusadores autoproclamados não eram sujeitos aptos a defender ou executar a lei mosaica. Nosso Senhor pôs em uma frase o que já dissera no Sermão da Montanha.

> Não julgueis, e não sereis julgados.
> Porque do mesmo modo que julgardes,
> sereis também vós julgados e,
> com a medida com que tiverdes medido,
> também vós sereis medidos.
> Por que olhas a palha que está no olho do teu irmão
> e não vês a trave que está no teu?
> Como ousas dizer a teu irmão:
> Deixa-me tirar a palha do teu olho,
> quando tens uma trave no teu?
> Hipócrita! Tira primeiro a trave de teu olho
> e assim verás para tirar a palha do olho do teu irmão.
> (São Mateus 7,1-5)

Enquanto escrevia no chão, os escribas e os fariseus tinham pedras nas mãos prontas para executar o julgamento. A pessoa podia tomar a mão do que estava a seu lado, tirar-lhe a pedra, pesar a sua pedra e a outra na mão e ver qual era a mais pesada e devolver a mais leve, de modo que pudesse lançar a mais pesada na mulher. Alguns desses homens não compartilhavam do vício da mulher, mas tinham outros. Alguns eram isentos de certos vícios simplesmente por causa da existência de outros vícios. Assim como uma doença é curada por outra doença, do mesmo modo, um vício exclui o outro. O alcóolatra pode não ser um ladrão, embora muitas vezes seja um mentiroso; e o ladrão, como Judas Iscariotes, pode não necessariamente ser um adúltero, embora os filmes sempre retratem Judas dessa maneira. Há muitas pessoas que pecam por orgulho, por avareza, pela ânsia de poder e creem ser virtuosos só porque na sociedade moderna possuem uma nota de respeitabilidade. Os pecados respeitáveis são os mais odiosos, pois Nosso Senhor disse que tornam os homens "semelhantes aos sepulcros caiados: por fora parecem formosos, mas por dentro estão cheios de ossos, de cadáveres e de toda espécie de podridão" (São Mateus 23,27). Os pecados mais vis do pobre geram ônus públicos, tais como serviço social e prisões, e são vistos com desagrado; mas os pecados respeitáveis, tais como a corrupção nos altos cargos públicos, a deslealdade ao país, o ensino do mal nas universidades, são escusados, ignorados ou mesmo elogiados como virtudes.

Nosso Senhor sugeriu, aqui, que Ele mesmo considera os pecados tidos como respeitáveis mais odiosos do que os que a sociedade reprova. Nunca condenou aqueles aos quais a sociedade condenou, pois já tinham sido condenados. Entretanto, condenou aqueles que pecaram e que negaram ser pecadores.

Nesse momento, olhou para um de cada vez, a começar pelos mais idosos. Foi um daqueles olhares penetrantes que antecipam o juízo final.

> Eles se foram retirando um por um, até o último,
> a começar pelos mais idosos [...]
> (São João 8,9)

Talvez, quanto mais idosos fossem, mais pecado tivessem. O Senhor não os condenou; antes, fez com que condenassem a si mesmos. Talvez Jesus tenha olhado para um dos anciãos e à consciência do homem tenha vindo a palavra "ladrão" — e o homem tenha deixado cair a pedra e partido. Um, ainda mais jovem, viu sua consciência acusá-lo de assassino, e partiu; partiram, um por um, até restar somente um jovem. Assim que Nosso Senhor olhou fixamente para esse último, poderia ter a consciência acusando-o de "adúltero"; deixou cair a pedra e partiu. Não restou ninguém!

No entanto, por que ele se inclinou e escreveu novamente? Já que recorreram à lei mosaica, ele, igualmente, poderia recorrer mais uma vez. Moisés quebrou as primeiras tábuas que o dedo de Deus gravara ao ver o povo adorando o bezerro de ouro. Então, Deus escreveu uma segunda tábua de pedra e ela foi levada para a arca da aliança, onde foi colocada sob o propiciatório e aspergida com sangue inocente. Esse seria o modo como a lei de Moisés levaria à perfeição pela aspersão do sangue — o sangue do cordeiro.

Ao defender a mulher, Cristo provou-Se amigo dos pecadores, mas somente dos que admitiam ser pecadores. Tinha de aproximar-se dos proscritos da sociedade para encontrar grandeza de coração e generosidade desmedida que, segundo Ele, constituíam a própria essência do amor. Embora fossem pecadores, o amor que tinham alçava-os acima da própria sensatez e da autossuficiência, que nunca se ajoelham em prece pedindo perdão. Ele veio para colocar uma prostituta acima de um fariseu, um ladrão penitente acima de um sumo sacerdote e um filho pródigo acima de um irmão exemplar. A todos os impostores e falsários que dizem que não poderiam unir-se à Igreja porque sua Igreja não era santa o bastante, Ele perguntaria: "Quão santa deve ser a Igreja antes que nela ingresses?". Se a Igreja fosse tão santa quanto queriam que fosse, nunca lhes seria permitido ingressarem nela! Em qualquer outra religião sob o sol, em todas as religiões orientais, do budismo ao confucionismo, sempre deve existir uma purificação antes de a pessoa comungar com Deus. Entretanto, Nosso Senhor trouxe uma religião em que a admissão do pecado é a condição de se achegar a Ele. "Não são os homens de boa saúde que necessitam de médico, mas sim os enfermos" (São Lucas 5,31).

Olhou para a mulher, que estava de pé, só, e perguntou-lhe:

> Mulher, onde estão os que te acusavam?
> Ninguém te condenou?
> (São João 8,10)

A lei mosaica requeria duas testemunhas de um crime antes de cumprir a sentença; tinham até de assistir à execução. Os ditos defensores da lei mosaica, todavia, já não estavam presentes para testemunhar. Notem, Nosso Senhor a chamou de "mulher". Havia muitos outros nomes pelos quais Ele poderia tê-la chamado, mas Ele a fez representar todas as mulheres do mundo que tinham aspirações de purificação e de santidade em união com Ele. Havia um toque de ironia brincalhona na primeira pergunta: "Mulher, onde estão os que te acusavam?". Estava a chamar atenção para o fato de que ela estava sozinha! Ele excluíra os acusadores. Nessa solidão, perguntou:

> Ninguém te condenou?

Ela respondeu:

> Ninguém, Senhor.
> (São João 8,11)

Se não havia ninguém para lançar uma pedra, Ele tampouco a lançaria. Ela, que chegou a Ele como juiz, encontrou Nele um salvador. Os acusadores chamavam-No de "Mestre"; ela O chamava não de "seu", mas de "Senhor", como se reconhecesse que estava na presença de alguém infinitamente superior a ela mesma. E a fé Nele foi justificada, pois, Ele voltou-se para ela e disse:

> Nem eu te condeno. Vai e não tornes a pecar.
> (São João 8,11)

Entretanto, por que Ele não a condenou? *Porque Ele seria condenado por ela*. A inocência não condena, porque a inocência sofreria por sua culpa. A justiça seria salva, pois Ele pagaria a dívida pelos pecados dela; a misericórdia seria salva, pelos méritos de sua morte aplicados à sua alma. Justiça primeiro, misericórdia depois; primeiro a satisfação, depois o perdão. Nosso Senhor realmente era o único naquela multidão que tinha o direito de lançar uma pedra e realizar o julgamento porque era sem pecado. Por outro lado, não tornou o pecado leve, pois assumiu o seu peso. O perdão custa alguma coisa e o preço total seria pago no monte das três cruzes, onde a justiça seria satisfeita e a misericórdia, ampliada. Foi essa libertação da escravidão do pecado que Ele chamou pelo belo nome de liberdade.

> Se, portanto, o Filho vos libertar, sereis verdadeiramente livres.
> (São João 8,36)

22

O BOM PASTOR

Filósofos, cientistas e sábios com frequência reivindicam a superioridade de seus respectivos sistemas. Não é de surpreender, portanto — visto que assim Nosso Senhor como os fariseus eram mestres —, que houvesse uma disputa entre eles quanto às doutrinas. Mas Jesus, como sempre, recusou-se a se colocar no mesmo nível que os mestres humanos; reclamou singularidade como Mestre Divino. No entanto, foi além. Veio para sacrificar a Si mesmo em favor de Suas ovelhas, não para ser Mestre de Seus pupilos. Os fariseus e Jesus discutiram acerca de Suas doutrinas. De um lado, chamou a Si mesmo de Porta que dava acesso exclusivo ao Pai; o porteiro ou o cuidador do aprisco; chamou a Si mesmo também de Pastor ou guardador das ovelhas, e por fim Ele era o Cordeiro que viria a tornar-se vítima. Do outro lado, comparou os fariseus àqueles que não entram pela porta e que, portanto, buscavam roubar o rebanho; e a mercenários que correriam quando viessem os lobos; e, por fim, a lobos que devorariam as ovelhas.

A disputa surgiu depois que Nosso Bendito Senhor restaurou a visão a um cego de nascença. Os fariseus começaram a fazer uma investigação do milagre. Não havia dúvida de que o cego agora podia ver; os fariseus, no entanto, estavam tão convencidos de que isso não devia ser considerado milagre que procuraram os pais do garoto, que confirmaram que ele nascera cego. Já tinham o próprio juízo, de modo que nenhum fragmento de evidência podia mudar-lhes a opinião,

> pois os judeus tinham ameaçado
> expulsar da sinagoga todo aquele
> que reconhecesse Jesus como o Cristo.
> (São João 9,22)

O cego de nascença, portanto, foi o primeiro de uma longa lista de confessores que Nosso Senhor disse que seriam expulsos das sinagogas. Os fariseus, ao encontrarem aquele cego, disseram que Cristo não podia ter feito isso porque "Ele é um pecador". Quando aquele que era cego ficou impaciente com as perguntas dos fariseus e com a recusa de aceitar a evidências dos sentidos, argumentou contra eles:

> Se esse homem não fosse de Deus,
> não poderia fazer nada.
> (São João 9,33)

O pedinte era muito mais sábio em seu entendimento do milagre do que os fariseus, assim como José foi muito mais sábio do que os supostos sábios do Egito na interpretação do sonho de Faraó. O progresso no pensamento e na fé do homem cego foi semelhante àquele da mulher do poço. Primeiro, o cego disse a respeito Dele:

> Aquele homem que se chama Jesus.
> (São João 9,11)

Mais tarde, depois de ser ainda mais questionado, disse, como o fizera a mulher do poço:

> É um profeta.
> (São João 9,17)

Por fim, ele declarou que o Senhor devia ter vindo de Deus. Esse é geralmente o percurso daqueles que enfim chegam à verdade acerca de Cristo. Quando o homem curado confessou que Cristo era o Filho do Deus, os fariseus excomungaram-no da sinagoga. Isso foi grave; pois privava o pedinte dos privilégios externos da comunidade do povo e o tornava objeto de escárnio. Tendo tomado conhecimento da excomunhão, Nosso Senhor, incansável até que encontrasse a ovelha perdida, procurou o homem condenado. Encontrando-o, perguntou-lhe:

> Crês no Filho [de Deus]?[20]
> (São João 9,35)

---

20 | Algumas versões trazem nesta passagem "filho do homem", incluindo a tradução que adotamos como padrão das citações bíblicas. (N. T.)

E o pedinte respondeu:

> Quem é ele, Senhor,
> para que eu creia nele?
> (São João 9,36)

Nosso Senhor respondeu da mesma maneira que o fez à mulher do poço:

> Tu o vês, é o mesmo que fala contigo!
> (São João 9,37)

Então o homem que fora cego prostrou-se diante do Senhor em adoração. Sua fé não era aquela que se confessa com os lábios, mas a que adora à Verdade Encarnada. Seu raciocínio foi simples e, ainda assim, sublime. Aquele que podia operar tal milagre devia ser de Deus. Então, se Ele era de Deus, Seu testemunho havia de ser verdadeiro.

Os fariseus tinham feito uma investigação completa do milagre; não havia dúvida entre as testemunhas; os pais e o homem mesmo reconheceram que um grande milagre havia sido feito: um milagre aos olhos, ao restaurar-lhes a visão, e um milagre à alma, ao dar-lhe a fé em Cristo. Como os fariseus rejeitavam a evidência, Nosso Senhor disse-lhes que eram líderes cegos e que, porque o tinham rejeitado, o juízo cairia sobre eles. Disse-lhes que tiveram uma chance de ser iluminados por Ele mesmo, a Luz do Mundo. Sem essa iluminação, a cegueira podia ser uma calamidade; agora, no entanto, era um crime.

Tinham fechado a porta da sinagoga ao cego de nascença. Os fariseus imaginaram que assim o tinham afastado de toda comunicação com o Divino. Nosso Senhor, todavia, disse à multidão que, embora a porta da sinagoga estivesse fechada, outra porta se abria:

> Eu sou a porta.
> Se alguém entrar por mim será salvo;
> tanto entrará como sairá
> e encontrará pastagem.
> (São João 10,9)

Jesus não disse que havia muitas portas, nem que pouco importava por que outra porta alguém buscasse uma vida superior; Ele não disse que era uma porta, mas A Porta. Havia uma única porta na arca em que Noé e sua família entraram para ser salvos do dilúvio; havia uma única porta no Tabernáculo ou no Santo dos Santos. Reclamou para Si o direito exclusivo de admissão ou rejeição no rebanho de Deus. Não disse que Seu ensino ou Seu exemplo eram a porta, mas que Ele, pessoalmente, era o único acesso à plenitude da vida divina. Ele é único e não divide a honra com "colegas", nem mesmo com Moisés, e tampouco com Zoroastro, Confúcio, Maomé ou quem quer que seja:

> Ninguém vem ao Pai senão por mim.
> (São João 14,6)

Depois de dizer aos fariseus que não eram de fato mestres, mas líderes cegos, desconhecedores e mercenários, colocou-Se a Si mesmo em contraste com eles não apenas como o Único Mestre, mas como algo infinitamente maior. E não estava meramente dando ideias ou leis, estava dando vida.

> Eu vim para que as ovelhas tenham vida
> e para que a tenham em abundância.
> (São João 10,10)

Os homens têm existência; o Senhor, no entanto, lhes daria vida; não a vida biológica ou física, mas divina. A natureza sugere, mas não pode dar essa vida mais abundante. Animais têm vida mais abundante que as plantas; o homem tem vida mais abundante que os animais. Disse ter vindo para dar uma vida que transcende o humano. Assim como o oxigênio não pode dar uma vida mais abundante à planta a menos que esta se renda a ele, assim também o homem não pode partilhar da Vida Divina a menos que Nosso Senhor se *renda* para dá-la.

Em seguida, o Senhor passou a demonstrar que deu essa vida não por Seu ensinamento, mas por Sua morte. Não era unicamente um Mestre, mas sobretudo um Salvador. Para ilustrar mais uma vez o propósito de Sua vinda, voltou ao Antigo Testamento. Nenhuma figura é empregada com mais frequência no Êxodo para descrever o Deus que conduz seu povo da servidão para a liberdade do que a de um pastor. Os profetas também falavam dos pastores que guardavam um rebanho em bons pastos como distintos dos falsos pastores. Deus é retratado por Isaías como Aquele que leva sua ovelha nos braços (Isaías 40,11), e por Ezequiel como um pastor que procura a ovelha perdida (Ezequiel 34,12). Zacarias deu o retrato mais triste de todos ao profetizar que o Messias-pastor seria ferido e as ovelhas dispersas (Zacarias 13,7). O mais conhecido é o Salmo 23, em que o Senhor é retratado conduzindo sua ovelha a pastos verdejantes.

O Senhor revelou a que custo esses pastos verdejantes são comprados. Ele não era o Bom Pastor porque provia fartura econômica, mas porque entregaria a própria vida em favor das ovelhas. Mais uma vez, a Cruz aparece sob o símbolo do pastor. O patriarca-pastor Jacó e o rei-pastor Davi tornam-se agora o salvador-pastor, do mesmo modo que o bastão torna-se um cajado; o cajado, um cetro; e o cetro, uma Cruz.

> O Pai me ama,
> porque dou a minha vida para a retomar.
> Ninguém a tira de mim,
> mas eu a dou de mim mesmo
> e tenho o poder de a dar,
> como tenho o poder de a reassumir.
> (São João 10,17-18)

Sua morte não é nem acidental nem imprevista; tampouco Ele fala de Sua morte à parte de Sua glória; nem de entregar a vida sem tomá-la de volta. Nenhum homem comum poderia ter dito isso. A ajuda invisível do céu estava em Sua vocação. Aqui Nosso Senhor determinou que o amor do Pai tinha-O enviado à missão que Ele haveria de cumprir sobre a terra. Isso não significava o início do amor do Pai, como podia ser o início do amor de um pai por alguém que resgatasse o filho de um afogamento. Ele já era o Objeto Eterno de um Amor Eterno. Mas agora, em Sua natureza humana, dá um motivo adicional para esse amor: a prova de Seu amor ao morrer. Visto que não possuía pecado, a morte não tinha poder sobre Ele. Retomar Sua vida era parte do plano divino tanto quanto o era entregá-la. Os cordeiros sacrificiais oferecidos por séculos eram portadores do pecado por imputação, mas também eram pacientes inocentes levados em ignorância ao altar. O sacerdote da Antiga Lei impunha a mão sobre o cordeiro a fim de indicar que estava imputando pecados sobre aquele que seria sacrificado. Jesus, contudo, assumiu voluntariamente o pecado por causa da nova vida que concederia depois da Ressurreição. Quando disse que dá a vida pelas ovelhas, o Senhor não queria dizer apenas por causa delas, mas também no lugar delas. Depois da Ressurreição, quando deu a Pedro o triplo mandato de apascentar Seus cordeiros e ovelhas, Ele profetizou que Pedro teria de morrer pelo rebanho do Senhor, como de fato veio a fazer.

O Pai O amava, disse o Senhor, não apenas porque entregou a vida, pois os homens podem tornar-se vítimas de forças superiores. Se morresse sem retomar a vida, Sua função teria cessado depois do sacrifício; teria sido apenas uma linda memória. Mas o amor do Pai contemplava mais do que isso. Ele também havia de retomar a vida e continuar a exercer os direitos reais. Ao retomar a vida, ele seria capaz de continuar soberano em termos diferentes.

Essa ação dupla foi a ordem do Pai.

> Tal é a ordem que recebi de meu Pai.
> (São João 10,18)

Desse modo, enquanto a entrega e a retomada de Sua vida foi espontânea, foi também uma consequência de um compromisso e uma ordem recebida do Pai Celestial quando se fez homem. O Pai não queria que o Filho perecesse, mas, ao contrário, que triunfasse no maior ato de amor possível. Mais tarde, durante a agonia no Jardim, confirmaria essa mistura de liberdade com ordem divina. Antes, ouviram-No dizer:

> Pois desci do céu não para fazer a minha vontade,
> mas a vontade daquele que me enviou.
> (São João 6,38)

Assim, a discussão que começou com o tema da liderança de ensino terminou no tema do acréscimo de vida por meio da Redenção. O milagre de dar vista ao cego de nascença foi como todos os outros milagres Dele — apontavam para Sua obra de dar a vida em resgate da humanidade. Cada momento de Sua vida tinha em si a Cruz; Seu ensino só tinha valor por causa da Cruz. Sua exposição ativa à Cruz por amor era bem diferente de uma aceitação estoica quando ela de fato acontecesse. Entrou voluntariamente pelo portão do Calvário por causa da justiça. Paulo mais tarde contaria aos romanos as maravilhas desse amor do pastor por sua ovelha negra.

> Com efeito, quando éramos ainda fracos,
> Cristo a seu tempo morreu pelos ímpios.
> Em rigor, a gente aceitaria morrer por um justo,
> por um homem de bem,
> quiçá se consentiria em morrer.
> (Romanos 5,6-7)

23

O Filho do Homem

Não há título que Nosso Senhor tenha usado com mais frequência para descrever a Si mesmo que o de "Filho do Homem". Ninguém jamais o chamou por esse título, mas Ele o utilizou para Si ao menos umas oitenta vezes. Não se chamava de "um filho do homem", mas de "o Filho do Homem". Sua existência, tanto a eterna quanto a temporal, está nisso. Na conversa com Nicodemos sugeriu que era Deus em forma de homem.

> Ninguém subiu ao céu senão aquele que desceu do céu,
> o Filho do Homem que está no céu.
> (São João 3,13)

> Com efeito, de tal modo Deus amou o mundo,
> que lhe deu seu Filho único.
> (São João 3,16)

Que o "Filho do Homem" se referia à natureza humana em união pessoal com a natureza divina está evidenciado no fato de que a primeira vez que Nosso Senhor fez referência a Si mesmo como "o Filho do Homem" foi ao ser reconhecido pelos discípulos como o Filho de Deus.

Cristo ingressou na existência humana em uma forma que não Lhe era natural como o Filho de Deus. Essa admissão da natureza humana era uma humilhação, um esvaziamento, um despojamento e uma *kenosis* de sua glória. A renúncia fundamental da glória divina criou uma condição física de vida que O fez aparecer como um homem. O sofrimento e a morte eram as consequências lógicas dessa humilhação. Como Deus não poderia sofrer; como homem, poderia.

Ele sempre fez essa distinção entre Filho do Homem e Filho de Deus. Em uma ocasião, quando os inimigos buscavam matá-Lo, disse:

> Vós sois cá de baixo, eu sou lá de cima.
> Vós sois deste mundo, eu não sou deste mundo.
> (São João 8,23)

Às vezes, o título de "Filho do Homem" é usado com referência à sua vinda no último dia para julgar todos os homens; outras vezes, refere-se à missão messiânica para instituir o Reino de Deus na terra e trazer o perdão dos pecados, mas, com mais frequência, refere-se à sua Paixão, morte e Ressurreição. Encoberta pelo título estava a missão como Salvador e a humilhação como Deus na fraqueza da carne humana. Assim como um rei podia tomar outro nome enquanto viajava incógnito, o filho de Deus, igualmente, tomou outro nome, "o Filho do Homem", não para negar Sua divindade, mas, melhor, para afirmar a nova condição que assumira. Já que estava humilhando-Se e fazendo-Se obediente, até a morte na Cruz, o título de "Filho do Homem" representou a vergonha, o aviltamento e o pesar que é o destino humano. Era descritivo daquilo que Ele *se tornou*, em vez daquilo que ele é desde a eternidade. "O Filho do Homem" ou o "Homem das Dores" era, disse, também o objeto da profecia:

> Como então está escrito acerca do Filho do homem
> que deve padecer muito e ser desprezado?
> (São Marcos 9,12)

Porque o nome indica não só humilhação, mas identificação com a humanidade pecadora, Ele *nunca usou o termo após ter redimido a humanidade e ressuscitado dos mortos*. Os lábios glorificados da "ressurreição e da vida" nunca mais pronunciaram "o Filho do Homem". Deixara para trás a unidade com a humanidade não redimida.

A humildade da presente condição que queria enfatizar torna-se evidente na Sua unidade com os infortúnios e misérias do homem. Se os homens não tinham lar, Ele não teria lar:

> As raposas têm suas tocas e as aves do céu,
> seus ninhos, mas o Filho do Homem
> não tem onde repousar a cabeça.
> (São Mateus 8,20)

Uma vez que a verdade que veio trazer ao mundo estava reservada aos que aceitaram Sua divindade e não era algo atrativo aos ouvintes, Ele nunca usou "o Filho do Homem" como a fonte dessa verdade. A verdade que trouxe era a verdade divina, derradeira e absoluta. Por isso, evitou usar o termo "Filho do Homem" em relação a Sua natureza divina, que era una com o Pai.

>Mas conheço-o e guardo a sua palavra.
>(São João 8,55)
>
>Eu sou [...] a verdade.
>(São João 14,6)
>
>Em verdade, em verdade vos digo.
>(São João 6,32)

Entretanto, quando se tratar de julgar o mundo, no fim dos tempos, de separar as ovelhas e os cabritos, de trazer a balança da virtude e do vício para cada alma, esse privilégio e autoridade foi Dele porque sofreu e redimiu a humanidade como "O Filho do Homem". Porque foi obediente até a morte, seu Pai o exaltou como o juiz. Conhecendo o que havia no homem, como "Filho do Homem", poderia julgar melhor a raça humana.

>o Pai [...] lhe conferiu o poder de julgar,
>porque é o Filho do Homem.
>(São João 5,26-27)

Ainda que "o Filho do Homem" expressasse Sua relação com a humanidade, era muito diligente em destacar que era como o homem em todas as coisas, exceto no pecado. Desafiou os ouvintes a condená-Lo por pecado. No entanto, as consequências do pecado estavam todas Nele como "o Filho do Homem". Daí a prece para afastar o cálice, o sofrimento da fome e da sede; a agonia e o suor de sangue; talvez, parecer mais velho do que realmente era; a condescendência em lavar os pés dos discípulos, a falta de ressentimento assim que os donos dos porcos rogaram-Lhe que partisse de seus arredores; o sofrimento diante das acusações falsas de beberrão, glutão; a gentileza expressa ao esconder-Se quando os inimigos o teriam apedrejado e, sobretudo, a persistência da preocupação, da agonia, do medo, da dor, da angústia mental, da febre, da fome e da sede durante as horas de sua Paixão — todas essas coisas se deram para inspirar os homens a imitar o "Filho do Homem". Nada humano era-Lhe estranho.

A família humana tem suas provações, então, Ele as santificou ao viver em uma família. O trabalho árduo realizado com o suor do rosto era a sina da humanidade; Ele, portanto, "o Filho do Homem" se tornou um carpinteiro. Não há uma única aflição humana resultante do pecado que recaia sobre o homem que tenha escapado dessa unidade com Ele.

> Tomou as nossas enfermidades
> e sobrecarregou-se dos nossos males.
> (São Mateus 8,17)

Isaías profetizara essa incorporação com a fragilidade humana. Embora não existam provas no Evangelho de que Nosso Senhor alguma vez esteve doente, há muitos momentos em que Ele sentiu a doença como se fosse Dele, assim como sentiu o pecado como Seu. Por isso, ao realizar uma cura, ele, às vezes, "suspirava" ou "gemia" após levantar os olhos ao céu, a fonte de Seu poder. A enfermidade humana o tocava de modo muito profundo, pois a surdez, a mudez, a lepra e a insanidade eram efeitos do pecado, não da pessoa afligida, mas da humanidade. Porque sua morte retiraria o pecado, que era a causa (ainda que a remoção final da doença e do erro não viessem até a ressurreição do justo), disse que era demasiado fácil para ele curar um como o outro.

> Que é mais fácil dizer:
> Teus pecados te são perdoados,
> ou: Levanta-te e anda?
> (São Mateus 9,5)

Suspirava porque era o Sumo Sacerdote tocado por todas as "mil pelejas naturais — herança do homem".[21] Lágrimas! Chorou três vezes porque a humanidade chora. Quando viu outros chorarem, tal como Maria na dor pela morte do irmão, sentiu o pesar como seu.

> Ao vê-la chorar assim,
> como também todos os judeus que a acompanhavam,
> Jesus ficou intensamente comovido em espírito.
> (São João 11,33)

---

21 | William Shakespeare, *Hamlet*. Trad. Péricles Eugênio da Silva Ramos. São Paulo: Editora Abril, 1976, Ato III, cena I. (N. T.)

Na morte e enterro de Lázaro, viu a longa procissão de pessoas de luto, do primeiro ao último, e o motivo daquilo tudo: como a morte veio ao mundo com pecado de Adão. Dentro de poucos dias sabia que Ele, como um segundo Adão ou o "Filho do Homem", tomaria para Si "os pecados do mundo" e, portanto, daria à morte seu fim. Restaurar a saúde física para a humanidade custou-Lhe algo, assim como restaurar a saúde espiritual custou-Lhe a vida. Nesse primeiro momento, como Filho do Homem, sentia como se perdesse uma energia para a humanidade. Quando a mulher tocou a barra de sua veste, o Evangelho recorda que:

> Jesus percebeu imediatamente que saíra dele uma força.
> (São Marcos 5,30)

Assim, portanto, nenhum pecado ou doença o atingia por contágio. Ele as suportava como a mãe amorosa suporta a agonia do filho e a tomaria, se possível, sobre Si. Entretanto, uma mãe não tem o caráter representativo em sua família que o Cristo tinha na humanidade. Foi o novo Adão e poderia trazer o perdão e a vida para todos os homens, assim como o primeiro Adão deu a todos os homens o pecado e a morte.

Por fim, o título "o Filho do Homem" significava que Ele era representante não apenas dos judeus, não só dos samaritanos, mas de toda a humanidade. Sua relação com os seres humanos era semelhante à de Adão. A raça humana tinha duas cabeças: Adão e o novo Adão, o Cristo. O "Filho do Homem" não era um homem em particular, um homem pessoal, mas, antes, um padrão de homem, um homem universal. Foi na família humana que Deus escolheu ingressar, a expressão perfeita para descrever isto é *Homo factus est*. Foi feito homem e limitou-Se a compartilhar a natureza humana. Entrou na realidade da humanidade comum. Assumiu a natureza humana em Sua sagrada pessoa. Aristóteles disse que se os deuses se interessassem pelos assuntos humanos, esperaria que vissem com mais satisfação aquilo que é mais parecido com a própria natureza. Isso sugere certo grau de desdém pelo humano; consequentemente, os gregos diziam que as manifestações da divindade "eram demasiado belas para venerar e demasiado divinas para amar". Entretanto, em Cristo o inverso é verdadeiro: "Ele veio para o que era seu" (São João 1,11). O santificador deve ser um com aqueles que santifica. A própria separação em atributos entre as duas partes torna necessário que de algum modo sejam um. Deve haver um ponto de contato, de um com o outro. Aquele que é como os irmãos terá mais poder sobre eles do que o que não lhes assemelha. Por isso, para ser um santificador, Nosso Senhor Santíssimo tinha de ser um homem como seus irmãos ímpios. Ele os santificaria ao reproduzir em sua vida o ideal perdido do atributo humano e ao trazer esse ideal para permanecer em suas mentes e corações.

O ideal tinha de ser um *homem* ideal, "ossos dos nossos ossos, carne da nossa carne" — "o Filho do Homem". Tinha de ser, em humanidade, despido de todas as vantagens sociais até o nível da massa comum e apresentando aí o ideal de excelência em ambiente familiar. Assim, poderia ser um sumo sacerdote compassivo que poderia sentir pelos homens e ser o verdadeiro representante diante de Deus. Quanto mais próximo de seus eleitores, mais apto estava para o ofício. Ao ter compaixão do ignorante e do pecador, adquiriu, pela própria experiência e consciência da enfermidade, a semelhança aos homens que sofrem.

Não poderia ser um Sumo Sacerdote para o homem, interceder pelo homem e pagar a dívida ao Pai a menos que fosse tirado *do meio* dos homens. O título "Filho do Homem" proclamou sua irmandade, mas os homens não podem ser irmãos a não ser que tenham um pai comum, e Deus não é pai a menos que tenha um filho. Acreditar na irmandade do homem sem a paternidade de Deus é fazer dos homens uma raça de bastardos.

Só a empatia, contudo, não explica completamente esse título de "Filho do Homem". Não estava só desejoso, mas ávido — mesmo sob necessidade — de vir à condição deles. O amor empático trouxe-o dos céus à terra, e a associação no sofrimento se deu como questão de percurso. O amor é um princípio vicário. Uma mãe sofre pelo filho doente e com ele, assim como o patriota sofre por seu país. Não é de admirar que o Filho do Homem tenha visitado essa terra tenebrosa, pecadora e infeliz ao tornar-Se homem — a unidade de Cristo com os pecadores deveu-se ao amor! O amor sobrecarrega-se dos desejos, dos infortúnios, das perdas e até dos erros dos outros.

Sofreu porque amou. Entretanto, algo mais deve ser acrescentado. Não era o bastante para o homem amar o outro; se esse sofrimento tinha de ter algum valor, deveria ter algo a oferecer a Deus por nós e essa oferta deveria possuir certa qualidade necessária para ser eficaz. Deveria ser perfeita e eternamente válida. Ele, portanto, tinha de ser Deus e homem, de outro modo a reparação e a redenção do pecador não teria tido valor à vista de Deus. A empatia por si não seria o bastante para formar uma unidade entre Deus e o ímpio. Devia haver uma nomeação divina para o cargo. Em virtude do "dever" divino, Ele não era apenas um sacerdote, mas uma *vítima*. Removeu o pecado pelo sacrifício de si mesmo. Como sacerdote, era um representante da humanidade; como vítima, era o substituto da humanidade. Ofereceu-se como um sacrifício aceitável a Deus. É o exemplo perfeito de autoentrega e de lealdade à vontade divina, e Deus aceitou o sacrifício não de um homem, mas do "Filho do Homem" ou da raça humana representada por esse homem arquetípico ou modelar. Ao agir como portador do pecado não alterou de modo algum seu relacionamento com o Pai Celestial. Ainda que Cristo tenha sido, na verdade, o portador do pecado enquanto ainda estava na terra, era o portador do pecado por destino antes de vir ao mundo. Por isso as Escrituras o chamam de o "cordeiro imolado" que veio antes da origem do mundo (Apocalipse 13,8).

Ninguém — nem os demônios, nem os inimigos, nem mesmo os apóstolos — jamais o chamou de "Filho do Homem". Assim como "Filho de Deus" aplicado a Si tinha um significado único, a saber, o filho unigênito gerado do Pai Eterno, igualmente esse título, cunhado por Ele mesmo e aplicado somente a Si. Ninguém mais se apresentou como representante da raça humana. O "Filho de Deus" é um estranho à raça humana porque é o seu criador, mas "o Filho do Homem" foi um com a raça humana, exceto no pecado. Como homem, podia morrer. Morrer é uma humilhação; mas morrer por outrem é glorificação. Seu Pai, portanto, manifestou um amor singular por seu divino Filho ao permitir que como Filho do Homem experimentasse a morte pelos outros. A árvore genealógica de Seus ancestrais terrenos não era realmente importante; o que era importante era a árvore genealógica dos filhos de Deus que Ele plantou no Calvário.

24
César ou Deus

Os homens falam mais sobre a riqueza quando estão pobres. Do mesmo modo, também falam mais de liberdade quando correm o risco de perdê-la ou quando estão escravizados. Por vezes, a liberdade identificou-se com a licenciosidade num extremo ou com a tirania no outro. Visto que Nosso Senhor nasceu numa terra subjugada e escravizada, era de esperar que alguns não desejassem outro tipo de liberdade que não a política, ou uma libertação que não do jugo do conquistador. Se o Senhor fosse um reformador ético, seria exatamente esta a liberdade que teria dado; mas, se fosse um Salvador, como de fato o era, então a liberdade espiritual era mais importante que a liberdade política.

No topo da montanha, Satanás ofereceu a Ele uma carreira política, mas fracassou. Era o político que havia de servir ao Divino, não o Divino ao político. Mais tarde, quando as massas tentaram proclamá-Lo rei, o Senhor fugiu para as montanhas. A ideia de libertação política, no entanto, era frequente no imaginário popular. Toda Israel estivera nas mãos dos romanos desde que Pompeu entrou na Cidade Santa, defendida por Aristóbulo, e levou cativo a ele e a milhares de outros. O país, então, tornou-se tributário de Roma. Quando se usava a palavra "liberdade", quase sempre esta era compreendida em sentido político, como o fim da servidão a César.

Nosso Senhor, portanto, constantemente tinha de lidar com esse problema — seja porque esperavam que ele fosse um libertador político, seja porque sempre que falava de liberdade era mal interpretado como se falasse da libertação do jugo romano. Em três incidentes separados, ele esclareceu sua posição quanto ao assunto, sem deixar dúvidas a respeito do que considerava a verdadeira liberdade:

1. A libertação política de César não era primordial.
2. A verdadeira liberdade era espiritual e significava libertação do pecado.

3. Para conquistar essa liberdade para todos, judeus e gentios, haveria de entregar-se voluntariamente como expiação do pecado.

Os herodianos e os fariseus sustentavam visões opostas em relação a César. Os herodianos não eram uma seita ou uma escola religiosa, mas um partido político. Aparentemente, eram amigos de César e da autoridade romana; embora não fossem romanos, defendiam a Casa de Herodes como ocupante do trono judaico; isso fez deles amigos da Roma pagã e de César, com o próprio Herodes como vassalo de César. Desejando ver a Judeia enfim conduzida pelo cetro de um príncipe de linha herodiana, nesse ínterim, como companheiros de viagem, submetiam-se à autoridade romana pagã.

Outro partido era o dos fariseus, que estavam agora no auge de seu poder. Sendo puritanos quanto à lei e às tradições judaicas, recusavam-se a reconhecer qualquer autoridade de Roma; chegaram até mesmo, segundo [Flávio] Josefo, a tentar matar Herodes. Como nacionalistas, recusavam-se a reconhecer o domínio romano e esperavam que um dia os judeus, sob o Rei-Messias, regessem o mundo.

Ambos os grupos eram inimigos, não apenas porque os herodianos estavam ao lado de César e dispostos a pagar tributo ao conquistador, enquanto os fariseus desprezavam César e pagavam o tributo sob protesto, mas também porque os herodianos não estavam particularmente interessados em religião, ao passo que os fariseus professavam ser os modelos mais exemplares de devoção religiosa.

Um dia depois que Nosso Senhor curou um homem num sábado, os fariseus começaram a planejar, junto com membros do partido de Herodes, como livrar-se de Jesus. O simples fato de os fariseus terem tolerado até mesmo uma aliança temporária com os herodianos mostra a virulência do ódio dirigido a Nosso Bendito Senhor. O Evangelho sugere que essa nova conspiração pretendia entregar o Senhor à autoridade do governador romano ou também ao povo.

> Puseram-se então a observá-lo e mandaram espiões
> que se disfarçassem em homens de bem,
> para armar-lhe ciladas e surpreendê-lo no que dizia,
> a fim de o entregarem à autoridade e ao poder do governador.
> (São Lucas 20,20)

Os herodianos não podiam postar-se diante de Nosso Senhor sem levantar suspeitas quanto a Suas motivações; tampouco os fariseus, sempre muito astutos, foram até Ele. Enviaram alguns de seus jovens eruditos, como se em sua simplicidade ingênua estivessem apenas buscando informação. Os fariseus deram a Nosso Bendito Senhor a impressão de que surgira uma discussão entre eles e os herodianos, como de fato teria sido muito natural. Desejavam resolver a questão recorrendo a Jesus como grande mestre. Começaram elogiando-o, pensando tolamente que Ele podia ser vencido por alguma adulação.

> Mestre, sabemos que és verdadeiro
> e ensinas o caminho de Deus em toda a verdade,
> sem te preocupares com ninguém,
> porque não olhas para a aparência dos homens.
> (São Mateus 22,16)

E então vem a pergunta, uma verdadeira pergunta capciosa:

> É permitido ou não pagar o imposto a César?
> (São Mateus 22,17)

"Esse imposto que nós, fariseus, tanto detestamos, mas cuja legalidade os herodianos defendem, deve ou não deve ser pago? Quem de nós está certo — nós, os fariseus que o repudiamos, ou os herodianos que o justificam?"

Esperavam que Nosso Bendito Senhor respondesse ou "os herodianos" ou "os fariseus". Se respondesse "Não, não é legítimo pagar tributo a César", então os herodianos O teriam entregado às autoridades romanas, que por sua vez O condenariam à morte por conspirar uma revolução. Se dissesse "Sim, é legítimo", então desagradaria aos fariseus, que iriam diante do povo e diriam que Ele não era o messias, pois nenhum messias, ou libertador, ou salvador, consentiria que o povo entregasse o pescoço ao jugo do invasor. Se se recusasse a pagar o tributo, seria um rebelde; se concordasse em pagá-lo, seria inimigo do povo. Dizer "Não" faria dele um traidor de César; dizer "Sim" faria dele inimigo da nação, um inimigo da pátria. Em qualquer dos casos, pareceria que caiu numa armadilha. Os companheiros de viagem condená-Lo-iam por ser inimigo do grande líder, César; os semirreligiosos o danariam por ser um inimigo do país. A ardileza na pergunta foi intensificada pela fusão dos elementos religiosos e políticos na história antiga de Israel;

mas agora os dois estavam separados. Como podia aplicar-se um padrão absoluto tanto a Deus quanto a César?

A essa pergunta apresentada com tanta malícia, Nosso Divino Senhor respondeu:

> Por que me tentais, hipócritas?
> (São Mateus 22,18)

Apesar do fato de eles terem começado com cortesia, Nosso Bendito Senhor podia ouvir o sibilo da serpente. Embora alardeassem que Jesus era destemido e imparcial, este os ofuscou as vistas com o clarão da palavra indignada "hipócritas". E disse-lhes:

> Mostrai-me a moeda com que se paga o imposto!
> (São Mateus 22,19)

Nosso Senhor não tinha nenhuma. Providenciaram uma moeda e colocaram-na em Sua mão. De um lado, estava estampado o rosto do imperador, Tibério César; do outro lado da moeda estava estampado seu título — *Pontifex Maximus*. Grande silêncio deve ter sobrevindo à multidão no momento em que viram a moeda ali, nas mãos de Nosso Senhor. Não muitos dias depois, aquele que era o rei dos reis teria aquelas mesmas mãos perfuradas pelos cravos sob as ordens dos representantes daquele homem para cuja efígie ele olhava. Nosso Senhor perguntou-lhes:

> De quem é esta imagem
> e esta inscrição?
> (São Mateus 22,20)

Responderam:

> De César.
> (São Mateus 22,21)

Veio então a resposta de Jesus:

> Dai, pois, a César o que é de César [...]
> (São Mateus 22,21)

Nosso senhor não tomou partido, porque a questão básica não era Deus ou César, mas Deus e César. Aquela moeda usada nas transações comerciais cotidianas mostrava que eles já não eram independentes do ponto de vista político. Naquela esfera da vida mais baixa, a dívida para com o governo deveria ser quitada. Ele não fomentou aspirações de independência; não prometeu ajuda e libertação. Aliás, era o dever deles reconhecer o domínio presente de César, *imperante Tiberio*. A palavra grega usada no Evangelho para "devolver" ou "dar" implicava um dever moral tal como São Paulo disse mais tarde aos romanos, *imperante Nerone*:

> Cada qual seja submisso às autoridades constituídas,
> porque não há autoridade que não venha de Deus;
> as que existem foram instituídas por Deus.
> (Romanos 13,1)

Mas, a fim de remover a objeção de que o serviço ao governo isentava do serviço a Deus, Jesus acrescentou:

> E a Deus o que é de Deus.
> (São Mateus 22,21)

Mais uma vez, Jesus estava dizendo que Seu reino não era deste mundo; que a submissão a Ele não era incoerente com a submissão aos poderes seculares; que a liberdade política não é a única liberdade. Aos fariseus que odiavam César chegou a ordem: "Dai a César"; aos herodianos que tinham esquecido de Deus em seu amor a César chegou o princípio básico: "Dai a Deus". Tendo o povo cumprido seu dever perante Deus, estariam agora na presente condição de ter de servir também a César. Ele viera sobretudo para restaurar os direitos de Deus. Como Jesus já lhes tinha dito antes, se buscassem em primeiro lugar o reino de Deus e a sua justiça, todas as demais coisas, incluindo a liberdade política, lhes seriam acrescentadas.

Aquela moeda trazia a imagem de César, mas que imagem traziam os questionadores? Era a imagem do próprio Deus? Era esta a imagem que Jesus pretendia restaurar. Por ora, a política podia permanecer como estava, pois ele não ergueu um dedo para mudar sua cunhagem. Mas daria a vida para fazê-los dar a Deus o que é de Deus.

A verdadeira liberdade

Essa questão da liberdade surgiu durante a segunda visita de Nosso Senhor a Jerusalém. Ele tinha acabado de discursar sobre a verdade como condição da liberdade, dizendo:

> Conhecereis a verdade e a verdade vos livrará.
> (São João 8,32)

Assim como na ordem mecânica um homem é mais livre para operar uma máquina quando sabe a verdade sobre ela, também, espiritualmente, é mais livre um homem cuja mente é iluminada por aquele que disse "Eu sou a verdade".

Os ouvintes ressentiram-se do que lhes parecia uma sugestão de que eram escravos.

> Somos descendentes de Abraão
> e jamais fomos escravos de alguém.
> Como dizes tu: Sereis livres?
> (São João 8,33)

Esta jactância orgulhosa era completamente infundada. Naquele exato momento, os romanos estavam coletando os impostos deles, como um povo conquistado. Sete vezes, conforme o livro dos Juízes, foram escravizados pelos canaanitas. Além disso, tinham esquecido os setenta anos na Babilônia? Estiveram sob o jugo dos filisteus, dos assírios e dos caldeus; e agora, dentro desta visão paupérrima, estava a guarnição romana, em seus bolsos estava o dinheiro romano e, em Jerusalém, estava Pilatos, o romano.

Nosso Senhor, no entanto, ignorava o pano de fundo político; tal sujeição podia ser suportada. A servidão da qual Ele falava, todavia, era a servidão do pecado. O desejo humano não pode ser atacado desde fora; só pode ser abandonado desde dentro, por uma decisão livre que, multiplicada, forja a cadeia do hábito:

> Em verdade, em verdade vos digo:
> todo homem que se entrega ao pecado é seu escravo.
> Ora, o escravo não fica na casa para sempre.
> (São João 8,34-35)

A própria liberdade que o pecador supostamente exercita em sua autoindulgência é só outra prova de que é regido por um tirano. Nosso Senhor contrastava agora um escravo e um filho, depois de acusar seus ouvintes de serem escravos do pecado. O escravo não vive na casa para sempre. O ano do jubileu era uma provisão contra essa perpetuidade; viria um tempo em que os escravos haveriam de partir. Mas não é assim com um filho; ele está ligado à casa com laços que o tempo não pode destruir. Nosso Senhor comparou o escravo, que não pertence perpetuamente ao senhor, ao pecador-escravo, que de modo semelhante não pertence à casa do Pai Celestial. Nenhum pecador está em sua verdadeira casa enquanto está ligado a Satanás. No entanto, aquele que se postava no meio deles era o Filho desse Pai Celestial.

> [...] mas o filho sim, fica para sempre.
> (São João 8,35)

Ele, o Filho, veio entre aqueles que eram escravos do pecado para libertá-los, não politicamente, mas espiritualmente. Essa libertação restituiria os escravos do pecado à casa do Pai. Nenhum escravo precisa suportar para sempre a tirania do pecado, porque há Aquele que os redimirá do mal. Haverá libertação de uma casa para a outra. Para que soubessem que Ele era Aquele que levaria a efeito essa redenção, Jesus disse:

> Se, portanto, o Filho vos libertar,
> sereis verdadeiramente livres.
> (São João 8,36)

O Filho não é outro senão aquele que fala, o próprio Cristo, e pode libertar os homens do pecado, precisamente porque vem do Pai. O próprio libertador deve ser livre; se Ele estivesse de algum modo escravizado pelo pecado, não poderia libertar. As portas da prisão do mal só podiam ser destrancadas do lado de fora e por aquele que não fosse um prisioneiro.

Não havia nada novo nesta proclamação de que Ele veio para emancipar do pecado e dar a seus seguidores a "gloriosa liberdade dos filhos de Deus". Seu primeiro discurso público em sua cidade natal foi a mensagem da salvação.

> O Espírito do Senhor está sobre mim,
> porque me ungiu; e enviou-me para [...]
> anunciar aos cativos a redenção,
> [...] para pôr em liberdade os cativos.
> (São Lucas 4,18)

Quando Jesus disse isso, tentaram matá-Lo empurrando-O de um despenhadeiro (São Lucas 4, 29); seus ouvintes não foram mais receptivos do que os ouvintes de Nazaré. O contraste que Ele fez entre os escravos do pecado e o Filho de Deus era demais para eles. Sabiam muito bem que as palavras de Jesus sobre a liberdade não poderiam aplicar-se a sua emancipação do poder romano. Não havia equívoco de que, para Ele, a única liberdade verdadeira era a libertação do pecado. Mas ainda assim não O aceitariam, e o Senhor disse-lhes a razão.

> Mas eu, porque vos digo a verdade, não me credes.
> Quem de vós me acusará de pecado?
> Se vos falo a verdade, por que me não credes?
> Quem é de Deus ouve as palavras de Deus,
> e se vós não as ouvis é porque não sois de Deus.
> (São João 8,45-47)

Geralmente, acredita-se num homem quando este fala a verdade; agora é a verdade que causa a descrença. A verdade pode ser odiada quando revela a falsidade interior. Embora o rejeitassem, Ele os desafiava a apontar uma mancha em seu caráter impecável. Até mesmo Judas, depois da traição, o chamaria de "inocente". Ele ensinou os discípulos a orar "perdoai-nos as nossas ofensas", mas nunca orou assim; antes, Ele perdoou as ofensas que sofreu dos outros. Se o pecado for escravidão, então a inocência é a perfeita liberdade. A liberdade não é, em essência, libertação de um jugo estrangeiro; é, na verdade, libertação do cativeiro do pecado. Jesus não era um mestre a discursar sobre a liberdade; era um libertador — e de uma servidão maior que a romana. "O Filho vos libertará". Essa libertação, no entanto, custará algo, como explicado na discussão a seguir.

O PREÇO DA VERDADEIRA LIBERDADE

O tempo da visitação à Galileia estava perto do fim; Nosso Bendito Senhor evitava a atenção pública tanto quanto possível, e negou-se a Si mesmo para imprimir nos discípulos a lição da Cruz, que eles não compreenderam até o Pentecostes. Assim que chegaram a Cafarnaum, os cobradores de impostos do templo aproximaram-se de Pedro, fosse pela curiosidade hostil quanto aos impostos, fosse para poder ter uma acusação contra o mestre de Pedro, dizendo-lhe:

> Teu mestre não paga a didracma?
> (São Mateus 17,23)

O imposto do templo originalmente era arrecadado de cada pessoa como um resgate por sua alma, no sentido de um reconhecimento de que sua vida fora penhorada pelo pecado. O êxodo o arrecadava de todos os homens de vinte anos de idade a fim de custear o serviço do templo. O tributo era de meio siclo e equivalia a cerca de trinta centavos de dólar americano.

A pergunta acerca do pagamento do imposto do templo por Nosso Senhor não era simples. Ele declarara ser o Templo de Deus e exercera seus direitos divinos sobre o templo material ao purificá-lo dos cambistas e vendedores. Será que aquele que disse ser o Templo de Deus porque a divindade habitava em sua natureza humana pagaria agora o tributo do templo? Pagar o imposto do templo depois da clara afirmação na Festa dos Tabernáculos de que Ele era o Filho de Deus teria dado origem a alguns equívocos sérios. O ponto em questão não era a pobreza do Mestre; era se Aquele que era o Templo vivo de Deus subordinar-Se-ia ou não ao símbolo e sinal de Si mesmo.

Em resposta à pergunta do coletor de impostos, Pedro respondeu que Nosso Senhor pagou a taxa. Pedro não tinha se reunido com Nosso Senhor para saber se Ele tinha ou não pago a taxa. Depois de responder, entrou na casa. Antes que Pedro tivesse a chance de falar, Nosso Senhor dirigiu-se a ele, mostrando que estava bem informado acerca da conversa que ocorrera do lado de fora. Tudo estava nu e aberto a seus olhos; o segredo era impossível.

> Que te parece, Simão?
> Os reis da terra, de quem recebem os tributos ou os impostos?
> De seus filhos ou dos estrangeiros?
> (São Mateus 17,24)

Ele sabia que Pedro deu uma resposta afirmativa ao coletor de impostos. A pergunta implicava que Pedro perdera a visão, por um momento, da dignidade de seu Mestre, que era o Filho em sua própria casa, o Templo, e não um servo na casa de outrem. Foi mais ou menos a mesma ideia que Nosso Bendito Senhor enfatizou quando falou com os fariseus. Disse-lhes que eram escravos, não apenas de um poder político, mas do pecado, e ele estava interessado apenas em livrá-los dessa servidão do pecado. Ao que Pedro respondeu:

> Dos estrangeiros.
> Jesus replicou:
> Os filhos, então, estão isentos.
> (São Mateus 17,25)

Um rei não impõe um tributo sobre a própria família para manter o palácio em que vive. Então, visto que ele é Deus, havia de pagar o tributo de resgate *Aquele que dá a vida como resgate*? Visto que Ele é o Templo de Deus, deveria pagar um tributo pelo sacrifício, sendo Ele mesmo tanto o Templo quanto o Sacrifício? Ele, assim, põe-se fora do círculo dos homens pecadores. A liberdade que Ele dá é espiritual, não política.

Depois de ter afirmado que, como Rei dos Céus, estava isento dos tributos terrenos, voltou-Se para Pedro e disse:

> Mas não convém escandalizá-los.
> Vai ao mar, lança o anzol,
> e ao primeiro peixe que pegares
> abrirás a boca e encontrarás um estatere.
> Toma-o e dá-o por mim e por ti.
> (São Mateus 17,26)

O filho do rei está livre. Mas Aquele que é o Filho de Deus tornou-Se o Filho do Homem, compartilhando a pobreza, as provações, o trabalho e o desamparo dos homens. Mais tarde, submeter-se-ia à prisão, à coroa de espinhos e à Cruz. Por ora, como o Filho do Homem, não se assentará sobre sua dignidade como o Filho de Deus, nem alegará isenção de obrigações servis, mas voluntariamente consentirá em pagar um imposto para evitar escândalo. Não é sinal de grandeza sempre afirmar o direito de alguém, mas amiúde sofrer uma indignidade. Poderia haver escândalo se Ele mostrasse desrespeito pelo templo. Assim como submeteu-Se ao batismo de João para cumprir toda a justiça; assim como Sua mãe ofereceu os pombinhos, embora não necessitasse de purificação do nascimento de Jesus; assim também Ele submeter-se-ia ao imposto a fim de santificar os laços que o uniam à humanidade.

Na resposta, Ele se associou estreitamente a Pedro. Nem uma vez ao falar do Pai Celestial Ele falou da humanidade e de Si mesmo "Nosso Pai". Pode parecer, à primeira vista, que Ele assim o fez na oração do "Pai nosso", implicando assim que o homem e Ele eram o mesmo tipo de filho do Pai Celestial. Mas, na verdade, os apóstolos perguntaram-lhe como orar, e Ele disse-lhes que orassem "Pai Nosso". Nosso Senhor sempre fez a distinção entre "Nosso Pai" e "Meu Pai". Ele é Filho natural de Deus; os homens são filhos adotivos de Deus. De semelhante modo, Ele nunca associou nenhum ser humano consigo mesmo, com exceção de Pedro, como Ele faz aqui quando diz "Não convém escandalizá-los".[22] Aquele que fora chamado a pedra, aquele que seria chamado o pastor, e aquele que recebeu as chaves do reino do céu aqui estava associado mais intimamente com Cristo que qualquer outro ser humano.

Embora fosse isento do imposto, Jesus preparou-Se para pagá-lo; embora fosse livre de pecado, sofreu suas penas; embora fosse livre da necessidade da morte, aceitou-a; embora fosse livre da Cruz, abraçou-a. Assim como os coletores de impostos não Lhe tiraram à força o dinheiro, tampouco os soldados romanos ou o Sinédrio fixaram-no na Cruz sem seu consentimento. Já não haveria flagelo, pois ele pagaria o preço do resgate.

Pedro pagou o tributo, mas Nosso Senhor pagou com ele. Ambos participaram na submissão. Por essa razão, disse Nosso Senhor: "dá-o por mim e por ti". Ele não diz "por nós", porque havia a diferença infinita entre a Pessoa de Deus e a pessoa de Pedro. Nosso Senhor pagaria a dívida de resgate pelo pecado, embora fosse isento. Pedro a pagaria, porque era devedor. Nosso Senhor o pagaria por humildade; Pedro o pagaria por dever.

O modo como o tributo foi pago pode ter sido uma lição para Pedro de que, mesmo submetendo-se às autoridades do templo, Jesus estava, ainda assim, mostrando-se o Senhor de toda a criação. Os apóstolos haviam ficado perplexos ao ver que ventos e mares obedeciam-no; agora, o que estava no mar obedecia também. Assim como a morte e glória sempre estiveram relacionadas em cada declaração de Jesus, agora a humilhação de pagar o

---

22 | Na tradução desta passagem na Bíblia de Jerusalém, lê-se: "Mas, para que não os escandalizemos, vai ao mar e joga o anzol" (São Lucas 17,27). A associação para a qual o autor chama atenção é esta marcada pelo verbo no plural, abarcando Pedro e o próprio Jesus. (N. T.)

tributo estava associada com sua supremacia real sobre a natureza e os peixes do mar. O dinheiro do tributo foi provido pelo milagre da onisciência e do senhorio sobre a criação, em que o peixe que Pedro pegou trazia no ventre um estatere, ou a exata quantia necessária para pagar o tributo do Senhor e de Pedro. As duas linhas da humilhação e da majestade estão, portanto, entrelaçadas, visto que estão em cada palavra de Jesus a respeito da Cruz e de sua glória. Nunca separadamente um do outro. Logo no início, o desamparo de um bebê num estábulo foi compensado pelo cântico dos anjos e pelo movimento de uma estrela que guiou os Magos a seus pés. Assim, também agora, quando o Filho de Deus era isento da lei eclesiástica, ainda assim pagou o tributo; mais tarde, isento da lei política, diria a Pilatos que sua autoridade como juiz vinha dele, não obstante aceitasse um falso julgamento.

Por séculos, desde aqueles primeiros quarenta anos no deserto, todo filho de Abraão teve de pagar o resgate de sua alma carente de redenção. Nenhum dinheiro de resgate será necessário, pois aquele que não tem pecado tomará sobre si o pecado. Disse ele a seus ouvintes: "Dai a César o que é de César". Agora, portanto, Ele dá ao templo terreno as coisas que pertencem ao templo terreno. Isenção desses deveres não necessariamente tornam os homens livres. A primeira liberdade, que é a imunidade ao mal, será comprada por aquele que fez de Si mesmo um escravo. Como diz São Paulo:

> Sendo ele de condição divina,
> não se prevaleceu de sua igualdade com Deus,
> mas aniquilou-se a si mesmo,
> assumindo a condição de escravo e assemelhando-se aos homens.
> E, sendo exteriormente reconhecido como homem,
> humilhou-se ainda mais,
> tornando-se obediente até a morte,
> e morte de cruz.
> Por isso Deus o exaltou soberanamente
> e lhe outorgou o nome que está acima de todos os nomes,
> para que ao nome de Jesus se dobre todo joelho
> no céu, na terra e nos infernos.
> E toda língua confesse,
> para a glória de Deus Pai,
> que Jesus Cristo é Senhor.
> (Filipenses 2,6-11)

25

Ainda não é chegada a hora

Quando Nosso Senhor declarou ser Ele mesmo o Filho de Deus e uno com o Pai dos Céus, os inimigos atentaram contra Sua vida. Quando disse aos apóstolos que deveria ser crucificado e ser o Filho do Homem sofredor, eles discutiram tanto com Ele como entre si pelo primeiro lugar no seu Reino.

Divindade e um salvador que sofre eram, ambos, abomináveis para os homens não regenerados; a divindade porque o homem, em segredo, quer ser seu próprio Deus; o sofrimento, porque o ego não compreende por que uma semente deve morrer antes de brotar em vida nova. O Filho de Deus se tornou pedra de tropeço quando Se humilhou ao nível humano, tomando sobre Si a forma e o hábito do homem. É difícil para a *inteligentzia* acreditar que a grandeza pode ser tão diminuta. Por outro lado, o Filho do Homem Se tornou um escândalo quando tomou para Si a fraqueza e, até mesmo, a culpa do homem e não usou o poder divino para escapar da Cruz.

Foram feitos vários ataques à Sua vida, a maioria durante uma das grandes festas, mas sempre após ter proclamado Sua divindade. O primeiro ataque foi em Nazaré. Todo homem tem a própria terra, o próprio lar e os próprios parentes. É entre esses que deveria ser amado e relembrado. No entanto, conforme Nosso Senhor adiantava-Se para a Cruz, a velocidade foi acelerada pela rejeição por Sua própria cidade natal.

Nazaré

Assim que as extensas sombras do sol de sexta-feira se aproximavam do pequeno vilarejo aninhado em meio aos montes, o soar da trombeta do mestre da sinagoga proclamou o início do *Shabat*. Na manhã seguinte, Nosso Senhor Bendito foi à sinagoga, onde muitas vezes estivera quando criança e rapaz. Muito provavelmente, ao entrar na sinagoga dessa vez, as notícias dos milagres de Caná e do rio Jordão, em que os céus proclamaram Sua divindade, já tinham criado nas pessoas uma grande expectativa.

> Jesus então, cheio da força do Espírito,
> voltou para a Galileia.
> E a sua fama divulgou-se por toda a região.
> (São Lucas 4,14)

Na sinagoga, deram-Lhe o livro de Isaías. A profecia específica que leu falava do servo de Deus sofredor.

> Espírito do Senhor está sobre mim,
> porque me ungiu;
> e enviou-me para anunciar a boa-nova aos pobres,
> para sarar os contritos de coração,
> para anunciar aos cativos a redenção,
> aos cegos a restauração da vista,
> para pôr em liberdade os cativos,
> para publicar o ano da graça do Senhor
> (São Lucas 4,18-19)

Essa passagem era familiar aos judeus. Era uma profecia do Antigo Testamento a respeito da libertação dos judeus do cativeiro da Babilônia. Entretanto, Ele fez uma coisa nada usual: tomou esse texto elaborado no exílio, enrolou-o ao redor de Si. Trocou o significado do "pobre", do "escravizado" e do "cego". Os "pobres" eram os que não possuíam a graça e careciam de união com Deus; os "cegos" eram aqueles que ainda não tinham visto a Luz e os "escravizados" os que não tinham adquirido a verdadeira libertação do pecado. Ele, então, proclamou que todos esses concentravam-se Nele.

Sobretudo, declarou o jubileu. O código mosaico determinava que para cada cinquenta anos, um fosse de graça especial e restauração. Todos os débitos eram remidos; as heranças de família que tinham, pela pressão do tempo, sido vendidas retornassem aos antigos donos; aqueles que hipotecaram a autonomia fosse-lhes restaurada a liberdade. Era uma salvaguarda divina contra os monopólios e isso mantinha a vida familiar intacta. O ano jubilar foi para Ele um símbolo da própria aparição messiânica que proclamou porque fora ungido com o Espírito para fazê-lo. Haveria novas riquezas espirituais, uma nova luz espiritual, uma nova liberdade espiritual, todas centradas nele — o evangelista, o médico, o emancipador. Todos os que estavam na sinagoga fixaram os olhos Nele. Então, vieram as palavras alarmantes, explosivas:

> Hoje se cumpriu este oráculo
> que vós acabais de ouvir.
> (São Lucas 4,21)

Sabia que esperavam por um rei político que expulsaria o domínio romano. Entretanto, proclamou a redenção do pecado, não da ditadura militar. Somente nesse sentido deveriam esperar se cumprir a profecia de Isaías.

Era compreensível que o povo de Nazaré, que vira Jesus crescer no meio deles, se surpreendesse ao ouvi-lo proclamar a Si mesmo como o ungido de Deus, de quem falou Isaías. Agora uma dupla alternativa apresentava-se diante deles: poderiam aceitá-Lo como o cumprimento da profecia ou poderiam rebelar-se. O privilégio de ser a cidade natal do tão esperado messias e daquele a quem o Pai celestial, no Jordão, proclamara como seu Divino Filho era demais para eles por conta da familiaridade. Eles perguntaram:

> Não é ele o carpinteiro, o filho de Maria [...]?
> (São Marcos 6,3)

Acreditavam em Deus de determinada maneira, mas não em um Deus que se avizinhasse, entrasse em relações próximas com eles e usasse martelos nos mesmos estabelecimentos comerciais. O mesmo tipo de esnobismo que era visto na afirmação de Natanael: "Pode, porventura, vir coisa boa de Nazaré?" (São João 1,46) agora se tornara um preconceito contra Ele na própria cidade e entre o próprio povo. Era, de fato, filho de um carpinteiro, mas também do carpinteiro que fez a terra e os céus. Porque Deus tomou sobre Si a natureza humana, e fora visto na pequenez de um vilarejo de artesãos, deixou de ganhar o respeito dos homens.

Nosso Senhor Santíssimo "admirava-se da desconfiança deles" (São Marcos 6,6). Duas vezes no Evangelho é dito que Ele ficou "maravilhado" e "admirado": uma vez por conta da fé dos gentios; uma segunda vez por conta da falta de fé dos seus concidadãos. Do próprio povo, poderia ter contado com algum toque de empatia; alguma predisposição em dar as boas-vidas. Sua admiração foi a medida de sua dor, bem como do pecado deles, como ele lhes disse:

> Um profeta só é desprezado na sua pátria,
> entre os seus parentes e na sua própria casa.
> (São Marcos 6,4)

Para dar abrigo às suas almas, pois a autoestima deles estava ferida, e se os seus não o receberam, ele buscaria a salvação em outro lugar. Colocou-se na categoria dos profetas do Antigo Testamento, que não receberam, eles mesmos, melhor tratamento. Citou dois exemplos do Antigo Testamento. Ambos eram um prenúncio da direção que Seu evangelho estava por tomar, a saber, *abraçar os gentios*. Disse-lhes que havia muitas viúvas entre o povo de Israel nos dias de Elias, quando uma grande fome caiu sobre a terra e, quando os céus se fecharam por mais de três anos. No entanto, Elias não foi mandado para nenhum desses; foi enviado para uma viúva de Sarepta, na terra dos gentios. Ao tomar outro exemplo, contou que havia muitos leprosos na época de Elias, mas nenhum deles, exceto Naamã, o sírio, foi curado. A menção de Naamã foi, em particular, humilhante porque ele, primeiro, fora um infiel, mas depois acreditou. Já que ambos eram gentios, Jesus sugeriu que os benefícios e bênçãos do reino divino viriam em resposta à *fé*, e não em resposta à *raça*.

Deus, disse-lhes, não deve nada a homem algum. Suas misericórdias passam para outros povos se os seus lhe rejeitam. Os concidadãos foram recordados de que foram suas expectativas terrenas de um reino político que os impediu de verificar a grande verdade de que o céus os visitara na pessoa de Jesus. A própria cidade natal se tornou o palco em que foi alardeada a salvação, não de um sangue, de uma nação, mas de todo o mundo. As pessoas estavam cheias de indignação, antes de mais nada porque Ele afirmara trazer a libertação do pecado como o santo ungido de Deus; em segundo lugar, por causa da advertência de que a salvação, que primordialmente era dos judeus, por rejeição, passaria a ser uma missão aos gentios. Os santos nem sempre são reconhecidos por aqueles que com eles convivem. Eles o expulsariam, pois lhes havia rejeitado e tornado, Ele mesmo, o Cristo. A violência do povo era a preparação para a Cruz.

Nazaré fica em meio aos montes. À curta distância dali, ao sudoeste, havia uma parede de pedra com cerca de 25 metros de altura em um declive de uns noventa metros até a planície de Esdrelon. É aí que a tradição diz ser o cenário onde tentaram expulsá-lo.

> Ele, porém, passou por entre eles e retirou-se.
> (São Lucas 4,30)

A hora de sua crucifixão ainda não chegara, mas os minutos estavam se passando em uma sucessão de violência sempre que Ele proclamava ser enviado por Deus e que era Deus.

Betesda

Outro atentado à sua vida aconteceu após a cura do paralítico em Betesda. Nesse tanque em Jerusalém inúmeros doentes, tristonhos, macilentos e desamparados reuniam-se na esperança de cura. Um dos pobres era coxo havia 38 anos. Quando Nosso Senhor o viu, perguntou:

> Queres ficar curado?
> (São João 5,6)

Quando o homem, sem forças, expressou confiança em Seu poder, Nosso Senhor lhe disse:

> Levanta-te, toma o teu leito e anda.
> (São João 5,8)

Com a ordem, veio a outorga do poder. Sempre que o homem tenta fazer o que sabe ser a vontade do mestre, um poder equivalente ao seu dever lhe é dado. Santo Agostinho disse: "concede-nos o que tu pedes e manda o que for do teu agrado". Logo que o homem foi curado, foi ao templo. Mais tarde, no mesmo dia, Nosso Senhor o encontrou lá, enquanto o homem curado contava a todos que fora Jesus quem o recuperara. O problema começou a formar-se porque aquele era o dia do *Shabat*. Quando os líderes do povo descobriram o homem que foi curado, disseram-lhe:

> É sábado, não te é permitido carregar o teu leito.
> (São João 5,10)

Então começou a surgir uma má vontade para com Jesus "porque fazia esses milagres no dia de sábado" (São João 5,16). Nosso Senhor curou homens em todos os dias, mas os sábados eram os grandes dias de graças em que seis milagres foram registrados: expulsou um espírito imundo (São Marcos 1,21-28); restaurou a mão seca de um homem (São Marcos 3,1-6); endireitou a mulher que andava curvada (São Lucas 13, 10-17); curou um homem hidrópico (São Lucas 14, 1-6) e abriu os olhos de um cego de nascença (São João 9,1-16).

Muitas respostas foram dadas aos líderes do povo acerca da cura aos sábados. Recordou os ensinamentos dos profetas de que as coisas sagradas eram de importância secundária comparadas aos benefícios do povo de

Deus; depois, alegou a lei, para demonstrar que o sábado era secundário à obra do santuário. A sugestão era haver entre eles alguém maior que o santuário. Mais uma vez, disse que o sábado foi feito para o homem e não o homem para o sábado. Em outra ocasião, perguntou:

> Hipócritas!, disse-lhes o Senhor.
> Não desamarra cada um de vós no sábado
> o seu boi ou o seu jumento da manjedoura,
> para os levar a beber?
> (São Lucas 13,15)

No entanto, em vez de dar graças a Deus porque um homem doente fora curado ou rejubilado como a profetisa Ana porque olhara para a redenção de Israel, protestaram porque o homem estava carregando seu leito no sábado. Quando buscaram matá-Lo porque fizera isso no sábado. Ele lhes respondeu:

> Meu Pai continua agindo até agora, e eu ajo também.
> (São João 5,17)

É verdade que Deus descansou a vida inteira de sua obra criativa, embora o sétimo dia não tenha sido necessário para sua recuperação. Entretanto, foi necessário para o homem repousar e santificar o sétimo dia, porque o trabalho cansa; e na presente dispensação o trabalho também é uma penalidade. O Salvador, contudo, disse que embora Deus tivesse repousado de sua obra criadora, não descansou de Seu trabalho providencial para suprir a necessidade de suas criaturas. Como disse São Crisóstomo:

> Se alguém disser: "E como é a 'obra' do Pai, que descansou no sétimo dia de todas as Suas tarefas? Deixe-o aprender a maneira como ele trabalha. Qual é, então, a maneira de ele trabalhar? Cuida, mantém tudo o que foi criado. Portanto, quando vires o sol se erguendo e a lua percorrendo o seu curso, os lagos, as fontes, os rios e as chuvas, o curso da natureza nas sementes e em nossos próprios corpos e naqueles dos seres irracionais e tudo mais pelo qual este universo é formado, então, aprenda o incessante trabalho do Pai.[23]

---

23 | São João Crisóstomo, Homilia 38 sobre São João 5,17. (N. T.)

Pensar em Deus como não operante no universo é insinuar que Ele não se interessa pelo universo. A evolução e o desdobramento natural das coisas não são autoexplicativos ou auto-operativos. Não estão à parte de Deus, nem a ele se opõem. Após a primeira criação, Deus não entrou em inação. Já que havia mal no mundo, o Espírito que pôs em movimento a matéria informe deveria agora começar a mover-se entre os homens.

O Mestre, todavia, estava a dizer mais do que isso, e aqueles que o ouviram, sabiam quem ele era. Estava a afirmar a filiação única e unidade com o Pai. Se o Pai, no momento, estava agindo no plano espiritual; Ele, igualmente. Se todas as coisas foram criadas "pelo poder do Verbo", agora, "O Verbo se fez carne" (São João 1,14). Se o Pai serviu às necessidades de suas criaturas em um *Shabat*, então, também seria direito do Filho se ocupar de obras de misericórdia no *Shabat*. Assim, inequivocamente, afirmou a igualdade absoluta com o Pai. A obra do Pai e a Sua eram a mesma. O sentido profundo de Sua filiação divina vibrou por Sua natureza humana. Os líderes do povo aceitaram suas palavras como a afirmação da própria filiação divina e o evangelho diz que os líderes:

> Com maior ardor, procuravam tirar-lhe a vida,
> porque não somente violava o repouso do sábado,
> mas afirmava ainda que Deus era seu Pai
> e se fazia igual a Deus.
> (São João 5,18)

A hostilidade aumentou em proporção direta à afirmação de Sua autoridade divina. Passaram por cima do milagre e, decididamente, fizeram complôs contra Sua vida. Ele estava à caminho da Cruz, não porque tinha faltas, mas por causa de Sua divindade e do propósito superior de sua vinda. Sua Cruz seria um testemunho contra a insensatez dos homens, como a Ressurreição seria um testemunho de sua divindade. Cronologicamente a cruz estava presente no fim de Sua vida; mas estava no princípio de Sua vida, do ponto de vista de sua intenção de oferecer-se como resgate pelos homens.

Jerusalém

Outro ataque à sua vida ocorreu em Jerusalém durante a festa dos Tabernáculos. Fora questionado a respeito de como sabia tantas coisas.

> Este homem não fez estudos.
> Donde lhe vem, pois,
> este conhecimento das Escrituras?
> (São João 7,15)

Não havia avaliação humana para seu conhecimento. A fonte secreta estava na relação única com a mente de Deus, que explicou da seguinte maneira:

> A minha doutrina não é minha,
> mas daquele que me enviou.
> (São João 7,16)

Não havia como confundir o significado. Alegava ser Deus em forma de homem. A reação deles era física — outro atentado contra a vida de Jesus, e Ele, pacificamente, respondeu:

> Por que procurais tirar-me a vida?
> (São João 7,20)

Mais tarde, houve outra tentativa. A causa imediata do ressentimento foram as observações a respeito de Abraão. Os fariseus, porque Nosso Senhor falara de seu Pai, disseram-lhe que Abraão era o pai deles, assim se distinguiam dos pagãos, ao afirmar a linhagem com o fundador do povo judeu. Eram, de fato, filhos de Abraão e o elo, testemunhado na carne, pela circuncisão. Nosso Senhor não negava a afiliação com Abraão, mas afirmou outra afiliação na esfera espiritual: não pode existir verdadeiro relacionamento paternal onde há oposição na conduta.

Da parte do salvador, não havia desejo de minimizar Abraão. A memória de Abraão era tida em alta honra entre os judeus, devendo ser considerada por seus filhos aqui embaixo como a garantia para irem ao seio de Abraão. Não era apenas o pai da raça, era a fonte e o canal pelo qual a promessa do messias afluía para seu povo. A grande promessa também era feita a Abraão de que seria o instrumento de bênçãos para todo o mundo. Pareceu impossível de se cumprir quando ele era um ancião; entretanto, ele foi retirado de sua tenda e, sob o céu estrelado, ouviu que assim como havia inúmeras estrelas, igualmente, seria a sua descendência.

Foi ele quem, mais tarde, recebeu ordens de tirar a vida do filho Isaac, seu filho único, a quem estava ligada a promessa e a oferecê-lo em sacrifício no monte Moriá. A ordem era clara: estava prestes a finalizar o sacrifício quando seu filho foi poupado por Deus, e providenciado um cordeiro. Pode ter sido nesse dia que Abraão teve o primeiro vislumbre de um outro Filho, a vítima solícita, que seria oferecida ao Pai dos Céus pelos pecados do mundo e para a salvação. Como disse São João Crisóstomo "Viu a Cruz de Cristo quando, no madeiro, colocou seu filho e de boa vontade ofereceu Isaac".

Quando os líderes alegaram que a linhagem espiritual deles tinha de vir de Deus, já que a descendência de Abraão era legítima, o Senhor respondeu que se a linhagem espiritual deles fosse de Deus, eles não estariam rejeitando sua mensagem e buscando assassiná-Lo, mas o reconheceriam e O amariam.

> Se Deus fosse vosso pai, vós me amaríeis,
> porque eu saí de Deus.
> É dele que eu provenho,
> porque não vim de mim mesmo,
> mas foi ele quem me enviou.
> (São João 8,42)

E eles lhe perguntaram:

> És acaso maior do que nosso pai Abraão?
> (São João 8,53)

> Não tens ainda cinquenta anos e viste Abraão!...
> (São João 8,57)

Nosso Senhor respondeu:

> Abraão, vosso pai, exultou
> com o pensamento de ver o meu dia.
> Viu-o e ficou cheio de alegria.[...]
> Em verdade, em verdade vos digo:
> antes que Abraão [viesse a existir], eu sou.
> (São João 8,56.58)

Deu a entender que Abraão esperava com alegria ver o que Nosso Senhor chamava de "dia de minha vinda". Notem que Ele não disse "de meu nascimento". Quando eles o desafiaram de que ainda não tinha cinquenta anos, era para indicar não tanto sua idade, mas a impossibilidade física de ele nunca ter visto Abraão. A presunção era a de Jesus ser apenas um homem. Nosso Senhor agora usava a mesma palavra que fora usada por Deus no monte Sinai "Eu sou aquele que sou" (Êxodo 3,14). Ele não disse "antes que Abraão fosse, eu sou", mas "antes que Abraão viesse a existir, eu sou". Está atribuindo a si mesmo não uma simples prioridade acima de Abraão, mas uma existência desde toda a eternidade. Um momento antes, dissera que sua vida encarnada teve a mais entusiástica atenção de Abraão, ao olhar por sobre as orlas das eras para vislumbrar o cumprimento das promessas. Muito antes da época de Abraão, tinha prioridade de Ser, não ser criado, mas ser incriado, eterno e autoexistente, que não se move à maior perfeição porque já a possui. Houve uma época em que Abraão não existia, mas nunca houve época em que o Filho de Deus não existisse. Cristo não estava a reivindicar que viera à existência antes de Abraão, mas que absolutamente nunca viera à existência. Ele é o "eu sou" do antigo Israel, o "eu sou" sem passado ou futuro; o "eu sou" sem princípio nem fim, o grande e eterno "agora".

Porque compreenderam que Ele estava a dizer que era Deus:

> A essas palavras, pegaram então em pedras
> para lhas atirar. Jesus, porém,
> se ocultou e saiu do templo.
> (São João 8,59)

As alternativas eram adorar ou lançar pedras, e escolheram a última. As pedras eram, provavelmente, aquelas que estavam espalhadas sobre o pátio, pois o templo ainda não estava terminado. Buscaram matá-lo antes, quando identificara-se com o Pai; agora buscavam apedrejá-lo porque disse que precedeu Abraão, e Abraão, em profecia, ansiava por ele, o que possuía a eterna existência de Deus.

Não é provável que o esconderijo a que São João se refere estivesse se interpondo entre Cristo e eles. O esconder-se era, antes, daqueles que não ouviriam a sua verdade, simplesmente para tornar-se invisível aos que o buscavam. Certa vez, antes, fizera a mesma coisa ao mesmo povo. Ainda não era chegada a "hora". Já que ninguém poderia tirar-Lhe a vida até que Ele mesmo a entregasse, retirou-se do caminho de seus inimigos. Foi no templo que tentaram apedrejá-Lo. Em relação ao apedrejamento do templo divino, viria o dia em que não restaria pedra sobre pedra no templo feito por mãos humanas.

Novamente Jerusalém

Mais tarde, visitou o último remanescente do templo antigo, que era conhecido como Pórtico de Salomão. Era a festa da Dedicação, a última grande festa antes da Páscoa. Foi instituída por Judas Macabeu para celebrar a purificação do templo depois de ter sido profanado pelos sírios. A festa durava oito dias. João, em seu evangelho, observou que era inverno, que poderia indicar não só a mudança de clima, mas também uma disposição de alma. Seus inimigos, como sempre, uniram-se ao seu redor, perguntando:

> Até quando nos deixarás na incerteza?
> Se tu és o Cristo, dize-nos claramente.
> (São João 10,24)

Nosso Senhor proclamou abertamente sua "messianidade" e a confirmou com obras e milagres. A ideia que tinham de messias, contudo, não correspondia à ideia de Deus de um Messias. Buscavam por alguém que rompesse o jugo romano, libertasse o povo e lhes desse prosperidade material. Portanto, estavam ansiosos por saber se Ele iria purificar a cidade de Jerusalém e acabar com as cortes de soldados romanos, a autoridade romana, as moedas romanas e os juízes romanos tais como Pilatos. Judas Macabeu, cuja festa agora celebravam, não fizera isso? Se o templo fora purgado das profanações sírias, por que a cidade não seria purgada das profanações romanas? Se, por isso, Ele era um Messias político, que se proclamasse abertamente.

Ele prosseguiu afirmando que havia condições morais necessárias à compreensão de sua vinda messiânica. Operara milagres, mas os milagres não coagiam a vontade, não destruíam a liberdade de adesão. Agora, todavia, ele lhes deixaria saber de modo explícito e claro quem era o Messias:

> Eu e o Pai somos um.
> (São João 10,30)

> porque eu disse: Sou o Filho de Deus.
> (São João 10,36)

Em grego, a palavra "um" é neutra, o que significa não uma pessoa, mas uma substância, uma natureza. Seu Pai; ele, o Filho e o Espírito Santo eram um na natureza de Deus. Os líderes do povo estiveram a buscar por um Messias enviado para instituir seu reino, mas nos últimos séculos, com a diminuição da profecia, as esperanças degeneraram na busca por um libertador político. Não buscavam uma vivência íntima verdadeira de uma pessoa divina entre eles. Era-lhes claro que o Cristo, ou o Messias, era o Filho de Deus que partilhava da natureza do Pai, embora em Sua natureza humana, ou como o Filho do Homem, o Pai fosse maior do que ele. Agora reafirmava o que dissera sobre ser antes de Sua natureza humana ser formada; saíra do Pai para assumir a natureza humana; revestir-se dela. Ele, como pessoa divina, estava ciente de não existir mudança em Sua natureza divina. O que tivera um princípio fora Sua natureza humana surgida como "o servo sofredor". Quando, nesse momento, afirmou sua divindade, os judeus:

> Pegaram pela segunda vez em pedras para o apedrejar.
> (São João 10,31)

Ele lhes disse:

> Tenho-vos mostrado muitas obras boas
> da parte de meu Pai.
> Por qual dessas obras me apedrejais?
> (São João 10,32)

A resposta dos judeus foi não conceberem a humilhação de Deus na forma de homem. O mundo podia compreender um homem divinizando-se, mas não entendia um Deus tornando-se homem, consequentemente, disseram que o motivo para O apedrejar era:

> Por uma blasfêmia, porque,
> sendo homem, te fazes Deus.
> (São João 10,33)

A resposta de Jesus foi: ainda que um simples homem não pudesse ser Deus, Deus podia se tornar homem, ainda permanecendo Deus.

> Procuraram então prendê-lo,
> mas ele se esquivou das suas mãos.
> (São João 10,39)

A blasfêmia era punida por apedrejamento. No entanto, o pequeno cordão de homens ao seu redor, com pedras nas mãos, não poderia detê-Lo, pois "ainda não é chegada a Hora". Parecia fácil apanhá-Lo, e, mesmo assim, era difícil. Quando chegasse o momento, Ele se entregaria aos homens e todos eles cairiam para trás.

26

A FLECHA MAIS PODEROSA NA ALJAVA DIVINA

Nosso Bendito Senhor nunca operou milagres por Si mesmo, mas como credenciais de sua pessoa. Eram sinais manifestos de que tinha uma missão especial para realizar a obra de Deus entre os homens. Até mesmo no antigo testamento houve milagres exigidos como sinal para confirmar a palavra de um profeta. Era uma marca de incredulidade em Acaz que ele não pedisse a Deus um sinal de confirmação da palavra do profeta. Mas o profeta, não obstante, deu-Lhe um sinal do messias, a saber, o nascimento virginal (Isaías 7,17).

Os milagres de Nosso Bendito Senhor moviam-se na esfera da redenção. Não eram meras manifestações de poder, mas um indício da libertação do homem de algo, isto é, do pecado. Por isso, na ordem moral, houve milagres de redenção da tirania dos demônios; na ordem física, a redenção de outras manifestações do pecado, tais como a febre, a paralisia, a lepra, a cegueira e a morte; a redenção da natureza no domínio dos mares e na subjugação dos ventos.

Sem incluir resumos dos milagres, que são numerosos, há vinte milagres mencionados em Mateus, vinte em Lucas, 18 em Marcos e sete em João. Ninguém pode dizer quantos milagres o Senhor operou, pois muitos deles são mencionados coletivamente, tais como "Curou doentes, cegos e aleijados". As últimas palavras do Evangelho de João são:

> Jesus fez ainda muitas outras coisas.
> Se fossem escritas uma por uma,
> penso que nem o mundo inteiro poderia conter
> os livros que se deveriam escrever.
> (São João 21,25)

Ele operou milagres para despertar a fé em Sua declaração de ser o Messias e o Filho de Deus.

> [...] porque as obras que meu Pai me deu para executar
> — essas mesmas obras que faço —
> testemunham a meu respeito que o Pai me enviou.
> (São João 5,36)

A recusa dos homens a aceitar a evidência indiscutível dos sentidos tornou sua incredulidade indesculpável.

> Se eu não viesse e não lhes tivesse falado,
> não teriam pecado;
> mas agora não há desculpa para o seu pecado.
> Aquele que me odeia, odeia também a meu Pai.
> (São João 15,22-23)

Os milagres não são a cura para a incredulidade. Alguns não creriam nem mesmo se diariamente alguém fosse ressuscitado dos mortos. Não se podia realizar nenhum sinal que trouxesse plena convicção, pois a vontade pode recusar-se a reconhecer aquilo que o intelecto sabe ser verdade. Os fariseus admitiram:

> Esse homem multiplica os milagres.
> (São João 11,47)

Contudo, embora os milagres fossem admitidos, a Pessoa que os realizava era negada. Perto do fim da vida pública de Jesus, o levantamento estava completo.

> Embora tivesse feito tantos milagres na presença deles,
> não acreditavam nele.
> (São João 12,37)

A incredulidade foi prevista séculos antes por Isaías. A profecia é apresentada na narrativa do Evangelho neste ponto, como outra prova de que Jesus era o Cristo. O texto de Isaías é mencionado seis vezes em todo o Novo Testamento e sempre em conexão com a falta de fé. Não é que o povo não acreditava para que a profecia se cumprisse, mas, antes, sua incredulidade é que era o cumprimento da profecia. A citação que João tomou de Isaías foi:

> Assim se cumpria o oráculo do profeta Isaías:
> Senhor, quem creu em nossa pregação?
> E a quem foi revelado o braço do Senhor?
> (São João 12,38)

Esse é o primeiro versículo do capítulo 53 de Isaías, que contém as profecias relacionadas ao sofrimento de Nosso Senhor. A presciência divina do que acontecerá não isenta de forma alguma os pecadores de sua responsabilidade; ademais, quando surge a culpa e a incredulidade se manifesta, podem-se analisar as causas. Aqueles que se recusam a ver perdem a capacidade de ver. Deus estava ratificando uma atitude que os homens assumiram por escolha própria. Profetizando o julgamento dos incrédulos, o Senhor advertiu:

> Quem me despreza e não recebe as minhas palavras,
> tem quem o julgue; a palavra que anunciei julgá-lo-á no último dia.
> Em verdade, não falei por mim mesmo,
> mas o Pai, que me enviou, ele mesmo me prescreveu
> o que devo dizer e o que devo ensinar.
> (São João 12,48-49)

Não haveria nada de arbitrário no juízo que Ele presidiria no Último Dia; as palavras gloriosas de graça seriam investidas de autoridade judicial. Essa profecia de como todos os homens seriam julgados por Sua atitude diante Dele devia-se ao fato de Ele ser enviado de Deus. Sua humanidade começou no tempo, e era de uma ordem e grau mais baixos que sua divindade, que Ele compartilhava com o Pai; daí, a rejeição Dele em sua natureza humana ser a rejeição do Pai que o enviou. Por ora, no entanto, Ele não veio para julgar, mas para salvar o mundo.

Embora não acreditassem Nele, como profetizara Isaías, Nosso Senhor tinha em Sua aljava uma flecha que convenceria os homens de que era de fato o Salvador.

> E quando eu for levantado da terra,
> atrairei todos os homens a mim.
> (São João 12,32)

A Cruz teria tal apelo que atrairia todos os homens, não apenas aqueles a quem Jesus falava, pois seu reino havia de ser o próprio mundo. Sua morte cumpriria o que sua vida não foi capaz de cumprir, pois nela havia mais que heroísmo e devoção. O que atrairia não seria a rendição à morte, mas a revelação do coração do amor divino. O amor de Deus fez-se visível no sacrifício. No Calvário, ele se mostraria homem, ao morrer como qualquer outro; mas se mostraria divino ao morrer como nenhum outro homem. Vinte anos mais tarde, São Paulo repetiria: "Pregamos a Cristo, e este crucificado" (1 Coríntios 1,23). Só o divino pode conquistar o homem, e a manifestação mais sublime do amor divino é morrer por nossa culpa para que possamos viver. "Deus amou o mundo de tal maneira..." (São João 3,16). Essa atração a si dar-se-ia por meio dos encantos do amor.

A Cruz, que era o ponto focal de sua vinda, tornava-se agora um juízo do mal do mundo.

> Agora é o juízo deste mundo;
> agora será lançado fora o príncipe deste mundo.
> (São João 12,31)

Um juiz sentencia um criminoso; a Cruz de Jesus sentencia o mundo. Contemplando em sua mente muito mais longe que os estreitos limites de um país que se estendia de Dã até Bersabeia, ele declarou mais uma vez que todos os homens serão julgados por sua atitude perante a Cruz — não apenas pelos pecados nela cravados, mas por causa do amor que o fez abraçá-la. O juízo final seria simplesmente a ratificação do julgamento a que todo homem há de submeter-se na Sexta-Feira Santa.

A Cruz dava fim à tolerância estendida ao "príncipe deste mundo", ou Satanás, que exerceu domínio sobre o homem. A Cruz finalmente convenceria o homem do pecado, como a lei ou a ética jamais o fariam. Ela mostraria o que o pecado realmente é: a Crucifixão da Bondade Divina na carne; mas também mostraria aquele que perdoa o pecado, isto é, aquele que perdoa pecados, aquele que foi levantado aos céus para interceder pelos homens. O trono erigido pelos homens para Nosso Senhor mostraria a hostilidade e o reino do mal em seus corações; mas também mostraria que Ele não era da terra. Seu reinado seria de uma esfera celeste superior, onde atrairia seus súditos para si e tornar-se-ia "Senhor de tudo". O que Nosso Senhor disse naquele dia — que o mal enfim seria vencido nele, por intermédio da Cruz — foi reiterado por São Paulo:

> É ele que nos perdoou todos os pecados,
> cancelando o documento escrito contra nós,
> cujas prescrições nos condenavam.
> Aboliu-o definitivamente, ao encravá-lo na cruz.
> Espoliou os principados e potestades,
> e os expôs ao ridículo, triunfando deles pela cruz.
> (Colossenses 2,13-15)

Embora os homens não cressem nos milagres de Jesus, ele ainda tinha a flecha mais poderosa em sua aljava. Ela estava sendo levantada da terra. O levantamento era o Calvário, mas a atração de todos os homens a si confiava na Ressurreição e na Ascensão, pois decerto um Salvador morto não poderia atrair ninguém. A Cruz que o levantou sobre a terra, e a Ascensão que o ergueu aos céus, livrá-Lo-iam de todas as ataduras terrenas, carnais, nacionais, e capacitá-Lo-iam a exercer a soberania universal sobre o homem. Uma vez crucificado, Ele prometeu tornar-se um ímã de atração, trazendo todas as nações, e povos, e línguas para Si. Nunca disse que seus preceitos morais trariam os homens até Ele. Antes, isso aconteceria quando fosse violentamente erguido da terra, como se a terra que Ele criou e aqueles que estavam sobre ela não tivessem parte com Ele.

Visto que a mesma palavra, "levantado", é usada para sua Ascensão, Ele implicou que, uma vez exaltado aos céus, não seriam apenas os judeus, mas gentios, ou "todos os homens" que Ele atrairia para si.

A atração da Cruz não seria sua ignomínia, que, sozinha, é vista na Sexta-Feira da Paixão, mas também seu amor e vitória, que são vistos na Páscoa e na Ascensão. Algumas religiões atraem pela força das armas; ele atrairia pela força do amor. A atração não seriam suas palavras, mas Ele mesmo. Era em torno de Sua pessoa que o ensino estava centrado; e não o Seu ensino em torno do qual Ele seria lembrado. "Ninguém tem maior amor que este" — este era o segredo de seu magnetismo. Como diz Blake:

> *Wouldst thou love One Who did not die for thee?*
> *And wouldst thou die for One Who did not die for thee?*

> [Acaso amarias alguém que não morreu por ti?
> E morrerias por alguém que não morreu por ti?]

Se ele tivesse vindo para algum outro propósito que não a Redenção do pecado, não seria o crucifixo, mas um retrato de Cristo no Monte como mestre que seria usado em honra dele. Se a Cruz não fosse enfim glória e triunfo, os homens teriam posto um véu sobre aquela hora ignominiosa para a qual Ele apontava. Se tivesse morrido numa cama, Ele poderia ser honrado, mas nunca como Salvador. Só a Cruz podia mostrar que Deus é plenamente santo e, portanto, odeia o pecado; a Cruz também mostrava que Deus é plenamente amoroso e, portanto, morreu pelos pecadores, como se fosse culpado.

Neste momento, a multidão fez-lhe uma pergunta esquisita:

> Nós temos ouvido da lei que o Cristo permanece para sempre.
> Como dizes tu: Importa que o Filho do Homem seja levantado?
> Quem é esse Filho do Homem?
> (São João 12,34)

Era estranho que aqueles que estavam familiarizados com o Antigo Testamento tivessem se escandalizado pelo fato de que o Messias haveria de morrer, pois decerto tinham lido isso em Isaías; eles também leram em Daniel que o Filho do Homem haveria de morrer violentamente. A objeção deles era que o Cristo, quando viesse, seria Aquele que haveria de permanecer para sempre; sendo assim, como ele podia morrer? Estava bem claro para eles que ser levantado significava morrer na Cruz; também estava claro que ele alegava ser o Cristo ou o Messias. Mas o que os escandalizava era Sua morte. Eles não conseguiam reconciliar um Messias glorioso com um sofredor, assim como Pedro não podia reconciliar um Cristo Divino com um Cristo crucificado. Estavam certos ao dizer que o Messias seria eterno, pois Gabriel anunciou à Virgem Bendita que Jesus reinaria "para sempre" sobre a casa de Jacó. Mas, por outro lado, em todo o Antigo Testamento corria a ideia de que Ele haveria de ser um sacrifício pelo pecado e um cordeiro levado ao matadouro.

Nosso Senhor respondeu-os rasgando o véu de Sua divindade e lembrando-os de aproveitar do fruto de sua redenção. Alguns mestres podem acender luzes na alma; outros podem ser apenas velas vacilantes; mas todos foram iluminados por Ele, pois chamou a Si mesmo uma vez mais de Luz do mundo. Essa luz já não permaneceria entre eles por muito tempo. Há apenas um sol para iluminar o mundo; se lançassem fora a única Luz do Mundo, então as trevas os encobririam. Cegueira espiritual é pior que cegueira física. Assim como a luz da razão é a perfeição da luz dos sentidos, também Ele chamou a Si mesmo de Luz, pela qual a própria razão é iluminada e aperfeiçoada. Aqueles que caminhariam em fé com Ele chamou de filhos da luz.

> Ainda por pouco tempo a luz estará em vosso meio.
> Andai enquanto tendes a luz,
> para que as trevas não vos surpreendam;
> e quem caminha nas trevas não sabe para onde vai.
> Enquanto tendes a luz, crede na luz,
> e assim vos tornareis filhos da luz.
> (São João 12,35-36)

O motivo pelo qual Nosso Senhor não passou mais tempo corrigindo-lhes o escândalo em seu sacrifício foi que eles já se tinham escandalizado com as profecias do Antigo Testamento, com os milagres e com a obediência a Sua Palavra. Por ora, Ele tirou os olhos do Calvário e repousou-os sobre a consciência deles. Com piedade e ternura, convidou-os a examinarem-se a Si mesmo sob sua luz, enquanto caminhava entre eles. Este foi seu pronunciamento público final e de despedida, a saber, uma advertência quanto às trevas vindouras e um convite a aceitar não uma verdade, mas a Verdade.

> Jesus disse essas coisas, retirou-se
> e ocultou-se longe deles.
> (São João 12,36)

Naquela noite de terça-feira da Semana Santa, ele deixou o templo. No dia seguinte:

> [...] todo o povo ia de manhã cedo ter com ele, no templo, para ouvi-lo.
> (São Lucas 21,38)

Mas ele não apareceu. O sol estava prestes a eclipsar-se; era como fosse noite. A Hora estava às portas.

27

Mais que um Mestre

Grandes mestres dão instrução a seus discípulos, mas algum mestre já fez de sua morte modelo para os discípulos? Isso é impossível porque nenhum mestre terreno pode antever a maneira como morrerá, nem a morte jamais foi o motivo por que veio ensinar. Sócrates, em toda sua sabedoria, nunca disse aos jovens filósofos de Atenas que bebessem cicuta porque morreria assim. Entretanto, Nosso Senhor fez de Sua Cruz a base da primeira instrução aos apóstolos. Foi por esse fato muitas vezes escapar, e por, no momento, escapar aos próprios apóstolos, que a verdadeira visão de Cristo é anuviada. Mesmo ao agir como mestre, fez a Cruz lançar sua sombra sobre os apóstolos. Os sofrimentos que teriam de suportar seriam idênticos aos que Ele suportaria. Fora chamado de Cordeiro de Deus, aquele que seria sacrificado pelos pecados do mundo, e já que eles se identificavam com Jesus, Ele os advertiu sobre a sina:

> Eu vos envio como ovelhas no meio de lobos.
> (São Mateus 10,16)

Tinham de estar atentos às inconstâncias dos homens. Quando Jesus multiplicou os pães, as multidões imediatamente buscaram transformá-Lo em um rei econômico, em vez de tomar o milagre como um sinal de sua divindade. No início da vida pública, quando operou milagres, a pertença dos apóstolos era igualmente superficial. E João escreveu:

> Mas Jesus mesmo não se fiava neles,
> porque os conhecia a todos.
> Ele não necessitava que alguém
> desse testemunho de nenhum homem,
> pois ele bem sabia o que havia no homem.
> (São João 2,24-25)

Eles O aceitariam como um milagreiro pelo que viam, mas não como a luz de suas almas. O Senhor não se daria a credulidade alguma tendo por base, apenas, o espetacular. Por saber que a popularidade dele tornar-se-ia popularidade contrária em um período de cinco dias, disse aos apóstolos:

> Cuidai-vos dos homens.
> (São Mateus 10,17)

Como não tinha ilusão alguma a respeito do que lhe faria o mundo, da mesma maneira não guardava ilusão acerca daqueles que seriam intimamente relacionados consigo, como ramos de uma parreira. Nenhum sábio ou místico, nenhum Buda ou Confúcio jamais acreditou que seus ensinamentos despertariam tamanho antagonismo dos homens a ponto de ocasionar-lhe a morte violenta. Mais importante ainda, nenhum mestre humano jamais acreditou que seus discípulos sofreriam desígnio similar, somente por serem discípulos. A mediocridade nunca suscita tamanho ódio. Os animais, em geral, não destroem a própria espécie; nem o homem, nas relações cotidianas. Entretanto, o homem, por ser o meio áureo entre matéria e espírito, tem a capacidade, contudo, de destruir ambos; arranca as plantas pelas raízes e abate os animais que lhes são inferiores. Todavia, também pode odiar e até mesmo matar o que quer que esteja acima de si em dignidade. Se, por orgulho, considerar Deus como uma provocação, negar-Lo-á; e se Deus se tornar homem e, portanto, se fizer vulnerável, crucificá-Lo-á. No entanto, Nosso Senhor não hesitou em pintar a crucifixão microcósmica para seus seguidores, visto que pintou uma crucifixão macrocósmica para Si mesmo.

Ao que é do mundo o mundo nunca se opõe. Ao que é de Deus, o espírito do mundo opõe-se, maldiz, persegue e crucifica. O preço do resgate que pagaria pela humanidade o levaria a dois tribunais de justiça distintos. No intervalo entre os julgamentos, seria flagelado. Igualmente, os apóstolos e todos os sucessores ao longo dos séculos não devem esperar nada melhor:

> Eles vos levarão aos seus tribunais
> e açoitar-vos-ão com varas nas suas sinagogas.
> Sereis por minha causa levados diante dos governadores
> e dos reis: servireis assim de testemunho para eles e para os pagãos.
> (São Mateus 10,17-18)

Os apóstolos ainda não tinham sido perseguidos, nem foram muito molestados antes da crucifixão e do Pentecostes. Contou-lhes, entretanto, o tipo de tratamento que, posteriormente, deveriam esperar dos homens. Mal os preparou para o que aconteceria a Ele, como poderiam de alguma maneira imaginar o que lhes aconteceria? Esse ódio do mundo, advertiu, seria disfarçado; seriam acusados em termos jurídicos, ou seja, arrastados diante de tribunais em julgamentos burlescos, acusados de "imperialismo" ou de "perverter a nação". O instinto de justiça no coração humano é tão profundo que, mesmo em grandes atos de injustiça, os vilões usam um manto de justiça. Não tanto que intolerantes isolados os venham a perseguir; antes, os homens se organizariam juridicamente contra eles, seus discípulos, assim como fizeram com Cristo. Pelo subterfúgio e dissimulação dos tribunais se faria a justiça, a verdadeira motivação do ódio seria o mal em seus corações.

> Ora, este é o julgamento: a luz veio ao mundo,
> mas os homens amaram mais as trevas do que a luz,
> pois as suas obras eram más.
> Porquanto todo aquele que faz o mal odeia a luz
> e não vem para a luz, para que as suas obras
> não sejam reprovadas.
> Mas aquele que pratica a verdade, vem para a luz.
> Torna-se assim claro que as suas obras são feitas em Deus.
> (São João 3,19-21)

Os homens do mundo não principiam com um ódio consciente à Luz, porque a verdade é tão inerente à mente quanto a luz à visão. Entretanto, quando a luz brilhou em suas almas e revelou-lhes os pecados, eles a odiaram assim como o ladrão de bancos odeia quando o holofote da polícia se volta para ele. A verdade que trazia, os homens reconheciam como pretensão de fidelidade, porque foram feitos para isso, mas uma vez que perverteram as próprias naturezas pelo mau comportamento, a verdade do Cristo confundiu a consciência deles e desprezaram-na. Todos os hábitos de vida, as desonestidades e as paixões mais vis foram inflamadas em violenta oposição à luz. Muitos homens doentes não vão à consulta médica por medo do médico dizer-lhes alguma coisa que não vão gostar. Jesus lhes disse, portanto, que não era um mestre a pedir a um discípulo que repita seus ensinamentos; era um salvador que, primeiro perturbava a consciência para, depois, purificá-la. No entanto, muitos nunca ultrapassaram o ódio ao perturbador. A luz não é uma dádiva, exceto para aqueles que são homens de boa vontade; suas vidas podem ser más, mas ao menos querem ser bons. Sua presença, disse Jesus, era uma ameaça à sensualidade, à avareza e à luxúria. Quando um homem vive em uma caverna escura por muitos anos, os olhos não suportam a luz do sol; da mesma maneira o homem que recusa a se arrepender, volta-se contra a misericórdia. Ninguém pode impedir o sol de brilhar, mas todos os homens podem cerrar as persianas e ocultá-lo.

Logo em seguida, Nosso Senhor lhes disse que, na perseguição contínua contra Ele, não ficassem preocupados em como responder aos perseguidores. Nada de declarações por escrito, nada de manuscritos preparados seriam necessários. Prometeu falar-lhes por intermédio de seu Espírito.

> Quando fordes presos, não vos preocupeis
> nem pela maneira com que haveis de falar,
> nem pelo que haveis de dizer:
> naquele momento ser-vos-á inspirado o que haveis de dizer.
> Porque não sereis vós que falareis,
> mas é o Espírito de vosso Pai que falará em vós.
> (São Mateus 10,19-20)

Pressagiando, sem dizer como, que seria traído por um daqueles que lhes era próximo, deu-lhes uma visão aprimorada da cruz ao afirmar que os traidores estarão na própria casa, que irmãos trairão irmãos.

> Sereis odiados de todos por causa de meu nome.
> (São Mateus 10,22)

Os novilhos trazidos da arca para a terra dos filisteus foram oferecidos a Deus em sacrifício. Tal pareceria a recompensa por ser identificados com Cristo. Como disse São Paulo:

> Porque a vós vos é dado não somente
> crer em Cristo, mas ainda por ele sofrer.
> (Filipenses 1,29)

Na vida de Cristo, contudo, nunca houve a "hora" do Calvário sem o "dia" da vitória, nem a derrota seria permanente:

> Aquele que perseverar até o fim será salvo.
> (São Mateus 10,22)

> É pela vossa constância que alcançareis a vossa salvação.
> (São Lucas 21,19)

O domínio de uma alma significa o senhorio impassível de si, que é o segredo da paz interior, diverso dos milhares de agitações que a torna temerosa, infeliz e desapontada. Somente quando a alma é dominada podemos desfrutar de alguma coisa. Nosso Senhor indicava, aqui, paciência na adversidade, provação e perseguição. Ao fim de três horas na Cruz, dominaria tanto a Sua alma que a devolveria ao Pai dos Céus.

Nesse ponto do discurso aos apóstolos, deixou claro que já que veio para morrer e não para viver, então, eles deveriam estar preparados para morrer, e não para viver. Se o mundo deu-lhe uma cruz, então, deveriam também esperar uma cruz; se o mundo disse que era endemoninhado, deveriam esperar ser chamados de "demônios".

> O discípulo não é mais que o mestre,
> o servidor não é mais que o patrão.
> Basta ao discípulo ser tratado como seu mestre,
> e ao servidor como seu patrão.
> Se chamaram de Beelzebul ao pai de família,
> quanto mais o farão às pessoas de sua casa!
> (São Mateus 10,24-25)

No entanto, a capacidade de fazer mal nunca atingiria as almas dos apóstolos. Como Sua própria Ressurreição seria a prova disso, agora, deu-lhes a certeza antecipada. O corpo pode ser ferido sem o consentimento da alma, mas a alma não pode ser ferida sem o próprio consentimento. A única coisa a ser temida é perder, não a vida humana, mas a vida divina que é Deus.

> Não temais aqueles que matam o corpo,
> mas não podem matar a alma;
> temei antes aquele que pode precipitar
> a alma e o corpo na geena.
> (São Mateus 10,28)

Havia uma justificativa para o mal que lhes fora feito; e todas as coisas ocultas seriam reveladas. A misericórdia de Deus que vela pelos pardais e conta os cabelos da cabeça tinha-lhes sob um olhar atento e providente. Advertiu-lhes que não fossem "discípulos secretos", que deixassem de se expor ao perigo, nem que fossem exageradamente "progressistas" ao confessar sua divindade. Ao tornar-se mais audacioso enquanto ostentava a Cruz diante deles, voltou à analogia da espada. Não seria um pacifista externo; tampouco eles o seriam. Quando O proclamassem, evocariam a oposição e, assim, fariam com que todos os inimigos do bem desembainhassem suas espadas:

> Portanto, quem der testemunho de mim diante dos homens,
> também eu darei testemunho dele
> diante de meu Pai que está nos céus.
> Aquele, porém, que me negar diante dos homens,
> também eu o negarei diante de meu Pai que está nos céus.
> Não julgueis que vim trazer a paz à terra.
> Vim trazer não a paz, mas a espada.
> (São Mateus 10,32-34)

Existem dois tipos de espadas: as espadas que perfuram externamente e destroem e as espadas que perfuram por dentro e mortificam. Indicava que a própria vinda provocaria as espadas por parte dos inimigos. Tiago ouviu essas mesmas palavras acerca de uma espada e, mais tarde, as confirmaria, quando Herodes o assassinou com a espada, tornando-se o primeiro apóstolo a ser martirizado. Simone Weil parafraseou as palavras de Nosso Senhor de que aquele que toma a espada, perecerá pela espada ao dizer que "Ele, que tomou a cruz, perecerá pela espada" porque a cruz criará oposição.

A seguir, os apóstolos foram advertidos de que aqueles que o aceitassem seriam odiados pelos membros das próprias famílias. O evangelho fomentaria o conflito entre os que o aceitariam e os que o rejeitariam. A mãe não convertida detestaria a filha convertida, e o pai não convertido detestaria o filho convertido, de modo que os inimigos mais ferrenhos seriam os da própria casa. Entretanto, não deveriam pensar que tudo isso seria uma perda. Existe uma vida dupla: a física e a espiritual. Tertuliano observou que quando os romanos condenaram à morte os primeiros cristãos, a súplica pagã sempre era: "Salvai vossas vidas, não as desperdiçais". Assim como Ele daria Sua vida para reconquistá-la mais tarde, da mesma maneira, eles as perderiam biologicamente, mas as salvariam espiritualmente. O que lhe foi sacrificado nunca foi perdido. Eles não compreendiam o que Jesus estava a dizer, mas resumiu-lhes de novo sua cruz e ressurreição:

> Aquele que tentar salvar a sua vida, perdê-la-á.
> Aquele que a perder, por minha causa, reencontrá-la-á.
> (São Mateus 10,39)

Os apóstolos, com frequência, viam os romanos, que dominavam sua terra, crucificarem muitos de seu povo. As palavras de Nosso Senhor referiam-se ao costume dos criminosos carregarem sua cruz antes de serem crucificados. Que a Cruz era o incidente máximo em Sua vida, a razão primeira de Sua vinda está, mais uma vez, evidente ao convidar-lhes para crucifixão. É inimaginável que Ele os induziria a uma morte expiatória a menos que Ele mesmo a desejasse para Si como o cordeiro imolado desde o princípio do mundo. Mais tarde, Pedro e André compreenderiam o que Ele quisera dizer naquele dia, quando eles também foram crucificados.

Imediatamente após o Pentecostes, quando Cristo enviou Seu Espírito sobre os apóstolos, o significado pleno da crucifixão começou a despontar para Pedro e ele resumiu o que ouviu nas instruções antes do Calvário de Nosso Senhor:

> Vós o matastes, crucificando-o por mãos de ímpios.
> Mas Deus o ressuscitou, rompendo os grilhões da morte,
>   porque não era possível que ela o retivesse em seu poder.
> (Atos dos Apóstolos 2,23-24)

A cruz não foi um acidente em Sua vida, e não o seria na vida de seus seguidores.

28

Os pagãos e a Cruz

Cristo, o Filho de Deus, veio ao mundo para salvar todos os homens, todas as nações e todos os povos. Conquanto fosse este seu objetivo supremo, seu plano era, num primeiro momento, limitar o Evangelho aos judeus. Mais tarde sua missão tornou-se universal, a fim de abarcar também todo o mundo pagão.

> Estes são os Doze que Jesus enviou em missão,
> após lhes ter dado as seguintes instruções:
> Não ireis ao meio dos gentios nem entrareis em Samaria;
> ide antes às ovelhas que se perderam da casa de Israel.
> (São Mateus 10,5-6)

A primeira orientação explícita aos apóstolos era evitar os pagãos. Hoje, os pagãos seriam conhecidos como as "missões estrangeiras". Até mesmo os samaritanos estavam por ora excluídos, pois eram um povo híbrido de origem judaica e assíria. Essa instrução explícita ao povo de confinar-se a princípio à Casa de Israel foi sublinhada pelo fato de que Ele escolheu 12 deles, que, grosso modo, correspondiam às 12 tribos de Israel. A recordação persistente desta ordem fez com que Pedro hesitasse quando chegou a hora de batizar Cornélio, o centurião romano. Para esse ato, ele exigiu uma declaração explícita da parte do próprio Deus.

Apesar deste primeiro mandamento aos apóstolos, Nosso Senhor Bendito teve muitos contatos com pagãos; até operou milagres em favor deles. Ainda que não deem uma resposta completa à pergunta de quando Nosso Senhor começou a tornar universal a sua missão, esses milagres dão uma pista.

O primeiro dos três contatos que Nosso Senhor teve com pagãos, e, portanto, com as missões estrangeiras, foi com o centurião romano; o segundo, com a filha da mulher siro-fenícia; e o terceiro, com o jovem possuído por demônios nas terras de Gerasa. Havia muitos elementos comuns aos três milagres.

Os dois primeiros milagres foram realizados à distância. Provavelmente, o centurião era membro da guarnição romana fixada em Cafarnaum. Por nascimento, portanto, há de ter sido um pagão. É bem provável que, assim como o centurião Cornélio, a quem Pedro batizou, e como o eunuco na corte da rainha da Etiópia, ao menos sentimentalmente estivesse ligado à adoração a Iavé. Este oficial romano estivera no país tempo suficiente para saber que havia um grande muro de separação entre judeus e gentios. Isso explica o fato de que, quando seu servo ficou enfermo, à beira da morte, ele não abordou diretamente Nosso Senhor, mas

> enviou-lhe alguns anciãos dos judeus,
> rogando-lhe que o viesse curar.
> (São Lucas 7,3)

Nosso Bendito Senhor deve ter mostrado alguma relutância em operar este milagre, pois Lucas diz que aqueles que intercediam

> Rogavam-lhe encarecidamente.
> (São Lucas 7,4)

Enquanto Nosso Senhor rumava em direção ao servo, o centurião enviou-lhe uma palavra por meio de mensageiros que não se incomodasse:

> Não sou digno de que entres em minha casa.
> (São Lucas 7,6)

Santo Agostinho diria mais tarde: "Considerando-se indigno de que Cristo entrasse em Sua casa, [o centurião] foi considerado digno de que Cristo entrasse-lhe no coração".

O centurião pagão comparou o poder de Nosso Senhor Bendito à sua própria autoridade sobre os soldados. Ele mesmo era um sargento com uma centena de homens sob seu comando, que lhe cumpriam as ordens; e o Senhor era o verdadeiro César, ou rei, o comandante supremo da mais alta hierarquia, com anjos que lhe obedeciam às ordens. Com certeza, Ele não entraria na casa para realizar o milagre; o pagão sugeriu que ele desse uma ordem dali mesmo de onde estava. O milagre foi realizado, conforme o pedido do centurião, à distância. Refletindo sobre a fé deste pagão e antecipando a fé que viria de missões estrangeiras, o que contrastava com a presente missão doméstica, disse Nosso Senhor:

> Em verdade vos digo: nem mesmo em Israel encontrei tamanha fé.
> (São Lucas 7,9)

O primeiro pagão que recebeu tal louvor de Nosso Senhor Divino por sua fé era um "daqueles filhos de Deus" esparsos no mundo, que haviam de ser trazidos à unidade por meio da Redenção.

O segundo milagre realizado por Nosso Senhor a um pagão foi a cura da filha da mulher siro-fenícia. A relutância em operar um milagre para o centurião estivera apenas implicada, mas aqui Ele se recusa explicitamente, talvez para extrair a fé da mulher. O milagre aconteceu na vizinhança de Tiro e Sidônia. São Crisóstomo e outros comentadores pensaram de fato que Nosso Senhor tinha ultrapassado as fronteiras do que mais tarde haveria de ser conhecido como território de missões estrangeiras. A mulher é descrita como vindo de Canaã e de descendência siro-fenícia. Ela estava, portanto, completamente separada dos judeus. Quando pediu uma bênção para a filha, a quem ela descreveu como "cruelmente atormentada por um demônio", Nosso Senhor

> [...] não lhe respondeu palavra alguma.
> Seus discípulos vieram a ele e lhe disseram com insistência:
> Despede-a, ela nos persegue com seus gritos.
> (São Mateus 15,23)

Os apóstolos não estavam pedindo que um milagre fosse operado em favor da mulher; eles só queriam ser deixados em paz, sem ser incomodados, numa tranquilidade egoísta. Como ela prosseguiu com seu apelo e adoração, Nosso Bendito Senhor resolveu pôr a fé da mulher à prova, de uma forma aparentemente dura:

> Não convém jogar aos cachorrinhos o pão dos filhos.
> (São Mateus 15,26)

Os filhos a quem Ele se referia eram, claro, os judeus. O termo "cachorrinhos" significava desprezo, e não era incomum que os judeus o aplicassem aos gentios.

Assim como o centurião romano suportou um aparente atraso, também essa mulher sofreu uma rejeição assombrosa:

> Certamente, Senhor, replicou-lhe ela;
> mas os cachorrinhos ao menos comem as migalhas
> que caem da mesa de seus donos...
> (São Mateus 15,27)

A mulher estava dizendo a Nosso Senhor: "Aceito esse título e a dignidade que vem com ele: pois até mesmo os carros são alimentados pelo Mestre; podem até não receber todo o banquete dado aos filhos de Israel, mas os cachorrinhos terão sua porção; e esta ainda virá da mesa do mestre". Ela alegou que pertencia à casa do mestre, ainda que seu lugar fosse inferior. Segundo o próprio título que o Senhor lhe deu, ela não era um estrangeiro. E, ao aceitar este título, ela pôde reivindicar tudo que este trazia consigo.

Ela vencera pela fé, e o Mestre disse-lhe:

> Ó mulher, grande é tua fé!
> Seja-te feito como desejas.
> (São Mateus 15,28)

Como José do Egito, que mostrou severidade a seus irmãos por breve tempo, o Salvador não prolongou seu aparente desdém; concedeu a cura da filha da mulher, mais uma vez à distância.

O terceiro contato com os pagãos ocorreu quando Nosso Senhor entrou na região dos gerasenos. Um homem possuído por um espírito imundo saiu do cemitério para encontrar-se com Ele. O presente cenário era a Decápolis, uma região predominantemente gentílica. Josefo sugeria enfaticamente que Gerasa era uma cidade grega. O próprio fato de que o povo ali fosse criador de porcos parecia indicar que não eram judeus. Não se pode admitir que fossem judeus que afrontavam a lei de Moisés.

Um simbolismo considerável pode ser vinculado ao fato de que, nesta terra pagã, Nosso Bendito Senhor enfrentou forças de oposição muito piores que aquelas que perturbavam as ondas, os ventos e os corpos dos homens. Havia aqui algo mais selvagem, mais temível que os elementos naturais, algo que podia trazer confusão, anarquia e arruinar o homem interior. Havia uma fé autêntica no centurião e na mulher siro-fenícia. Mas não havia nada neste jovem senão o domínio do diabo. Os outros dois pagãos falaram de seu coração em honra de Nosso Salvador. Aqui, entretanto, estava um espírito estranho, um espírito caído, que fez o jovem afirmar a divindade:

> Por que te ocupas de mim, Jesus,
> Filho do Deus Altíssimo?
> Rogo-te, não me atormentes!
> (São Lucas 8,28)

Quando o Salvador libertou o jovem dos espíritos malignos e permitiu que estes entrassem numa manada de porcos, o povo da cidade ordenou que Nosso Senhor saísse daquela região. O espírito do capitalismo, em sua forma mais perversa, fê-los sentir que a restauração de uma alma à amizade com Deus não era nada em comparação à perda de alguns porcos. Embora gesarenos respeitados lhe mostrassem oposição, os samaritanos, que eram pecadores, queriam que o Senhor permanecesse com eles.

Esses três incidentes envolvendo missões estrangeiras foram exceções ao plano divino de que a salvação devia chegar primeiro aos judeus, e que ele devia limitar seu ensino, por ora, apenas às ovelhas perdidas de Israel.

Esses contatos esporádicos com pagãos não bastaram para estabelecer um princípio de evangelização mundial. De outro lado, não se pode supor que Nosso Bendito Senhor voltou-se aos gentios simplesmente porque seu próprio povo O rejeitou, como se o resto da humanidade fosse apenas um apêndice em Sua vida. Ele sempre soube que chegaria um momento em que Ele perderia tanto os líderes quanto as massas de Seu próprio povo. De fato, isso veio a acontecer após o milagre da multiplicação dos pães. Depois disso, Nosso Bendito Senhor não podia contar nem com um séquito de aristocratas nem com o de populares entre os judeus. Ainda assim, Ele continuou por algum tempo a concentrar Seu ensino em Seu próprio povo, excluindo as missões estrangeiras.

Nosso Senhor não usou nenhum de seus três contatos com os pagãos para dizer aos apóstolos que levassem o Evangelho além dos limites de Israel. No entanto, havia uma ligação clara e intrínseca entre os gentios e a razão de Sua vinda. É digno de nota o fato de que, naqueles momentos em que havia um forte indício e sugestão de Sua morte e redenção, havia também algum envolvimento com os gentios. Bem longe desses três contatos miraculosos, houve três outros momentos em que os pagãos estiveram estreitamente associados a Ele. Cada um desses momentos fazia alguma referência à Sua Paixão, morte e glorificação.

O primeiro desses momentos foi em Seu nascimento. Os pastores representavam a missão doméstica; os magos, as missões estrangeiras. Judeus e gentios estavam próximos da manjedoura; mas a vinda dos gentios coincidiu com o primeiro atentado contra Sua vida. A Nau Divina mal tinha sido lançada, e o rei Herodes quis afundá-la, ordenando o massacre de todos os meninos menores de dois anos. E foi aos gentios a quem Herodes questionou a respeito da profecia acerca da estrela de Belém. Desde já, a sombra da morte pairava sobre o menino Jesus.

O segundo momento da associação estreita com os gentios em sua vida foi quando, com a intercessão de Filipe e André, os gregos vieram vê-Lo. Nesta ocasião, Nosso Bendito Senhor não mencionou uma profecia das escrituras judaicas (pois isso teria sido inútil ao gentio); Ele, ao contrário, apelou a uma lei da ordem natural, a lei da semeadura.

> se o grão de trigo, caído na terra,
> não morrer, fica só;
> se morrer, produz muito fruto.
> (São João 12,24)

Como os Reis Magos dos gentios descobriram a sabedoria na manjedoura, assim também os sábios das fileiras dos gentios aprendiam agora a lei do sacrifício: pela morte, uma nova vida brotaria. Quanto mais perto da Cruz Nosso Senhor chegava (e aqui Ele estava a apenas uma semana dela), mais perto Dele estavam os pagãos. Começavam agora a aparecer pela primeira vez em seu cortejo. Na ocasião desta visita dos herdeiros de Sócrates, Platão e Aristóteles, Nosso Bendito Senhor começou a falar de Sua glória:

> É chegada a hora para
> o Filho do Homem ser glorificado.
> (São João 12,23)

O terceiro momento em que os gentios estiveram intimamente associados a Ele foi durante a crucifixão. Ele foi julgado na corte romana, e a mulher do governador romano intercedeu por Ele, pois ficara perturbada com um sonho. Simão de Cirene, que estava interessado em assistir a este homem caminhar para a morte, foi forçado a ajudá-Lo a carregar a cruz. Sabe-se que ao menos uma centena de soldados romanos estava presente na cena da crucifixão, pois um centurião comandava ao menos este número de soldados. Nunca houve tantos gentios e pagãos em torno do Senhor, como no momento de sua morte. Aguardando esse momento, depois que os milagres não bastaram para convencer os homens de sua divindade, ele dera a Cruz como argumento final. Agora que o Filho do Homem estava sendo levantado, ele começou a atrair para Si todos os homens. O Senhor deixou claro que eram "todos os homens" que Ele atrairia, não apenas o povo de Judá e da Galileia. No exato momento em que falava sobre dar a vida, acrescentou:

> Tenho ainda outras ovelhas que não são deste aprisco.
> Preciso conduzi-las também, e ouvirão a minha voz [...]
> (São João 10,16)

A morte de Cristo foi a realização do Reino de Deus para o mundo inteiro. Até o Calvário, os homens foram instruídos pela pregação. Depois do Calvário, seriam ensinados pela Ressurreição e Ascensão. O princípio da universalidade tornou-se definitivo. Foi a morte de Cristo que derrubou o muro de separação entre judeus e gentios a fim de revelar a missão universal do Messias, que fora obscuramente sugerida no Antigo Testamento. Faltava o Gólgota para universalizar a missão de Cristo. As missões estrangeiras foram fruto da Paixão e morte de Nosso Senhor Bendito. Não há maior prova disso do que o fato de que o mandato missionário não foi dado antes de Sua Ressurreição e Ascensão:

> Ide, pois, e ensinai a todas as nações.
> (São Mateus 28,19)

Agora os pagãos cairiam em si, não só os que tinham vivido antes da vinda do Senhor, mas aqueles que viveriam até sua glória final. E virá o dia em que:

> Os ninivitas se levantarão com esta raça e a condenarão.
> (São Mateus 12,41)

Os gentios que viveram nos dias de Salomão, e em particular da rainha de Sabá, apontariam um dedo acusador a Israel por não ter sido tão responsivo quanto os gentios à morte de Cristo.

A costa de Tiro e Sidônia, que produzira aquela mulher de fé, receberia um julgamento mais brando que Cafarnaum, que outrora embalara o Corpo do Pescador Divino:

> No dia do juízo, haverá menor rigor para Tiro e para Sidônia que para vós!
> E tu, Cafarnaum, serás elevada até o céu?
> Não! Serás atirada até o inferno!
> (São Mateus 11,22)

Até mesmo Sodoma, que fora sinônimo de tudo que era mau, teria um juízo mais misericordioso que Israel, a quem a revelação estava incialmente restrita.

> Porque, se Sodoma tivesse visto os milagres
> que foram feitos dentro dos teus muros,
> subsistiria até este dia.
> Por isso te digo: no dia do juízo,
> haverá menor rigor para Sodoma do que para ti!
> (São Mateus 11,23-24)

No futuro, todos os gentios seriam beneficiados por Sua morte e Ressurreição:

> Quando o Filho do Homem voltar na sua glória
> e todos os anjos com ele, sentar-se-á no seu trono glorioso.
> Todas as nações se reunirão diante dele.
> (São Mateus 25,31-32)

Se Nosso Senhor fosse apenas um pregador ou um mestre, jamais teria havido nenhuma missão estrangeira. A fé jamais teria sido propagada em todo o mundo. O Evangelho que os missionários levam não é um épico pertencente a um povo particular, mas uma redenção tão ampla quanto a própria humanidade. Desde o Calvário, o missionário pertenceu a Cristo, não ao príncipe deste mundo. Outro rei assumia o domínio jurídico dos gentios.

A principal distinção entre o Antigo e o Novo Testamento tinha que ver com sua abrangência. O primeiro estivera restrito quase exclusivamente a uma única nação, mas o sangue da Nova Aliança derramado no Calvário derrubou esse muro de separação entre os judeus e as outras nações.

O sacrifício de Cristo foi universal em três sentidos: tempo, espaço e poder. Quanto ao tempo, sua eficácia não se limitou a uma geração ou dispensação:

> O Cordeiro imaculado e sem defeito algum,
> aquele que foi predestinado antes da criação do mundo
> e que nos últimos tempos foi manifestado por amor de vós.
> (1 São Pedro 1,19-20)

Havia universalidade também no espaço, pois o efeito da morte de Cristo não ficou confinado a uma única nação:

> Foste imolado e resgataste para Deus,
> ao preço de teu sangue, homens de toda tribo, língua, povo
> e raça.
> (Apocalipse 5,9)

Por fim, havia universalidade em poder, pois não havia pecado que a redenção não pudesse apagar:

> E o sangue de Jesus Cristo, seu Filho,
> nos purifica de todo pecado.
> (1 São João 1,7)

Foi na Cruz que Cristo tornou Sua missão mundial. Quanto mais próximos da cruz viverem os missionários, mais rápido cumprirão a missão em todas as nações.

Direção editorial
Daniele Cajueiro

Editor responsável
Hugo Langone

Produção editorial
Adriana Torres
Luana Luz de Freitas

Revisão de tradução
Juliana Pitanga

Revisão
Laís Curvão

Diagramação
Elza Ramos

Capa
Victor Burton

Este livro foi impresso em 2024, pela Leograf, para a Petra. O papel de miolo é Hylte Paper Book Creamy 70g/m² e o da capa é couchê 150g/m².